La santé et la sécurité du travail

Problématiques en émergence et stratégies d'intervention

La santé et la sécurité du travail

Problématiques en émergence et stratégies d'intervention

Sous la direction de

JEAN-PIERRE BRUN

ET PIERRE-SÉBASTIEN FOURNIER

Les Presses de l'Université Laval

Les Presses de l'Université Laval reçoivent chaque année du Conseil des Arts du Canada et de la Société d'aide au développement des entreprises culturelles du Québec une aide financière pour l'ensemble de leur programme de publication.

Nous reconnaissons l'aide financière du gouvernement du Canada par l'entremise de son Programme d'aide au développement de l'industrie de l'édition (PADIÉ) pour nos activités d'édition.

Mise en pages: Diane Trottier

Maquette de couverture: Hélène Saillant

Dépôt légal 4e trimestre 2008

ISBN 978-2-7637-8706-0

Les Presses de l'Université Laval
Pavillon Maurice-Pollack
2305, de l'Université, bureau 3103
Québec, (Québec) G1V 0A6
Canada
www.pulaval.com

À tous les employés et à tous les gestionnaires
qui ont contribué généreusement
aux recherches présentées dans ce livre.

Table des matières

Soutenir le perfectionnement de compétences par la conception d'aides à l'apprentissage sur le cours de vie professionnelle

Pierre-Sébastien Fournier

Les conditions favorisant l'élimination de contraintes posturales à la suite d'une formation en ergonomie offerte à des employées de bureau travaillant avec ordinateur

Sylvie Montreuil, Lucie Laflamme, Chantal Brisson et Catherine Teiger

Chaire en gestion de la santé et de la sécurité du travail

Pour faire face aux nombreux défis de prévention des blessures et de la santé et de la sécurité du travail (SST), des chercheurs universitaires se sont regroupés autour de la chaire en gestion de la santé et de la sécurité du travail et se sont donné comme mission de contribuer à l'acquisition des connaissances et au perfectionnement des pratiques de gestion qui favorisent la réduction des blessures liées au travail et la prévention en matière de santé et de sécurité du travail. Afin de remplir cette mission, la chaire articule ses activités selon quatre orientations : 1) assurer l'avancement des connaissances scientifiques et le perfectionnement d'applications pratiques en prévention et en gestion de la SST ; 2) contribuer à l'acquisition de nouvelles compétences chez les étudiants diplômés ; 3) conduire, en partenariat avec les acteurs du monde du travail, des projets de recherche dans les organisations ; 4) assurer le transfert et l'utilisation des connaissances élaborées dans le cadre des recherches.

Dans cette perspective, la programmation scientifique de la chaire repose sur des recherches appliquées interdisciplinaires analysant les comportements, la dynamique organisationnelle, sociale et culturelle autour de la santé et de la sécurité du travail. Les travaux de la chaire s'inscrivent donc dans le courant des recherches qui étudient les blessures, l'organisation du travail et les processus de gestion de la SST. Les trois axes thématiques qui orientent nos activités de recherche sont : 1) les enjeux liés à la diversité des contextes organisationnels ; 2) les défis posés par les problématiques en émergence ; et 3) l'analyse et l'élaboration de démarches de prévention.

Au plan méthodologique, les chercheurs de la chaire font appel tant aux approches quantitatives (questionnaires, analyses de banques de données, élaboration d'indicateurs, etc.) que qualitatives (études de cas, observations du travail, entrevues individuelles et de groupes, analyses documentaires, etc.). La grande majorité des études réalisées jusqu'à présent se déroulent dans un contexte de paritarisme patronal-syndical afin d'assurer un meilleur déroulement de la recherche et du transfert des connaissances. En effet, nos études intègrent régulièrement, et de manière soutenue, la participation des travailleurs et des gestionnaires aux phases de progression de projets de recherche, de cueillette de données, d'analyse et de diffusion des résultats. Voici maintenant une brève présentation de nos axes de recherche.

AXE 1 – LES ENJEUX LIÉS À LA DIVERSITÉ DES CONTEXTES ORGANISATIONNELS

La structure économique du pays et le monde du travail se sont considérablement modifiés au cours des dernières décennies et les conséquences se répercutent sur la SST. Dans ce contexte, les employeurs et les syndicats posent la question suivante : quels outils de prévention, tenant compte de la diversité organisationnelle et des changements rapides dans les organisations, sont susceptibles de favoriser la réduction des blessures et la prise en charge de la SST par les milieux ? La réponse à cette question exige d'approfondir les connaissances liées au contexte spécifique de la santé et de la sécurité des travailleurs dans ces organisations. L'objectif des recherches de la chaire qui s'inscrivent dans cet axe est donc de générer des connaissances sur ces contextes particuliers et de focaliser sur la prévention des blessures et l'intégration de la SST dans les pratiques et les préoccupations organisationnelles.

AXE 2 – LES DÉFIS POSÉS PAR LES PROBLÉMATIQUES EN ÉMERGENCE

Dans le contexte des transformations de plus en plus rapides du monde du travail, nous constatons, notamment, une augmentation du travail autonome, des emplois précaires (à temps partiel, en sous-traitance ou en franchise), de la tertiarisation de l'emploi, des facteurs de risque psychosociaux associés à la santé mentale au travail, de la violence au travail et de l'intensification du travail (surcharge de travail, augmentation des heures de travail, multiples tâches en parallèle, délais serrés, etc.). Dans cette perspective, les partenaires et les chercheurs de la chaire se posent la question suivante : comment intervenir sur ces transformations sociales et sur l'organisation du travail afin de réduire l'effet négatif sur les blessures et sur la santé globale des individus ? Par exemple, une augmentation de la cadence de travail a des conséquences sur les blessures, les accidents du travail, sur la santé psychologique (stress), sur la santé physique (troubles musculo-squelettiques) et même sur la dignité des personnes (harcèlement psychologique et reconnaissance des limites humaines).

AXE 3 – L'ANALYSE ET L'ÉLABORATION DE DÉMARCHES DE PRÉVENTION

Le troisième axe porte sur la compréhension et la transformation des pratiques de prévention utilisées par les différents acteurs (internes et externes) de la SST. Cet intérêt repose sur deux postulats relatifs à la pratique des acteurs de la prévention. Tout d'abord, les travailleurs, les superviseurs, les décideurs publics et les autres acteurs sociaux (sectoriels, syndicaux, gouvernementaux) possèdent des connaissances tacites nécessaires à la prévention des blessures. Deuxièmement, la pratique professionnelle des préventionnistes engage des dimensions tant techniques que stratégiques qui influencent leur efficacité.

Pour plus de renseignements sur les chercheurs, les étudiants, les publications, les formations, les événements ou les recherches à la Chaire en gestion de la santé et de la sécurité du travail de l'Université Laval, le lecteur est invité à consulter le site Internet suivant: http://www.cgsst.com

Introduction

Jean-Pierre Brun
et Pierre-Sébastien Fournier

Au cours des vingt dernières années, l'économie de marché s'est considérablement modifiée et, par voie de conséquence, le monde du travail en a subi les contrecoups. Ces transformations sociales, économiques et organisationnelles ont aussi des conséquences sur la population active, qu'il s'agisse des travailleurs ou des gestionnaires. Les acteurs et les observateurs scientifiques du monde du travail constatent que, à travers les améliorations apportées, apparaissent aussi des effets négatifs qui prennent la forme de nouvelles contraintes (p. ex. les risques psychosociaux) ou d'intensification d'anciens risques (p. ex. l'augmentation de la charge de travail). En fait, ces transformations se manifestent sur plusieurs plans.

Premièrement, les organisations poursuivent actuellement des objectifs complexes et difficilement conciliables: devenir plus compétitives, flexibles, productives et rentables (rentabilité économique). Elles sont confrontées à trois grandes forces (Audet, Brun, Blais, Montreuil, et Vinet, 2003) : la libéralisation des économies entraînant la déréglementation et la compétitivité à l'échelle de la planète, le perfectionnement des technologies de l'information et de la communication contribuant à l'éclatement des notions de lieu, de temps, de collectif de travail (Durand et Girard, 2002) et les exigences des actionnaires et des gestionnaires qui ne cessent d'augmenter.

Pour atteindre ces objectifs, les organisations doivent constamment s'adapter et rentabiliser le temps de travail, ce qui donne naissance à une accélération et à une superposition du changement en milieu de travail (de Coninck et Gollac, 2006). En fait, ces changements sont divers: changements dans l'organisation de la production, changements dans l'organisation du travail, changements technologiques, nouvelles politiques de gestion des ressources humaines, etc. Pour que ces multiples changements se concrétisent, les organisations ont recours à des formes innovantes d'organisation du travail qui contribuent à intensifier le travail (Askenazy et Gianella, 2000). Ces changements dans l'organisation du travail peuvent eux aussi prendre diverses formes : l'implantation de normes de qualité, la rotation des postes, les réaffectations, la flexibilité du temps de travail, l'autonomie au travail valorisant l'utilisation de l'ensemble des capacités et la disponibilité en temps réel des salariés (Askenazy, 2004 ; Cadin, Guérin, et Pigeyre, 2002 ; St-Onge, Audet, Haines, et Petit, 2004). Bien qu'ils soient généralement perçus positivement en raison des retombées économiques qu'ils génèrent, ces changements entraînent aussi de multiples conséquences chez les travailleurs et les travailleuses.

Dans cette perspective, le travailleur peut se retrouver aux prises avec un sentiment de débordement ; il peut éprouver des difficultés à mener à bien ses tâches dans un cadre temporel restreint il peut aussi éprouver une forme d'épuisement (de Coninck et Gollac, 2006). D'ailleurs, près du quart (23 %) des travailleurs québécois jugent que leur charge de travail est trop élevée (CROP-Express, 2006). L'intensification du travail est donc vécue par l'individu en termes d'augmentation de la charge de travail notamment en multipliant les tâches à réaliser en simultané, en éliminant les temps morts, en optimisant le temps travaillé, en compressant les coûts associés à la production et en nécessitant une adaptation aux technologies de l'information et de la communication (Legault et Belarbi-Basbous, 2006).

En même temps qu'apparaissent ces transformations, le portrait démographique des pays de l'OCDE se caractérise par un vieillissement marqué de la population active qui arrive en fin de carrière usée par le travail (David et coll., 2001). De même, on constate l'augmentation fulgurante des risques psychosociaux dans les organisations. On parle alors d'épuisement professionnel mais aussi de manque de respect, de conflit, de harcèlement psychologique et même de suicide au travail. Ces nouveaux risques imposent aux organisations et à leurs partenaires de revoir leur stratégie de prévention et même les politiques publiques.

Comme le démontre l'Institut de recherche Robert-Sauvé en santé et en sécurité du travail (IRSST, 2000), qui s'est intéressé à diverses tendances du monde du travail, les changements organisationnels et technologiques dans les entreprises, les nouvelles formes d'organisation du travail ainsi que les changements démographiques ont créé de nouveaux risques et ont amené un questionnement face aux modes d'organisation traditionnels de la prévention. Dans ce contexte, les entreprises doivent s'attendre à une recrudescence des accidents et des maladies professionnelles ainsi qu'à une détérioration de la qualité de vie au travail, si l'ensemble des décisions de gestion n'est pas mis en œuvre en tenant compte des conséquences sur la santé et la sécurité des travailleurs.

Parallèlement aux transformations du monde du travail, la recherche en SST a aussi connu des mutations. Ainsi, Hale et Hovden (1998) retracent l'évolution de ce champ d'études en distinguant trois « ères de la sécurité » où les interventions et l'acquisition des connaissances ont, tour à tour, porté principalement sur les aspects techniques (du XIXe siècle à ±1945), humains (de ±1930 à ±1985) et organisationnels (de ±1980 à aujourd'hui) des accidents du travail, des maladies professionnelles et de la prévention. Les auteurs situent le contexte de la recherche actuelle dans ce qu'ils appellent « le troisième âge de la sécurité », qui est caractérisé par des travaux sur les systèmes de gestion de la sécurité, sur la mise au point d'indicateurs performants permettant d'évaluer les systèmes et sur les processus d'amélioration continue des systèmes, etc.

D'autres auteurs constatent également ce déplacement de l'intérêt pour les problématiques techniques (sécurité des machines, équipements de protection, etc.) vers les caractéristiques organisationnelles et psychosociales dans la compréhension du processus de gestion de la prévention (Shannon, Robson, et Sale, 2001). Tout en admettant la nécessité de prendre en compte de multiples éléments dans la compréhension des accidents du travail et des maladies professionnelles et d'agir à différents niveaux afin de les prévenir, ces auteurs préconisent une approche centrée sur des facteurs de niveaux organisationnels ou systémiques plutôt que sur des circonstances immédiates souvent associées à des considérations techniques et individuelles. D'autres recherches vont même plus loin et s'intéressent à des facteurs de niveau macro et même sociétal. Par exemple, Quinlan (1999) s'interroge sur les implications pour la SST des changements survenus sur le marché du travail et sur l'augmentation des emplois atypiques.

La réalisation de cet ouvrage collectif est la résultante des constats que nous venons de présenter brièvement. En effet, nous observons une forte convergence des points de vue sur l'importance d'approfondir la compréhension de l'influence des facteurs organisationnels sur le processus de gestion de la prévention. Il s'agit là des préoccupations centrales exprimées dans la mission et les orientations de la Chaire en gestion de la santé et de la sécurité du travail.

Ce livre rend donc compte de quelques-uns des nombreux travaux conduits par les professeurs-chercheurs de la Chaire en gestion de la santé et de la sécurité du travail. Ces travaux abordent des sujets variés qui s'inscrivent dans un des axes de recherche de la Chaire et qui sont tous d'actualité dans le monde du travail. Pour mieux saisir les enjeux qui se posent au monde du travail en matière de santé et de sécurité du travail, nous avons divisé cet ouvrage en deux parties. La première partie aborde des problématiques en émergence dans le contexte du travail et des organisations. La seconde partie propose des stratégies de prévention de la santé et de la sécurité du travail pour les organisations.

La première partie, intitulée « Des problématiques en émergence en santé et en sécurité du travail », offre cinq chapitres qui abordent des enjeux appelés à prendre de l'ampleur dans le contexte actuel du travail.

Dans le chapitre 1, « La mise en visibilité des problèmes de santé liés à l'organisation du travail », Michel Vézina et ses collaborateurs abordent quelques modèles théoriques qui permettent de comprendre comment apparaissent les problèmes de santé psychologique au travail; il y est aussi question des évidences scientifiques sur les effets pathogènes des principaux facteurs de risques organisationnels.

Le chapitre 2, intitulé « Porter plainte pour harcèlement psychologique au travail: un récit difficile », donne une voix aux personnes qui se disent victimes de harcèlement psychologique au travail. Les auteurs, Jean-Pierre Brun et Evelyn Kedl, exposent les principales formes de plaintes qui sont déposées à la Commission des normes du travail du Québec. Ils insistent aussi sur la nécessité pour que les organisations se dotent de systèmes de veille pour détecter les cas et surtout d'outils de gestion pour désamorcer les situations qui comportent un potentiel de harcèlement psychologique au travail.

Dans la même veine, le troisième chapitre, intitulé « Tour d'horizon de la prévention de la violence en milieu de travail: perspective québécoise et canadienne », traite de la pertinence pour les organisations de se doter d'un programme pour prévenir la violence en milieu de travail. À partir d'une expérience en milieu scolaire et d'une autre en milieu hospitalier, Johanne Dompierre et ses collaborateurs proposent des types d'approches et des ressources à déployer pour prévenir les actes de violence en milieu de travail.

Le travail ne se répercute pas uniquement sur la santé des employés, il a aussi des conséquences sur les membres de la famille. Cette réalité est abordée au chapitre 4: « Les influences temporelles des acteurs du milieu de vie sur les parents travailleurs ». Dans ce texte, Lise Chrétien et Isabelle Létourneau partent du constat que la conciliation travail-famille implique d'autres acteurs que seuls les travailleurs et les employeurs et qu'elle s'inscrit dans un contexte socio-économique plus large que celui des milieux professionnels et familiaux. Tout au long du texte, les auteurs montrent comment mettre au point une approche holistique de la conciliation travail-famille.

Le chapitre 5, « Représentations et prises en charge de la sécurité dans les petites entreprises manufacturières : pistes pour l'intervention et la recherche », rédigé par Danielle Champoux et Jean-Pierre Brun, donne un aperçu des représentations et des pratiques les plus caractéristiques en ce qui a trait à la prise en charge de la prévention au travail. À partir d'entrevues conduites auprès de patrons de petites entreprises (PE), les auteurs suggèrent aussi de mettre au point des approches à la prévention adaptées aux réalités des PE.

Après avoir étudié des problématiques en émergence, la seconde partie du livre propose cinq textes sur « Les stratégies de prévention à déployer afin d'améliorer la performance des organisations en matière de santé et de sécurité du travail ».

Dans le chapitre 6, « Concilier le droit de retour au travail et l'obligation d'accommodement : un exercice nécessaire afin de favoriser la réintégration en emploi », Anne-Marie Laflamme montre l'évolution et la nécessaire adaptation dans le monde du travail de la notion d'accommodement. À partir de la législation québécoise, l'auteure soutient que, dans le monde du travail, l'utilisation faite de la notion d'accommodement ne respecte pas le caractère prééminent du droit à l'égalité. De plus, elle montre que la conciliation entre le droit de retour au travail et l'obligation d'accommodement est nécessaire afin de favoriser la réintégration en emploi des employés victimes de lésions professionnelles.

Par ailleurs, les entreprises doivent composer avec des défis sérieux en matière de formation des travailleurs dans un contexte de changement démographique important. Le chapitre 7, intitulé « Soutenir le développement de compétences par la conception d'aides à l'apprentissage sur le cours de vie professionnelle » montre que la formation ne doit pas être vue comme une seule étape au moment de l'entrée en fonction d'un nouvel employé, mais plutôt comme un processus qui doit être pris en compte tout au long de la vie professionnelle des individus. Dans ce contexte, Pierre-Sébastien Fournier élabore un modèle pratique proposant une double intervention : sur la formation et sur le travail comme moyen d'aider à l'apprentissage sur le cours de vie professionnelle.

Le chapitre 8, intitulé « Les conditions favorisant l'élimination de contraintes posturales à la suite d'une formation en ergonomie offerte à des employées de bureau travaillant avec ordinateur », aborde la question des retombées d'une formation sur les principes ergonomiques dans la mise en place d'actions préventives par les travailleurs en matière de troubles musculo-squelettiques. À partir de divers indicateurs comme la présence de douleurs, les caractéristiques du poste de travail, le contenu du travail et l'âge des individus, Sylvie Montreuil et ses collaborateurs cherchent à comprendre les retombées d'une formation sur la santé et la sécurité du travail des employés.

Au chapitre 9, Geneviève Baril-Gingras et ses collaborateurs étudient des interventions de prévention réalisées par des conseillers externes aux organisations. Ce texte, intitulé: « Interventions externes en santé et en sécurité du travail: influence du contexte de l'établissement sur l'implantation de mesures préventives », montre comment on peut améliorer les interventions en SST en tenant compte de certaines caractéristiques stratégiques des entreprises. Le chapitre aborde les aspects suivants: la structuration de la prévention, les intervenants impliqués et la dynamique des relations internes.

Au chapitre 10, Éléna Laroche aborde la question du transfert des connaissances dans le monde de la recherche en santé et en sécurité du travail. Intitulé « Le transfert des connaissances: un catalyseur à l'amélioration des pratiques de prévention et de gestion des lésions professionnelles », ce texte montre l'importance de se doter de moyens de transfert de connaissances opérationnels pour mieux valoriser les résultats de la recherche et mieux outiller les milieux de travail.

Cet ouvrage vise à rendre accessible une série de textes publiés dans des revues scientifiques qui ne sont généralement pas disponibles au grand public. Nous croyons aussi que la mise en commun de ces diverses contributions issues des chercheurs de la Chaire en gestion de la santé et de la sécurité du travail apportera une valeur ajoutée aux connaissances disponibles sur les enjeux de la santé et de la sécurité du travail. S'il est vrai que les enjeux en santé et en sécurité du travail sont de plus en plus complexes, il est aussi vrai que les chercheurs universitaires tentent de fournir des connaissances et des pistes de solutions innovatrices pour les différents acteurs du monde du travail.

Bonne lecture!

BIBLIOGRAPHIE

Askenazy, P. (2004), *Les désordres du travail: enquête sur le nouveau productivisme,* Paris, France, Seuil.

Askenazy, P., et Gianella, C. (2000), « Le paradoxe de productivité : les changements organisationnels, facteur complémentaire à l'informatisation », *Économie et statistique,* n° 339-340, p. 219-237.

Audet, M., Brun, J.-P., Blais, C., Montreuil, S., et Vinet, A. (2003), « Santé mentale au travail : l'urgence de penser autrement l'organisation », dans A. Vinet, R. Bourbonnais et C. Brisson (dir.), *Travail et santé mentale – une relation qui se détériore,* Québec, Les Presses de l'Université Laval.

Cadin, L., Guérin, F., et Pigeyre, F. (2002), *Gestion des ressources humaines : pratique et éléments de théorie,* Paris, France, Dunod.

CROP-Express. (2006), *Charge de travail et rémunération,* Québec, Canada, L'Ordre des conseillers en ressources humaines et en relations industrielles agréés du Québec.

De Coninck, F., et Gollac, M. (2006), « L'intensification du travail : de quoi parle-t-on ? », dans P. Askenazy, D. Cartron, F. de Coninck et M. Gollac (dir.), *Organisation et intensité du travail,* Toulouse, France, Octares Éditions.

Durand, J.-P., et Girard, S. (2002), *Les Cahiers d'Evry : attribution, perception et négociation de la charge de travail,* Val d'Essonne, Centre Pierre Naville.

Legault, M.-J., et Belarbi-Basbous, H. (2006), « Gestion par projets et risques pour la santé psychologique au travail dans la nouvelle économie », *Pistes,* vol. 8, n° 1.

Shannon, H. S., Robson, L. S., et Sale, J. E. M. (2001), « Creating Safer and Healthier Workplaces : Role of Organizational Factors and Job Characteristics », *American Journal of Industrial Medicine,* vol. 40, p. 319-334.

St-Onge, S., Audet, M., Haines, V., et Petit, A. (2004), *Relever les défis de la gestion des ressources humaines,* Montréal, Canada, Gaëtan Morin éditeur.

Section 1

La mise en visibilité des problèmes de santé liés à l'organisation du travail[1]

MICHEL VÉZINA
Institut national de santé publique du Québec, Département de médecine sociale et préventive, Faculté de médecine, Université Laval, Québec, Canada

RENÉE BOURBONNAIS
Département de réadaptation, Faculté de médecine, Université Laval, Québec, Canada

CHANTAL BRISSON
Département de médecine sociale et préventive, Faculté de médecine, Université Laval, Québec, Canada

LOUIS TRUDEL
Département de réadaptation, Faculté de médecine, Université Laval, Québec, Canada

1. INTRODUCTION

Au cours des dernières décennies, la plupart des pays du monde occidental ont adopté des législations visant à imposer aux employeurs « le devoir d'assurer la sécurité et la santé des travailleurs dans tous les aspects reliés au travail » (EU Framework directive – 89/391/EEC). Les principes de prévention énoncés incluent « éviter le risque », « combattre les risques à la source » et « adapter le travail à l'individu », selon « une politique de prévention globale et cohérente ». À titre d'exemple, la Commission européenne a publié des recommandations[2] servant à orienter le travail de prévention des entreprises.

En ce qui concerne les facteurs de risque relevant de l'environnement psychosocial de travail, les employeurs éprouvent des difficultés à faire de la prévention primaire, prétextant notamment qu'ils ne savent pas comment

---

1. Cet article a été initialement publié dans *Actes de la recherche en science sociales*, vol. 63, 2006, p. 326-334. Reproduit avec l'autorisation de l'éditeur.
2. *Prevention of psychosocial risks and stress at work in practice*, issue 104, 2002 [http:/osha.eu.int/publications/reports/104/en/stress.pdf]

définir et, conséquemment, comment mesurer ces facteurs pour pouvoir mieux les éliminer ou, du moins, les réduire. C'est pourquoi les stratégies actuelles en milieu de travail pour prévenir les problèmes de santé mentale liés au travail sont principalement orientées vers les individus, dans le but de modifier la réponse au stress (prévention secondaire) ou les problèmes de santé liés au stress (prévention tertiaire).

2. LA DÉFINITION DES FACTEURS DE RISQUE PSYCHOSOCIAUX

Les facteurs psychosociaux de l'environnement de travail désignent l'ensemble des facteurs organisationnels et les relations interindividuelles sur le lieu de travail qui peuvent avoir des conséquences sur la santé. Il existe de nombreuses classifications des risques psychosociaux au travail. Ces classifications établissent un nombre considérable de facteurs psychosociaux permettant de documenter le caractère stressant d'une situation de travail. Il s'agit notamment: du contrôle (autonomie, participation, utilisation et perfectionnement d'habiletés), de la charge de travail (quantité, complexité, contraintes temporelles), des rôles (conflit, ambiguïté), des relations avec les autres (soutien social, harcèlement, reconnaissance), des perspectives de carrière (promotion, précarité, rétrogradation), du climat ou de la culture organisationnelle (communication, structure hiérarchique, équité) et de l'interaction travail/vie privée. Même si ces classifications se recoupent sur plusieurs points, il n'existe malheureusement pas d'accord entre les scientifiques du domaine sur la façon de définir et de mesurer un environnement psychosocial de travail à risque pour la santé.

Le caractère délétère d'un environnement psychosocial de travail ne peut évidemment pas être déterminé par des mesures physiques ou chimiques directes. Dans une perspective de santé publique, il faut plutôt avoir recours à des modèles théoriques basés sur certaines dimensions psychosociales de l'environnement de travail pour lesquelles on possède des évidences empiriques de leur pouvoir pathogène pour les travailleurs qui y sont exposés. Ces modèles, en plus de réduire la complexité de la réalité psychosociale du travail à des composantes significatives en termes de risques à la santé, facilitent également l'élaboration et la mise en œuvre d'interventions dans les milieux de travail.

Ces composantes « toxiques » sont reconnaissables par des questionnaires validés, applicables à l'ensemble des professions ou des situations de travail.

Il existe actuellement deux modèles de risques psychosociaux reconnus à l'échelle internationale en raison de leur apport considérable à la production de connaissances scientifiques consistantes sur l'importance des liens entre des phénomènes sociaux et psychologiques au travail et l'apparition de plusieurs maladies. Il s'agit du modèle « demande-autonomie au travail », de Karasek et celui du « déséquilibre : effort/récompense », de Siegrist.

2.1 Le modèle « demande-autonomie au travail » (Karasek)

Le modèle « demande-autonomie au travail » repose sur le constat qu'une situation de travail qui se caractérise par une combinaison de demandes psychologiques élevées et d'une autonomie décisionnelle faible augmente le risque de souffrir d'un problème de santé physique et mentale (Karasek and Thoerell, 1990).

Les demandes psychologiques font référence à la quantité de travail à accomplir, de même qu'aux exigences mentales et aux contraintes de temps liées à ce travail. Ces dimensions sont mesurées par un questionnaire qui évalue si le sujet perçoit qu'une quantité excessive de travail lui est demandée, qu'il doit travailler très « fort », que son travail est très mouvementé, qu'il doit se concentrer intensément pendant de longues périodes, qu'il reçoit des demandes contradictoires, que sa tâche est souvent interrompue avant d'être terminée, qu'il a suffisamment de temps pour faire son travail, que son travail exige d'aller très vite et, enfin, qu'il est souvent ralenti dans son travail parce qu'il doit attendre que les autres aient terminé le leur.

L'autonomie décisionnelle réfère à la capacité de prendre des décisions au sujet de son travail, mais surtout à la possibilité d'être créatif et d'utiliser et de parfaire ses habiletés. Ainsi, le concept d'autonomie comprend deux composantes qui, comme le signale Périlleux, sont liées puisqu'elles engagent toutes les deux la question de la maîtrise du processus de travail. L'une se situe au plan de l'autorité (c.-à-d. avoir la liberté de décider comment faire son travail ou avoir de l'influence sur la façon dont les choses se passent au travail) ; l'autre se situe plutôt au plan de l'accomplissement de soi au travail (c.-à-d. faire preuve de créativité, avoir un travail varié qui exige un niveau élevé de qualifications, qui permet d'apprendre des choses nouvelles et de parfaire ses habiletés personnelles).

Les réponses à chacune des questions permettent de construire un indice de demande psychologique élevé et d'autonomie décisionnelle faible en fonction des valeurs (médianes, tertiles, quintiles, etc.) mesurées dans un échantillon représentatif de l'ensemble des travailleurs au plan national ou par secteur d'activité économique. Ces valeurs tiennent lieu de référence un peu comme le sont les valeurs seuils utilisées pour réglementer l'exposition à des risques physico-chimiques. Il s'agit évidemment d'une limite importante, car ces valeurs de référence sont influencées par l'évolution globale des conditions de travail plutôt que par l'évolution des connaissances visant à déterminer l'innocuité d'un niveau d'exposition à des facteurs de risque psychosociaux.

La combinaison d'une faible autonomie et d'une forte demande est appelée « tension au travail » (job strain) (Bourbonnais et coll. 2001). En 1998, au Québec, 25 % des femmes et 21 % des hommes étaient exposés à cette situation. En Europe, la prévalence de cette exposition a connu une augmentation de 1991 à 1996, où elle est passée de près de 25 % à 30 %, selon les résultats des enquêtes de la Fondation européenne pour l'amélioration des conditions de vie de travail. L'augmentation s'est poursuivie en 2000. On y a en effet noté que 56 % des travailleurs disent travailler à un rythme très élevé, que 60 % doivent faire face à des échéanciers très serrés pour au moins le quart du temps du travail, que 35 % disent ne pas avoir de contrôle sur leur tâche, et que près du tiers n'en ont pas sur les méthodes ou sur la vitesse de travail (Paoli and Merllié, 2001). Aux États-Unis, entre 1977 et 1997, le pourcentage des personnes devant « travailler très vite » ou encore « n'ayant jamais assez de temps pour terminer leur travail » est passé respectivement de 55 % à 68 % et de 40 % à 60 %, soit des augmentations respectives de 24 % et de 50 % (Bond et coll. 1998). Cette réalité est à mettre en relation avec les transformations majeures qu'a connues le travail au cours des dernières années (Bourbonnais et coll. 2001) notamment en termes d'intensification.

Ces transformations sont la conséquence des nouvelles formes d'organisation du travail caractérisées par la chasse aux « temps morts », l'augmentation des exigences de qualité et de quantité, la flexibilité, la réduction des effectifs, qui sont à leur tour la conséquence d'un contexte de concurrence effrénée et d'un développement technologique poussé. Au Québec, l'enquête sociale et de santé, réalisée en 1992-1993 et en 1998, a montré que, entre les deux périodes, le pourcentage de travailleurs présentant une faible autonomie au travail a augmenté de 44 % à 56 % et que cette augmentation valait pour tous les groupes d'âge et tant pour les hommes que pour les femmes, même si ces dernières ont un niveau plus élevé d'exposition à cette contrainte que les hommes (62 % vs 51 %) (Bourbonnais et coll. 2001).

Cette réduction de l'autonomie au travail est à placer dans le contexte de l'évolution de l'organisation du travail au cours des dernières années, évolution qui vise à responsabiliser davantage les travailleurs, sans nécessairement accroître leur marge de manœuvre effective, faute de temps, d'information et d'interactions utiles avec les collègues ou le supérieur hiérarchique (Gollac et Volkoff, 1996). C'est ainsi que, à la fin des années 80, le concept de soutien social a été ajouté au modèle de Karasek (Johnson et coll. 1989). De façon générale, le soutien social regroupe l'ensemble des interactions sociales utilitaires qui sont disponibles au travail tant de la part des collègues que des superviseurs. De façon plus spécifique, on distingue deux types de soutien social au travail : le soutien socio-émotionnel et le soutien instrumental. Le soutien socio-émotionnel fait référence au degré d'intégration sociale et émotionnelle et de confiance entre les collègues et les superviseurs, c'est-à-dire au degré de cohésion sociale et d'intégration dans le groupe de travail. Le soutien instrumental, quant à lui, fait référence à l'importance de l'aide et de l'assistance donnée par les autres dans l'accomplissement des tâches (Karasek and Theorell, 1990).

La combinaison d'une forte demande psychologique, d'une faible autonomie décisionnelle et d'un faible soutien social (*iso-strain*) apparaît comme la plus pathogène. On a de plus constaté que, indépendamment des deux premiers axes du modèle, le manque de soutien au travail a des effets négatifs sur la santé des travailleurs exposés à cette situation. Il est à noter qu'un faible soutien ou un manque d'esprit d'équipe au travail peut également être mis en relation avec l'évolution du travail au cours de la dernière décennie, notamment en raison des coupures dans l'encadrement et les effectifs ainsi que du climat de tension et de compétition associé aux nouveaux modes de gestion du personnel, lesquels entraînent souvent le repli sur soi plutôt que la solidarité, sans compter les débordements possibles du côté du harcèlement psychologique ou administratif (Bosma et coll. 1997).

2.2 Le modèle « déséquilibre : effort/récompense » (Siegrist)

Le modèle du « déséquilibre : effort/récompense » a été proposé par Siegrist à la fin des années 1980 (Siegrist, 1996). Ce modèle repose sur le constat qu'une situation de travail, qui se caractérise par une combinaison d'efforts élevés et de faibles récompenses, s'accompagne de réactions pathologiques sur les plans émotionnel et physiologique. L'effort élevé peut provenir de deux sources : l'une extrinsèque et l'autre intrinsèque. L'effort extrinsèque est lié aux contraintes de temps, aux interruptions fréquentes, aux nombreuses responsabilités, à l'augmentation de la charge, à l'obligation de faire des heures supplémentaires et aux efforts physiques exigés. L'effort intrinsèque, appelé ultérieurement surinvestissement, traduit les attitudes et les motivations liées à un besoin inné de se dépasser ou d'être estimé ou approuvé ou encore à l'expérience autogratifiante de relever des défis ou de maîtriser une situation menaçante. Cette composante liée au profil de personnalité représente un ajout au concept de demande du modèle de Karasek. Le surinvestissement se manifeste surtout par l'incapacité de prendre ses distances par rapport à ses obligations de travail ou d'empêcher que les préoccupations du travail n'envahissent la sphère privée. Par ailleurs, il est important de noter que ce surinvestissement peut être déterminé par des facteurs extérieurs à l'individu et qui ont trait notamment aux conditions de travail caractéristiques de certains secteurs d'activités économiques. C'est ainsi que, dans un contexte de précarité d'emploi, des travailleurs n'ont tout simplement pas d'autre choix que de fournir un niveau de production maximal s'ils veulent voir leur contrat de travail renouvelé ou s'ils aspirent à une certaine forme de sécurité d'emploi ou de promotion dans l'entreprise.

Les faibles récompenses peuvent prendre trois formes principales : un salaire insatisfaisant, le manque d'estime et de respect au travail (incluant le faible soutien et le traitement injuste) et enfin l'insécurité d'emploi et les faibles opportunités de carrière (incluant les perspectives de rétrogradation et un travail qui ne correspond pas à la formation).

Alors que la dimension « autonomie décisionnelle » est centrale dans le modèle de Karasek, c'est le concept de « réciprocité sociale » qui est capital dans le modèle de Siegrist : c'est-à-dire la possibilité d'avoir accès aux avantages légitimes auxquels on est en droit de s'attendre, compte tenu de l'effort fourni au travail. Ce modèle repose sur les théories sociologiques du « *self* » et de l'identité qui soulignent l'importance de la continuité des rôles sociaux fondamentaux dans la construction de l'estime de soi et du sens de maîtrise et d'efficacité chez l'individu.

Chez les populations étudiées, on a évalué que de 10 % à 40 % des travailleurs sont exposés à un certain niveau de « déséquilibre : effort/récompense » principalement chez les employés appartenant à des groupes socio-économiquement défavorisés (Siegrist 2002). Au Québec, dans le cadre d'une étude réalisée auprès de 9000 cols blancs de la région de Québec, le pourcentage des personnes exposées à un « déséquilibre : effort/récompense » est de l'ordre de 24 %, tant chez les hommes que chez les femmes.

Ce modèle est particulièrement utile pour mesurer l'impact sur la santé d'une autre caractéristique majeure des transformations qu'ont connues les milieux de travail, au cours de la dernière décennie, soit la précarisation du lien d'emploi. Ces impacts sont d'autant plus grands qu'ils durent dans le temps, en raison, par exemple, du fait que le marché de l'emploi n'offre pas d'autres solutions de rechange ou encore que l'individu consent à des conditions inéquitables de travail pour des raisons stratégiques dans l'espoir d'une promotion qui se fait attendre. Ce modèle s'applique à un vaste éventail de situations de travail, principalement aux groupes exposés aux changements socio-économiques rapides ou au chômage structurel. Le « déséquilibre : effort/récompense » est fréquent dans les emplois de services, particulièrement chez ceux qui impliquent une interaction avec une clientèle (Siegrist,

1996). Enfin, ce modèle est très pertinent pour évaluer l'impact sur la santé de la complexification de l'activité de travail liée notamment aux développements technologiques, lesquels, associés aux exigences accrues de la qualité et de quantité, génèrent des difficultés nouvelles pour le travailleur. Dans un contexte où, de plus en plus s'impose l'idée qu'il n'est pas nécessaire de connaître le travail pour le manager, les gestionnaires ont tendance à se rabattre sur une série d'indicateurs dits objectifs pour évaluer le travail tel le nombre d'actes par unité de temps ou sur des enquêtes de satisfaction de la clientèle. Ces modes d'évaluation sont loin de pouvoir rendre compte des difficultés et de la complexité du travail réel à accomplir et ne permettent pas de juger ni de reconnaître les efforts déployés pour atteindre les résultats demandés, compte tenu des exigences du métier et des normes professionnelles à respecter ainsi que des moyens mis à la disposition des travailleurs. Ce manque de reconnaissance mine l'estime de soi et ouvre la porte à des manifestations psychologiques (anxiété, dépression), physiologiques (sécrétion accrue d'adrénaline, élévation de la tension artérielle, perturbation du sommeil) et comportementales (consommation de médicaments et d'alcool, violence et agressivité).

3. LES ÉVIDENCES EMPIRIQUES DE L'EFFET PATHOGÈNE DE CES FACTEURS

Au cours des deux dernières décennies, le modèle de « demande-autonomie-soutien » de Karasek et celui du « déséquilibre : effort/récompense » de Siegrist ont fait l'objet de très nombreuses recherches à travers le monde dont les résultats ont bien montré les effets pathogènes qu'ont ces situations de travail principalement sur la santé cardiovasculaire et sur la santé mentale, deux pathologies qui ont entre elles des liens bien documentés. En effet, des études de cohorte prospectives apportent des évidences solides que des facteurs psychosociaux, particulièrement la dépression et le soutien social, sont des facteurs étiologiques et pronostiques indépendants de la maladie coronarienne (Hemmingway and Marmot, 1999).

En ce qui a trait aux maladies cardiovasculaires, sauf quelques exceptions qui ont en commun certaines faiblesses (Theorell, 2001), la majorité des recherches ont montré un lien entre les situations de tension au travail (*job strain*) caractérisées par une forte demande psychologique et une faible autonomie décisionnelle et les maladies cardiovasculaires (Bosma et coll. 1997 ; Karasek et coll. 1981 ; Niedhammer et coll. 1998). Au Québec avec une prévalence de 23 % (Bourbonnais et coll. 2001), la tension au travail au Québec est donc un facteur de risque de maladies cardiovasculaires comparable à la sédentarité (29 %), au tabagisme (34 %) ou à l'hypercholestérolémie (19 %).

Dans les études de cohorte de travailleurs exposés à la tension au travail, les risques relatifs d'incidence de maladies coronariennes varient entre 1,4 à 2,6, en contrôlant pour les risques connus de maladies cardiovasculaires (Siegrist, 1996). De même, dans une étude en milieu industriel, le risque de mortalité par maladie cardiovasculaire associé à une exposition à long terme à la tension au travail a été évalué à 2,2, toujours après ajustement pour contrôler l'effet des facteurs de risque connus de mortalité cardiovasculaire (Kivimâki et coll. 2002). En d'autres termes, le fait d'être exposé à une situation de tension au travail pourrait doubler le risque de maladies cardiovasculaires graves alors que le tabagisme n'augmente ce risque que de 70 %. La plausibilité que le travail joue un rôle important dans la survenue de maladies coronariennes se trouve renforcée par le fait que les risques connus tels ceux en lien avec l'alimentation, la sédentarité et le tabagisme n'expliquent qu'une partie des nouveaux cas de maladies coronariennes.

Des deux principales dimensions du modèle de Karasek, la faible autonomie décisionnelle semble particulièrement dommageable. Au contraire de la croyance populaire, ce sont les personnes au bas de l'échelle hiérarchique qui sont le plus à risque. D'ailleurs, on a observé chez les hommes que le gradient d'incidence des maladies coronariennes en faveur des classes d'emploi plus élevées disparaissait lorsqu'on tenait compte, dans l'analyse, du faible contrôle au travail (Marmot et coll. 1997). On retrouve ici, appliquées à l'humain, les conclusions des recherches réalisées chez l'animal. En effet, dans les années 70, Jay Weiss a montré que l'animal se protège contre les effets du stress s'il peut exercer un contrôle sur la situation. L'expérience était la suivante : deux rats en cage reçoivent les mêmes chocs électriques, mais l'un d'eux, en faisant tourner une roue, peut bloquer le courant, protégeant ainsi l'autre rat branché sur le même circuit. À l'issue de l'expérience, les rats qui étaient en position de passivité et de soumission face à la situation présentent des ulcérations gastriques alors que les rats qui étaient en position active et de contrôle de la situation sont comparables aux rats témoins qui n'ont reçu aucune décharge électrique (Dantzer, 1984).

Quant au modèle de Siegrist, il a été évalué à ce jour par plus de douze études indépendantes, dont plusieurs études de cohorte. Les risques relatifs d'incidence des maladies coronariennes liées à un « déséquilibre : effort/récompense » observés dans ces études variaient entre 2,7 et 6,1, toujours en contrôlant pour les facteurs de risque connus de maladies cardiovasculaires (Siegrist, 1996). De même, dans une étude réalisée en milieu industriel, le risque de mortalité par maladie cardiovasculaire associé à une exposition à long terme à un déséquilibre : effort/récompense au travail a été évalué à 2,4 après ajustement pour contrôler l'effet des facteurs de risque connus de mortalité cardiovasculaire (Siegrist, 2002).

Les mécanismes biologiques qui pourraient expliquer ces excès de risque de maladies cardiovasculaires sont de deux ordres : l'un direct et l'autre indirect.

Le mécanisme d'action directe passe par une augmentation de l'activité neuro-endocrinienne du système sympathico-adrénergique qui provoque, à court terme, une sécrétion accrue d'adrénaline et de noradrénaline dont l'effet est bien connu sur le système cardiovasculaire (p. ex. : hausse de la fréquence cardiaque, de la tension artérielle, etc.). À plus long terme, cette situation s'accompagne d'une augmentation des glucocorticoïdes et du cortisol pour permettre la mise en circulation de glucose et de lipides pour faire face aux besoins énergétiques accrus de la situation. En s'appuyant sur les résultats des recherches sur le stress, on peut montrer qu'une situation de stress chronique peut s'accompagner d'effets dommageables pour la santé dus à la sécrétion prolongée des neuro-transmetteurs amenant un état d'hyperadrénergisme ou d'hypercortisolisme (McEwen, 1998). Cette stimulation endocrinienne peut être provoquée par la peur, la colère ou l'irritation que ces conditions de travail provoquent. Pour Siegrist, ces sentiments négatifs ne sont pas nécessairement conscients, surtout s'ils sont liés à une expérience quotidienne qui se répète de façon chronique (Johnson et coll. 1989).

Quant à l'action indirecte, elle est médiatisée par des facteurs de risque connus tels l'augmentation de la tension artérielle, des lipides athérogènes, du fibrinogène ou encore des comportements à risque tels que le tabagisme ou la sédentarité (Hemmingway and Marmot, 1999 ; Schnall et coll. 1990 ; Hellerstedt and Jeffery, 1997). Les risques relatifs d'incidence de maladies coronariennes et de mortalité par maladies cardiovasculaires évoqués précédemment peuvent comporter une sous-estimation importante du risque réel lorsqu'ils ont été calculés en annulant l'effet des facteurs de risque connus des maladies cardiovasculaires tels l'hypertension artérielle, l'hypercholestérolémie, l'obésité, la sédentarité ou encore le tabagisme.

En ce qui concerne les problèmes de santé mentale, le modèle de Karasek a été associé à la dépression, à la détresse psychologique (Bourbonnais et coll. 1998 ; Stansfeld et coll. 1995 ; Moisan et coll. 1999) à l'épuisement professionnel et à la consommation accrue de psychotropes. Au Québec, en 1998, la population de quinze ans et plus occupant un emploi présentait deux fois plus de détresse psychologique lorsqu'elle était exposée à la tension au travail comparativement à celle qui ne l'était pas (23 % vs 11 % chez les hommes et 30 % vs 15 % chez les femmes) (Bourbonnais et coll. 2001).

Le « déséquilibre : effort/récompense » a également été associé à un risque accru d'incapacité fonctionnelle pour des raisons de santé mentale de l'ordre de 1,4 à 1,8 chez les hommes et de 1,8 à 2,3 chez les femmes (Kuper et coll. 2002). La même étude a montré que le modèle de Siegrist était également associé à un risque accru de nouveaux cas de troubles psychiatriques transitoires de l'ordre de 1,7 chez les femmes et de 2,6 chez les hommes (Stansfeld et coll. 1999).

Il est important de noter que les travailleurs atteints de pathologies mentales sévères sont souvent exclus du milieu de travail (*healthy worker effect*), ce qui contribue à sous-estimer le risque réel d'altération à la santé mentale résultant d'une exposition professionnelle. De plus, il a été montré que la demande psychologique élevée, de même que la latitude décisionnelle et le soutien social faible (modèle de Karasek) sont prédicteurs de symptômes dépressifs, indépendamment des traits de personnalité telle l'estime de soi ou l'hostilité (Paterniti et coll. 2002).

Au plan biologique, on peut également lier les pathologies dépressives à une stimulation chronique accrue de la sécrétion de glucocorticoïdes. Ainsi, quand les facteurs de stress sont répétitifs, incontournables ou chroniques, la réponse au stress peut se prolonger, produisant alors des symptômes physiologiques et mentaux qui forment le syndrome de la dépression. Au plan sociologique, la plausibilité d'un lien entre les éléments du modèle de Karasek et les problèmes de santé mentale peut s'expliquer par une augmentation de l'isolement social et une réduction des loisirs sociaux (Vézina et coll. 2004).

L'impact des deux modèles a également été évalué sur le bien-être général des travailleurs et sur l'augmentation des taux d'absentéisme. Ainsi, au Québec en 1998, le pourcentage des personnes de quinze ans et plus occupant un emploi qui se percevaient en excellente santé générale était plus important si ces personnes pouvaient bénéficier d'une autonomie élevée au travail, et ce, particulièrement chez les femmes (Bourbonnais et coll. 2001). De même, une demande psychologique élevée tant chez les hommes que chez les femmes ou encore une faible autonomie décisionnelle chez les hommes et un faible soutien social chez les femmes sont prédictifs d'un mauvais état de santé perçu.

D'autres auteurs ont montré une augmentation des absences au travail (North et coll. 1996) plus spécifiquement en lien avec le manque d'autonomie au travail. Dans le même ordre d'idées, un suivi prospectif de six ans d'une cohorte de plus de 13 000 personnes a montré que, tant chez les hommes que chez les femmes, une faible autonomie décisionnelle et un faible soutien social personnel (tant instrumental qu'émotif) prédisent de façon indépendante une augmentation de 17 % à 24 % des taux d'absence (Melchior et coll. 2003).

Enfin, plusieurs études ont montré que les deux modèles reconnaissent des déterminants psychosociaux distincts, car ils ont des effets indépendants tant en termes de maladie coronarienne, de dépression, de bien-être des employés que de santé globale (Theorell, 2001 ; Tsutsumi et coll. 2001). Cette situation fait en sorte que, lorsque les travailleurs sont exposés aux contraintes des deux modèles, le risque relatif de voir apparaître des pathologies est accru. Cette réalité est surtout le fait, comme nous l'avons vu précédemment, des travailleurs au bas de l'échelle hiérarchique et qui occupent des emplois précaires.

4. LA PRÉVENTION DES PROBLÈMES DE SANTÉ MENTALE AU TRAVAIL

Les stratégies d'intervention mises en place actuellement par les entreprises dans le domaine des risques psychosociaux sont surtout orientées vers l'individu (Kompier and Cooper, 1999). Elles visent principalement à réduire les effets des situations de travail stressantes en améliorant les capacités des personnes à mieux s'adapter à la situation et à mieux gérer leur stress. En Amérique du Nord, ces activités font habituellement partie d'un programme d'aide aux employés (PAE). Elles peuvent comprendre l'apprentissage de techniques de relaxation ou encore de réinterprétation des situations stressantes pour les faire voir moins menaçantes ou pour améliorer la perception de son efficacité personnelle à y faire face. Ces stratégies de type cognitivo-comportementales sont habituellement complétées par des conseils en vue de favoriser l'exercice physique, réduire le tabagisme et la consommation d'alcool, de même que d'adopter de saines habitudes alimentaires et de repos. À l'instar des équipements de protection individuelle pour réduire les effets d'une exposition à un risque physique ou chimique, ces mesures de prévention secondaire sont louables, mais insuffisantes, car elles ne visent qu'à réduire les symptômes et non les causes des problèmes. Compte tenu de la perspective prioritaire d'élimination à la source des problèmes qui est centrale dans une approche de santé publique et considérant également les résultats des nombreuses études épidémiologiques mentionnés précédemment qui ont mis en évidence les dimensions pathogènes de certains facteurs de risque psychosociaux précis, il est nécessaire que tout programme d'intervention visant ces risques comporte un volet de prévention primaire ayant pour but d'éliminer ou du moins de réduire la présence d'agents psychosociaux pathogènes en milieu de travail.

Plusieurs auteurs ont signalé que les approches organisationnelles bien structurées étaient plus efficaces (Kompier and Kristensen, 2001) et s'accompagneraient d'effets plus importants et plus durables que les approches individuelles.

Les auteurs qui ont analysé les conditions de succès des interventions préventives visant la réduction des contraintes psychosociales reconnaissent cinq facteurs qui sont garants de la réussite d'un projet (Kompier et coll. 1998; Goldenharet coll. 2001; European Agency for Safety and Health at Work, 2002). Ces facteurs sont: le soutien de la haute direction et l'implication de tous les niveaux hiérarchiques, la participation des employés à la discussion des problèmes et à l'élaboration des solutions, l'identification préalable des populations de travailleurs à risque en fonction de modèles théoriques validés ou des manifestations qui leur sont associées, la mise en place rigoureuse des changements nécessaires auprès des populations de travailleurs ciblés et la prise en charge de la démarche et des changements par le milieu.

Au cours des dernières années, un certain nombre d'études ont montré que, en tenant compte de ces conditions préalables, des bénéfices importants pouvaient résulter d'interventions centrées sur l'organisation du travail, notamment en termes de réduction de l'absentéisme et des symptômes dépressifs ou encore d'augmentation de bien-être et de productivité (Lourijsen et coll. 1999; Bond and Bunce, 2001; Nielsen, 2002; Kawakami et coll. 1997).

5. CONCLUSION

Le défi que représente la prévention des problèmes de santé mentale dans les organisations est majeur. Fermer les yeux sur cette problématique sous prétexte qu'elle est trop complexe pour s'y attaquer reviendrait à fragiliser une main-d'œuvre qui présentera à moyen terme des problèmes de relève importants en raison du vieillissement de la population. Plusieurs expériences ont permis de conclure que la prévention du stress représente un moyen par lequel une organisation peut non seulement réduire ou limiter les coûts pour ses employés malades, mais peut aussi maintenir positivement et améliorer la santé de l'organisation et sa productivité (Cooper et coll. 1996). Il est important de mentionner que plusieurs études sur les pratiques des organisations à succès ont mis en évidence des dimensions qui sont liées à la fois au profit et à la santé mentale tels la sécurité d'emploi, les équipes semi-autonomes et la décentralisation du processus de décision, la formation étendue, la réduction des distinctions de statut et des barrières (incluant le vêtement, le langage, les aménagements du bureau et les différences de salaire à travers les différents paliers) ainsi que le partage étendu des renseignements concernant les finances et la performance à travers toute l'organisation (Pfeffer, 1998). Tous ces facteurs d'ordre psychosocial montrent que le travail doit demeurer humain et selon une éthique de production qui respecte l'intégrité psychologique des personnes.

BIBLIOGRAPHIE

Karasek, R.A., Theorell, T. (1990), *Healthy work: stress, productivity and the reconstruction of working life.* New York, Basic Books.

Bourbonnais, R., Larocque, B., Brisson, C., Vézina, M. (2001), « Contraintes psychosociales du travail », dans *Portrait social du Québec* (Institut de la statistique du Québec), chap. 11, p. 267-277, Collection les Conditions de vie.

Paoli, P., Merllié, D. (2001), *Third European survey on working conditions 2000.* Loughlinstown, European Foundation for the Improvement of Living and Working Conditions.

Bond, J.T., Galinsky, E., Swanberg, J.T. (1998), *The 1997 national study of the changing work force,* New York: Famillies and Work Institute, cité dans: Théorell, T. (1999), Scand. J. Work Env. Health, special issue, vol. 25, p. 616-624.

Gollac, M., Volkoff, S. (1996), « Citius, altius, fortius: L'intensification du travail », *Actes de la recherche en sciences sociales,* vol. 114, n° 1, p. 54-67.

Johnson, J.V., Hall, E.M., Theorell, T. (1989), « Combined effects of job strain and social isolation on cardiovascular disease morbidity and mortality in a random sample of the Swedish male working population ». *Scand. J. Public Health,* vol. 15, n° 4, p. 271-279.

Siegrist, J. (1996), « Adverse health effects of High Effort low-Reward Conditions », *Journal of occupational health psychology,* vol. 1, n° 1, p. 27-41.

Siegrist, J. (2002), « Reducing social inequalities in health: work-related strategies », *Scand. J. Public Health,* vol. 59, p. 49-53.

Hemingway, H., Marmot, M. (1999), *Evidence based cardiology: Psychosocial factors in the aetiology and prognosis of coronary heart disease. Systematic review of prospective cohort studies,* BMJ, May 29; vol. 318, p. 1460-1467.

Theorell, T. (2001), « Stress and health – from a work perspective », dans Durham J. (dir.), *Stress in the workplace: past, present and future,* London and Philadelphia, Whurr Publishers.

Bosma, H., Marmot, M.G., Hemmingway, H., Nicholson, A.C., Brunner, E., Stansfeld, S.A. (1997), « Low job control and risk of coronary heart disease in Whitehall II (prospective cohort) Study ». *Br. Med. J.,* vol. 314, n° 7080, p. 558-565.

Karasek, R.A., Baker, D., Marxer, F., Ahlbom, A., Theorell, T. (1981), « Job decision latitude, job demands, and cardiovascular disease : a Prospective study of Swedish men », *Am. J. Public Health,* vol. 71, n° 7, p. 694-705.

Niedhammer, I., Goldberg, M., Leclerc, A., David, S., Bugel, I., Landre, M.F. (1998), « Psychosocial work environment and cardiovascular risk factors in an occupational cohort », *France. J. Epidemiol. Community Health,* vol. 52, p. 93-100.

Kivimâki, M., Leino-Arjas, P., Luukkonen, R., Riihimâki, H., Vahtera, J., Kirjonen, J. (2002), « Work stress and risk of cardiovascular mortality : prospective cohort study of industrial employees ». *BMJ,* vol. 325, p. 857-860.

Marmot, M.G., Bosma, H., Hemmingway, H., Stansfeld, S.A. (1997), « Contribution of job control and other risk factors to social variations in coronary heart disease incidence », *Lancet,* vol. 350, p. 235-239.

Dantzer, R. (1984), « Psychologie des émotions », dans J. Delacours (dir.) *Neurobiologie des comportements,* Paris, Hermann.

McEwen, B. (1998), « Protective and damaging effects of stress mediators », *N. Engl. J. Med.,* vol. 338, p. 171-179.

Schnall, P.L., Pieper, C., Schwartz, J.E. et coll. (1990), « The relationship between job strain, workplace diastolic blood pressure and left ventricular mass index », *JAMA,* vol. 263, p. 1929-1935.

Hellerstedt, W.L., Jeffery, R.W. (1997), « The association of job strain and health behaviours in men and women », *Int. J. Epidemiol.,* vol. 26, p. 575-583.

Bourbonnais, R., Comeau, M., Dion, G., Vézina, M. (1998), « Job strain, psychological distress and burnout in nurses », *Americ. J. of Ind. Med.,* vol. 34, p. 20-28.

Stansfeld, S.A., North, F.M., White, I., Marmot, M.G. (1995), « Work characteristics and psychiatric disorders in civil servants in London », *J. Epidemiol. Community Health,* vol. 49, p. 48-53.

Moisan, J., Brisson, C., Bourbonnais, R., Gaudet, M., Vézina, M., Vinet, A., Grégoire, J.P. (1999), « Job strain and psychotropic drug use among white-collar workers », *Work and Stress,* vol. 13, n° 4, p. 289-298.

Kuper, H., Singh-Manoux, A., Siegrist, J., Marmot, M. (2002), « When reciprocity fails : effort-reward imbalance in relation to coronary heart disease and health functioning within the Whitehall II Study », *Occup. Environ. Med.,* vol. 59, p. 777-784.

Stansfeld, S., Bosma, H., Hemmingway, H., Marmot, M.G. (1999), « Work characteristics predict psychiatric disorders : prospective results from the Whitehall II Study », *Occ. Environ. Med.,* vol. 56, p. 302-307.

Paterniti, S., Niedhammer, I. Lang, T. et Consoli, M. (2002), « Psychosocial factors at work, Personality traits and depressive symptoms », *British Journal of Psychiatry,* vol. 181, p. 111-117.

Vézina, M., Derriennic, F., Monfort, C. (2004), « The impact of job strain on social isolation : a longitudinal analysis of French workers », *Social Science and Medicine*, vol. 59, p. 29-38.

North, F.M., Syme, S.L., Feeney, A., Shipley, M., Marmot, M. (1996), « Psychosocial work environment and sickness absence among British civil servants : The Whitehall II Study », *Am. J. Public Health*, vol. 86, p. 332-340.

Melchior, M., Niedhammer, I., Berkman, L.F., Goldberg, M. (2003), « Do psychosocial work factors and social relations exert independent effects on sickness absence ? A six year prospective study of the Gazel cohort », *J. Epidemiol. Community Health*, vol. 57, p. 285-293.

Tsutsumi, A., Kayaba, K., Theorell, T., Siegrist, J. (2001), «Association between job stress and depression among Japanese employees threatened by job loss in a comparison between two complementary job-stress models », *Scand. J. Work Environ. Health*, vol. 27, n° 2, p. 146-153.

Kompier, M., Cooper, C. (1999), « Improving work health and productivity through stress prevention », dans Kompier M. et Cooper M. (dir.), *Preventing stress, improving productivity : European case studies in the workplace*, London/New York, Routledge.

Kompier M, Kristensen T. (2001), « Organizational work stress interventions in a theoretical, methodological and practical context », dans Dunham J. (dir.), *Stress in the workplace : past, present and future*, London & Philadelphia, Whurr publishers.

Kompier, M.A.J., Geurts, S.A.E., Gründemann, R.W.M., Vink, P., Smulders, P.G.W. (1998), « Cases in stress prevention : the success of a participative and stepwise approach », *Stress Medicine*, vol. 14, p. 155-168.

Goldenhar, L.M., LaMontagne, A.D., Katz, T., Heany, C., Landsbergis, P. (2001), « The Intervention Research Process in Occupational Safety and Health : an overview from The National Occupational Research Agenda (NORA) Intervention Effectiveness Research Team », *JOEM*, vol. 43, n° 7, p. 616-622.

European Agency for Safety and Health at Work (2002), « Success factors of good practice in stress prevention », dans European Agency for Safety and Health at Work (dir.), *How to Tackle Psychosocial Issues and Reduce Work-related Stress*, Luxembourg, Office for Official Publications of the European Communities.

Lourijsen, E., Houtman, I., Kompier, M., Grundemann, R. (1999), « The Netherlands : A hospital, healthy working for health », dans Cooper et MKC (dir.), *Preventing stress, improving productivity : european case studies in the workplace*, New York, Routledge.

Bond, F.W., Bunce, D. (2001), «Job Control Mediates Change in a Work Organization Intervention for Stress Reduction », *J. Occup. Health Psychol,*. vol. 6, n° 4, p. 290-302.

Nielsen, M.L. (2002), « Intervention project on absence and well-being (IPAW) – Denmark », dans European Agency for Safety and Health at Work (dir.), *How to Tackle Psychosocial Issues and Reduce Work-related Stress,* Luxembourg, Office for Official Publications of the European Communities.

Kawakami N, Araki S, Kawashima M, Masumoto T, Hayashi T. (1997), « Effects of work-related stress reduction on depressive symptoms among Japanese blue-collar workers » *Scandinavian Journal of Work, Environmental and Health,* vol. 23, nº 1, p. 54-59.

Cooper, C.L., Linkkonen, P., Cartwright, S. (1996), *Assessing the benefits of stress prevention at company level,* Dublin, European Foundation for the Improvement of Living and Working Conditions.

Pfeffer, J. (1998), *The human Equation : building profits by putting people first,* Boston, Harvard Business School Press.

Porter plainte pour harcèlement psychologique au travail : un récit difficile[1]

JEAN-PIERRE BRUN
Chaire en gestion de la santé et de la sécurité du travail
Département de management, Faculté des sciences de l'administration,
Université Laval, Québec, Canada

EVELYN KEDL
Département de management, Faculté des sciences de l'administration,
Université Laval, Québec, Canada

1. INTRODUCTION

Dans le sillon de certains pays européens, le Québec a adopté, en décembre 2002, le Projet de loi modifiant la Loi sur les normes de travail et d'autres dispositions législatives et introduisant des dispositions concernant le harcèlement psychologique (art. 81.18 à 81.20). Ces normes, qui s'accompagnent de recours spécifiques (art. 123.6 à 123.16) sous la responsabilité de la Commission des normes du travail (CNT), sont entrées en vigueur le 1er juin 2004. Entre le 1er juin 2004 et le 30 avril 2005, la CNT a reçu plus de 3 500 plaintes de harcèlement psychologique au travail.

Afin de contrer de manière plus efficace le harcèlement psychologique au travail, il faut relever le défi qui consiste actuellement à mieux comprendre comment celui-ci se manifeste, quelles en sont les principales formes, comment la situation est vécue par le plaignant et quelles en sont les conséquences. La loi propose une définition du harcèlement psychologique qui constitue le

1. Cet article a été initialement publié dans *Relations industrielles / Industrial Relations*, vol. 61, n° 3, 2006, p. 381-407. Reproduit avec l'autorisation de l'éditeur.

point de référence au Québec. Dans la loi québécoise, on entend par « harcèlement psychologique » :

> une conduite vexatoire se manifestant soit par des comportements, des paroles, des actes ou des gestes répétés, qui sont hostiles ou non désirés, laquelle porte atteinte à la dignité ou à l'intégrité psychologique ou physique du salarié et qui entraîne, pour celui-ci, un milieu de travail néfaste. Une seule conduite grave peut aussi constituer du harcèlement psychologique si elle porte une telle atteinte et produit un effet nocif continu pour le salarié.

Au-delà du plan légal, le concept de harcèlement psychologique prend plusieurs sens que l'on peut trouver dans de multiples définitions et plusieurs terminologies proposées par des chercheurs internationaux.

Ainsi, Leymann parle du *mobbing*, lequel constitue un enchaînement, sur une assez longue période, de propos, d'agissements hostiles et de persécutions[2], exprimés ou manifestés par une ou plusieurs personnes envers une tierce personne cible. Pris isolément, chacun de ces actes semble mineur, mais c'est l'effet de cumul et de répétition qui les rend délétères. L'auteur présente cinq grandes catégories d'agissements : empêcher la personne de s'exprimer, isoler la personne, la déconsidérer, la discréditer et compromettre sa santé.

Plus récemment, Hirigoyen a proposé le terme *harcèlement moral* en faisant référence à un processus pervers, caractérisé par toute conduite abusive (geste, parole, comportement, attitude, etc.) qui porte atteinte, par sa répétition ou sa systématisation, à la dignité ou à l'intégrité psychique ou physique d'une personne, mettant en péril son emploi ou dégradant le climat de travail. Hirigoyen suggère plusieurs types d'agissements qui caractérisent le harcèlement moral, et elle les regroupe en quatre catégories : atteinte aux conditions de travail, isolement et refus de communication, atteinte à la dignité et violence verbale, physique ou sexuelle.

Les chercheurs anglais Hoel, Rayner et Cooper ont utilisé l'expression *bullying* pour caractériser le phénomène. Il s'agit d'une situation où un ou plusieurs individus, sur une période de temps déterminée, sont la cible d'actions agressives d'une ou de plusieurs personnes. Dans cette situation, la cible du *bullying* éprouve des difficultés à se défendre puisque les actes reprochés prennent surtout la forme d'un abus hiérarchique vertical, donc d'un supérieur à l'égard d'un subordonné (par exemple : circulation de rumeurs, exclusion, discrimination, etc.).

---

2. Dans l'un de ses ouvrages, Leymann (1996b) dresse une série de 45 agissements se rapportant au *mobbing*.

Afin d'éclairer les acteurs organisationnels, la Commission des normes du travail a tenté de baliser le concept de harcèlement psychologique au travail en se référant, entre autres choses, aux auteurs précités. Dans une volonté de mieux cerner la définition du harcèlement psychologique au travail, la Commission des normes du travail précise le sens des termes définis dans la loi, que nous rapportons directement :

1.1 Une conduite vexatoire ayant un caractère de répétition ou de gravité

Il s'agit d'une conduite humiliante, offensante ou abusive pour la personne qui subit une telle conduite, qui la blesse dans son amour-propre, qui lui cause du tourment. C'est une conduite qui dépasse ce qu'une personne raisonnable estime être correct dans l'accomplissement du travail. Chacune des paroles, chacun des comportements, des actes ou des gestes pris isolément peut être bénin, anodin, mais c'est l'ensemble ou l'accumulation de ceux-ci qui permet de conclure à une situation de harcèlement. Cependant, le caractère répétitif n'est pas une composante essentielle du harcèlement. En effet, une seule parole ou un seul comportement, geste ou acte grave peuvent également être reconnus s'ils entraînent un effet nocif continu pour la personne visée. Si la cause est unique, l'effet nocif doit se perpétuer dans le temps. Ainsi, une conduite isolée, telle la violence ou l'agression dont l'impact sur la victime se perpétue dans le temps, pourra constituer du harcèlement psychologique.

1.2 Un caractère hostile ou non désiré

Les comportements, les paroles, les actes ou les gestes reprochés doivent être perçus comme hostiles ou non désirés. Toutefois, dans certains cas tels que lors d'agression ou de harcèlement sexuel, le caractère « non désiré » n'exige pas nécessairement que la victime ait exprimé clairement son refus ou sa désapprobation.

1.3 Une atteinte à la dignité ou à l'intégrité psychologique ou physique

Le harcèlement a un impact négatif sur la personne. La personne victime de harcèlement peut se sentir humiliée, dévalorisée, dénigrée tant sur le plan personnel que sur le plan professionnel. La situation de harcèlement peut aussi causer une détérioration de la santé physique de la victime de harcèlement. Toutefois, une atteinte à la santé n'est pas nécessaire.

1.4 Un milieu de travail néfaste

Un milieu de travail néfaste est un milieu dommageable, qui crée un tort, qui nuit à la personne victime de harcèlement. L'atmosphère de travail créée par la conduite pourra par exemple provoquer l'isolement de la victime. Pour conclure à du harcèlement psychologique, l'intention du présumé harceleur n'a pas à être prise en considération. Les paroles, les gestes, les actes ou les comportements du harceleur n'ont pas à être dits ou faits dans l'intention de nuire ; ce sont les effets sur la personne visée qui sont pris en considération.

Au Québec, le harcèlement psychologique au travail demeure encore difficile à estimer tant sur le plan quantitatif que qualitatif. Son ampleur a toutefois fait l'objet d'une première estimation par la Chaire en gestion de la santé et de la sécurité du travail de l'Université Laval. Ainsi, en 2004, à la suite d'un sondage mené à la grandeur du Québec, entre 7 % et 9 % des répondants qui occupent un emploi disaient vivre régulièrement du harcèlement psychologique au travail. Le cas le plus répandu était celui de personnes se disant victimes de propos injurieux, menaçants ou dégradants. Nous insistons sur le fait qu'il s'agit de la perception des répondants. Nous ne disposons pas de suffisamment de détails pour établir de façon formelle s'il s'agit bien de harcèlement psychologique au travail. Toujours selon l'étude de Brun et Plante, parmi les personnes qui disent vivre du harcèlement psychologique au travail, 43 % considèrent qu'il s'agit régulièrement de propos ou d'agissements légers ou subtils. Ce résultat montre bien que le harcèlement psychologique n'est généralement pas un geste d'éclat, posé en public, mais plutôt une manifestation discrète et exercée à couvert, ce qui rend encore plus difficile son identification. Par ailleurs, la ou les personnes qui sont présumées harcelantes sont un ou plusieurs collègues (41 %), le supérieur immédiat (32 %), un ou des employés subalternes (30 %) ou encore un ou des clients (15 %).

À l'heure actuelle, la plupart des études sur le harcèlement psychologique, le harcèlement moral ou les autres formes de violence au travail procèdent par sondage auprès de populations de travailleurs et de travailleuses. Bien que ces sondages soient fort utiles, ils ont comme limite de se centrer sur l'identification de catégories d'événements, de formes ou de sources du harcèlement psychologique au travail. Rares sont les travaux scientifiques qui abordent l'histoire interne des cas de harcèlement psychologique, les difficultés d'exprimer ce qui est vécu, le doute que l'expression des faits peut soulever et les ambiguïtés que cache la complexité des situations.

La recherche que nous avons réalisée a donc porté sur le point de vue et les arguments avancés par les principaux concernés, soit les plaignants et les plaignantes, de même que sur les situations que ceux-ci dénoncent. Notre objectif était de brosser un portrait des plaintes déposées à la Commission des normes du travail depuis un an. Il ne s'agit donc pas d'une étude cherchant à déterminer si les plaintes sont ou ne sont pas du harcèlement psychologique, mais d'une étude visant à donner la parole aux plaignants qui rapportent leur expérience personnelle. En procédant ainsi, nous désirons mieux comprendre la complexité du phénomène du harcèlement psychologique à travers les situations exprimées et vécues par les plaignants.

2. MÉTHODOLOGIE

Les matériaux de base de cette étude sont les plaintes écrites de harcèlement psychologique au travail déposées à la Commission des normes du travail entre le 1er juin 2004 et le 30 avril 2005. À la fin d'avril 2005, on en dénombrait 3 500. Il est important de préciser que ces plaintes sont uniquement le fait de personnes non syndiquées, puisque seuls les salariés non syndiqués, les cadres et les cadres supérieurs des entreprises du secteur privé assujetties à la Loi sur les normes du travail peuvent adresser une plainte écrite à la Commission des normes du travail. Ces plaintes ont aussi été jugées recevables sur le plan administratif au regard des critères suivants : qu'elles soient déposées par un salarié au sens de la loi, que ce salarié ne soit pas déjà couvert par une convention collective, et que l'entreprise pour laquelle il travaille ou travaillait soit de compétence provinciale.

Le choix des dossiers s'est fait à partir d'un échantillonnage raisonné. Ce dernier s'est appuyé sur l'identification des cas les plus aptes à représenter l'éventail des contextes et des situations (notion de variabilité) dans lesquelles les situations de harcèlement psychologique au travail se manifestent ainsi que ceux qui offrent la plus grande richesse d'information en la matière (notion de densité). La constitution de l'échantillon a été réalisée de manière à présenter une variété de secteurs économiques, de tailles d'organisation, de situations géographiques et de types d'emplois. Comme le suggère Eisenhart, nous avons aussi sélectionné les dossiers contenant un exposé des faits riche et détaillé afin d'augmenter encore davantage la diversité des situations. Afin d'assurer la confidentialité des dossiers, tous les noms de personnes et d'organisations ont été rayés des documents utilisés aux fins des analyses.

Au départ, 257 plaintes de harcèlement psychologique au travail ont constitué l'échantillon de base, 21 plaintes ont dû être retirées par les chercheurs pour des considérations techniques (écriture à la main illisible ou exposé des faits trop bref). Au total, plus de 1 500 pages rédigées par 236 plaignants ont constitué le corpus d'analyse.

La saisie des informations a été effectuée par une professionnelle de recherche connaissant bien la problématique du harcèlement psychologique au travail. Afin d'assurer la validité de la classification et du codage, une vingtaine de plaintes ont été codées séparément par le chercheur et la professionnelle de recherche à l'aide d'une grille de saisie bâtie sur Microsoft Access. Les codages ont ensuite été comparés et l'interprétation des codes a été ajustée. La grille de codage était constituée de plusieurs catégories regroupant des éléments spécifiques (tableau 1).

TABLEAU 1

ÉLÉMENTS DE CODAGE DES PLAINTES DE HARCÈLEMENT PSYCHOLOGIQUE (HP) AU TRAVAIL

Données socioprofessionnelles et économiques	Données sur l'organisation	Données sur la plainte
Sexe Âge Métier/profession Salaire Statut d'emploi (avec ou sans) Région	Secteur d'activité de l'entreprise Nombre d'employés Organisation ou activités en matière de prévention du HP	Date du dépôt de la plainte Date des premiers événements Source du HP (qui?) Sexe du mis en cause Causes du HP (pourquoi?) Fréquence des événements Formes du HP (comment?) Témoins Conséquences pour le plaignant (économiques, physiques, psychologiques, etc.) Démarches effectuées par le plaignant Réparation demandée Réaction du mis en cause Réaction de l'employeur

Le contenu de chacun des éléments concernant les plaintes de harcèlement psychologique a été élaboré selon une approche à la fois déductive et inductive. Nous nous sommes d'abord basés sur les principales références scientifiques sur la question du harcèlement psychologique. Par la suite, au cours de l'analyse des plaintes, nous avons enrichi notre grille d'analyse de contenu au fur et à mesure que de nouveaux éléments nous semblaient pertinents. La consultation des nouveaux articles au cours de la recherche et l'étude des plaintes ont aussi favorisé l'approfondissement des analyses.

3. PRINCIPAUX RÉSULTATS

Les résultats sont abordés par une description des caractéristiques générales (sexe et âge du plaignant, mis en cause, statut d'emploi, secteur économique, etc.) des dossiers analysés. Par la suite, les principaux motifs de plaintes seront présentés et discutés.

3.1 Caractéristiques générales

Parmi l'ensemble des cas analysés, 63 % des plaignantes sont des femmes. Cette donnée nous indique déjà qu'il y a une surreprésentation des femmes puisque celles-ci ne forment que 49,4 % de la population active canadienne régie par les dispositions de la Loi sur les normes du travail. Quant à la personne mise en cause, il s'agit d'un homme dans 64 % des plaintes. Ce premier constat révèle que le harcèlement psychologique au travail s'inscrit aussi dans un rapport social de genre qui mérite une attention particulière sur le plan de la recherche scientifique. L'âge moyen de l'ensemble des plaignants est de 40 ans.

Dans un peu plus des deux tiers des plaintes (68 %), il n'y a qu'un seul individu mis en cause, alors que 32 % des cas ciblent plusieurs personnes à l'origine du harcèlement psychologique. Par ailleurs, près de 95 % des plaignants ont mentionné avoir subi du harcèlement à caractère répétitif.

Plus de la moitié des personnes (57 %) sont sans emploi au moment où elles déposent une plainte à la Commission des normes du travail, 27 % occupent encore le même ou un autre emploi et 16 % ne donnent aucune indication sur leur statut d'emploi. En ce qui concerne les secteurs économiques auxquels appartiennent les plaignants, les principaux sont : commerce de détail (23 %), hébergement et restauration (13 %), industries manufacturières (11 %), commerce de gros (7 %) et organismes sans but lucratif (7 %). La taille de l'entreprise est souvent absente des dossiers analysés. Toutefois, parmi les cas où elle est indiquée (45/236), on note que 85 % des plaignants travaillent dans des petites entreprises (moins de 50 employés).

Afin de nous assurer d'une bonne représentativité des données, nous avons comparé ces premiers résultats avec les données administratives de la Commission des normes du travail. Comme l'indique le tableau 2, nos données reflètent bien l'ensemble des plaintes déposées.

3.2 Les principaux motifs de plaintes

En analysant le contenu des 236 plaintes, nous avons tenté d'extraire les principales manifestations dénoncées par les personnes se disant victimes de harcèlement psychologique au travail. Mais avant d'aller plus loin dans l'analyse, il nous faut préciser que ces formes ne sont pas mutuellement exclusives ni totalement étanches. En effet, comme le mentionne Frappat, il est presque impossible de distinguer, sans aucune ambiguïté et sans aucun doute, les formes de violence des formes de harcèlement psychologique au travail.

TABLEAU 2

COMPARAISON DES DONNÉES SOCIOPROFESSIONNELLES ET ÉCONOMIQUES DE L'ÉCHANTILLON ÉTUDIÉ ET DES PLAINTES DÉPOSÉES À LA COMMISSION DES NORMES DU TRAVAIL

	Échantillon étudié	Plaintes déposées à la CNT
Sexe (femme)	68 %	62,3 %
Âge moyen	40 ans	40 ans
Mis en cause	64 % hommes	s. o.
Un seul mis en cause	68 %	65,8 %
Plusieurs mis en cause	32 %	34,2 %
Faits dénoncés répétitifs	95 %	92,3 %
Sans emploi	57 %	62,3 %
Avec emploi	27 %	s. o.
Aucune information	16 %	s. o.
Commerce de détail	23 %	15,7 %
Hébergement et restauration	13 %	9,2 %
Industrie manufacturière	11 %	s. o.
Commerce de gros	7 %	8,6 %
Organismes sans but lucratif	7 %	s. o.
Entreprise de moins de 50 employés	85 %	77 %

Comme on peut le constater au tableau 3, les cinq premières formes sont : les propos et les gestes vexatoires (132 plaintes), les atteintes aux conditions de travail (77 plaintes), la menace de congédiement (49 plaintes), la mise en échec de la personne (39 plaintes) et l'isolement (39 plaintes). Examinons un peu plus en détail chacun de ces cinq motifs de plaintes.

3.3 Les propos et les gestes vexatoires

Rappelons, dans un premier temps, le sens de l'expression conduite vexatoire. Il s'agit d'une conduite humiliante, offensante ou abusive pour la personne, qui la blesse dans son amour-propre, qui lui cause du tourment. C'est une conduite qui dépasse ce qu'une personne raisonnable estime être correct dans l'accomplissement du travail. Nos analyses ont montré que la grande majorité des plaintes font mention de telles conduites (132 plaintes sur 236). Une étude menée en Australie rapporte aussi que les incivilités et les abus verbaux sont présents dans 52 % des situations associées au harcèlement psychologique. Voici une courte liste des propos qui peuvent être tenus dans certains milieux de travail :

- À une coiffeuse : *As-tu vu comment elle s'habille… C'est ben laid ce que tu portes !*
- À une serveuse : *Ton ostie de déchet de la société de trou du cul [chum]… ben tu vas voir y va faire dur !*
- À une opératrice : *Ta mère, ça devait être une négresse. Compte-toi chanceuse de travailler, car avant, les Noirs, c'étaient des esclaves.*
- À une réceptionniste : (un collègue lui glisse à l'oreille) *T'as l'air d'une femme qui se donne vite !*
- À un manœuvre : *À travailler mal comme ça, tu mériterais qu'on te crisse une volée !*

TABLEAU 3

PRINCIPALES MANIFESTATIONS DÉNONCÉES PAR LES PERSONNES SE DISANT VICTIMES DE HARCÈLEMENT PSYCHOLOGIQUE AU TRAVAIL

Principales manifestations	N
Propos et gestes vexatoires	132
Atteintes aux conditions de travail	77
Menace de congédiement	49
Mise en échec de la personne	39
Isolement	39
Accusation	36
Dénigrement	31
Intimidation	31
Surveillance excessive	28
Refus de communiquer	23
Atteinte à la réputation/dignité	16
Déstabilisation/comportements ambivalents	14
Discrimination	10
Atteinte à la vie privée	10
Menace à l'intégrité physique	10
Propos à caractère sexuel	9

Ces quelques exemples d'incivilités abondent dans les plaintes que nous avons examinées. Les plaignants relatent de nombreux faits, propos, attitudes et comportements par lesquels ils se sont sentis humiliés et blessés intérieurement. L'incivilité peut être définie comme un comportement déviant de faible intensité (parole, attitude et comportement), donc difficile à détecter, qui outrepasse les normes de savoir-vivre et de respect mutuel. De nombreux chercheurs constatent une augmentation des incivilités au travail qui est de plus en plus préoccupante, car ces manques de respect ont un impact non seulement sur les personnes, mais aussi sur la productivité, la performance, la motivation, la créativité et la collaboration. Par ailleurs, l'incivilité est souvent une composante d'un conflit qui monte en spirale et qui peut aboutir au harcèlement psychologique ou à une détresse psychologique.

Dans la majorité des plaintes analysées, lorsque la situation d'incivilité est mentionnée aux gestionnaires, leur première réaction est le déni et la banalisation de la situation dénoncée. On tente, par divers moyens et remarques, de dédramatiser les événements qui sont rapportés : *Tu exagères !*, *Ce n'est pas grave, il faut rire un peu !*, *Il est comme ça, ce n'est pas méchant… C'est juste une blague !* La seconde stratégie de déni consiste en une tentative de fragilisation du plaignant que l'on juge trop sensible (*une personne susceptible qui ne se laisse rien dire !*) ou qui a tendance à tout exagérer et à *faire des montagnes avec des petites choses !* Ce qui ressort des témoignages des plaignants est que, lorsqu'ils tentent de discuter de ce qui ne va pas, ils ne perçoivent aucune écoute, aucune volonté de voir clair et de faire la part des choses, mais plutôt un souci de cacher la situation, un déni pour ne pas se laisser distraire par des dimensions émotives, comme la souffrance, qui détournent des objectifs d'affaires : *J'ai assez de problèmes avec le garage, tu vas pas m'achaler avec des petits riens !*

La souffrance des plaignants est double : ils se sentent harcelés et on ne les prend pas au sérieux : *C'est incroyablement dur. Je suis la cible de mon collègue et en plus personne ne me croit. Je passe pour une folle, une paranoïaque !* Cette souffrance, entraînée par les propos vexatoires et par l'ostracisme des autres, est très souvent associée à du harcèlement psychologique au travail et laisse peu de place à l'identification d'autres formes de problèmes ou de conflits. En effet, nous avons constaté que bon nombre de plaintes faisaient étant de certains faits qui nous semblaient relever à la fois de l'incivilité, de l'insulte et de l'hyperconflit. La frontière entre le harcèlement psychologique et les autres formes de tensions humaines est donc floue et poreuse puisque ces manifestations peuvent à la fois être des composantes du harcèlement, mais aussi des signes de tensions humaines qui ne constituent pas nécessairement des situations de harcèlement psychologique.

3.3.1 *L'histoire de Luc : des propos et des gestes vexatoires*

Les faits se passent dans un restaurant. Le plaignant est un cuisinier venu de l'extérieur. Les personnes mises en cause sont un collègue de travail et le patron du restaurant.

Le restaurant peut accueillir jusqu'à une soixantaine de personnes. C'est une des fiertés de la région et des employés qui y travaillent. Le plaignant, qui est le chef cuisinier, est fraîchement arrivé dans la région. Montréalais d'origine, il a plus de dix ans d'expérience dans le milieu de la restauration. Le patron du restaurant lui a fait miroiter la possibilité qu'il devienne un associé du restaurant s'il fait ses preuves dans les six mois.

Au restaurant, une dizaine de personnes se partagent les heures de travail. Les serveuses sont originaires de la région et la plupart ont plus de trois ans d'ancienneté. Lorsque Luc (nom fictif), le chef cuisinier, propose une personne (de l'extérieur de la région) pour l'aider dans ses tâches, certaines employées, particulièrement une, contestent ouvertement son choix. Cette employée mécontente ne fera que dénigrer la personne choisie par le cuisinier et menacera de partir si le choix est appuyé par le patron. Le propriétaire fait alors plusieurs allusions aux parts promises et menace de revenir sur sa parole.

Quelques jours plus tard, le cuisinier observe un changement radical de comportement chez son patron. Ce dernier n'a plus de bons mots pour son cuisinier, critiquant même ce qu'il lui sert à manger. « Dis donc, Luc, tu te laisses aller, c'est « passé date » ce que tu nous as préparé là ! Je ne servirais pas ça à personne ! » Il lui demande par ailleurs de ne pas tenir compte des comportements des serveuses et des autres employés à son égard et de faire comme si tout allait bien. Débutent alors les accrochages les plus sérieux. Un de ses collègues le menace et lui dit : « Check toé ben, Luc, icitte c'est toé le problème, pis j'vas t'arranger ça, mon tabarnak ! Cré-moé, t'as pas fini. Si tu penses que tu peux tout chambouler icitte ! »

Quelques jours plus tard, ce même collègue engueulera Luc parce que ce dernier cherchait ses ustensiles et qu'il croyait comprendre que Luc supposait qu'il les avait pris. « T'as fini, mon ostie, d'accuser tout le monde qu'on te prend tes affaires, pis c'est même pas TES affaires ! » Son patron supposera même à une occasion qu'il est vendeur de drogue. Une employée le traitera de « lèche-cul » à un autre moment.

Luc a l'impression qu'on fait tout pour qu'il quitte son emploi. Il ne peut plus supporter d'être traité et insulté ainsi, mais il considère qu'il n'a pas vraiment le choix puisqu'il a quitté Montréal pour venir travailler dans ce restaurant.

3.4 Les atteintes aux conditions de travail

L'attaque personnelle, comme nous venons de l'illustrer, n'est pas la seule manifestation de conflits interpersonnels. Un bon nombre de cas (77 plaintes sur 236) révèlent que le problème vécu se manifeste aussi par une atteinte aux conditions de travail. Ici, ce n'est pas la personne qui est directement visée, mais ses conditions de travail : l'autonomie au travail, le style de supervision, les horaires, le contenu de la tâche, les ressources (équipement, véhicule) mises à la disposition de la personne, les avantages sociaux (congé de maladie, vacances), etc. La plupart de ces plaignants mentionnent une dégradation des conditions de travail. Il s'agit rarement d'un seul geste, d'une seule décision de gestion, mais plutôt d'une accumulation de faits qui est répétitive et progressive. Voici quelques exemples :

- Graduellement, on retire des tâches au plaignant et on demande à un employé non qualifié de les exécuter à sa place.

- On ne fournit plus les produits détergents nécessaires à un concierge, puis on l'accuse de mal faire son travail parce que ça ne sent pas bon.
- La plaignante postule à un poste. Au cours de l'entrevue, la patronne reste debout et ne lui pose aucune question.
- On refuse à une employée qui ne se sent pas bien la possibilité de retourner à la maison. Après avoir subi un malaise, l'employée décide tout de même de partir, ce qui lui vaut un avis disciplinaire.
- Le plaignant n'a pas pu prendre ses trois semaines de congé en continu. Son supérieur lui explique : *C'est comme ça parce que tu nous as mis dans la merde encore une fois en refusant de faire la livraison.*

Ces situations s'accompagnent souvent d'une augmentation du contrôle par le gestionnaire (p. ex. : surveillance accrue, obligation de produire un rapport d'activité quotidien, etc.). Deux éléments centraux du travail sont ici touchés, le premier résidant dans la signification même du travail puisque l'on change et réduit le contenu significatif du travail. D'ailleurs, les plaignants expriment beaucoup de malaise par rapport aux changements négatifs qu'ils subissent au travail. Le second élément est la latitude décisionnelle, c'est-à-dire la marge de manœuvre dont dispose l'individu pour conduire lui-même son activité de travail. Cette double atteinte porte un coup dur à la santé psychologique des individus, car il existe une relation étroite et clairement démontrée entre le sens du travail, la latitude décisionnelle et la détresse psychologique. En effet, Karasek a bien montré que les risques de tension psychologique et de maladies physiques augmentent dans un environnement de travail exigeant lorsque le travailleur a peu de pouvoir (latitude décisionnelle) sur ces exigences.

3.4.1 L'histoire de Jérémie : des atteintes attentes aux conditions de travail

Les faits se déroulent dans un centre de réadaptation. Le plaignant assure tous les travaux de réparation et d'entretien de l'équipement spécialisé. Il cumule plus de dix ans d'expérience au sein de cette entreprise. Le mis en cause est sa supérieure immédiate. Jérémie, qui a un horaire variable d'une semaine à l'autre, travaille 35 heures par semaine.

L'essentiel du travail du plaignant consiste à répondre aux différentes demandes d'entretien et de réparation du matériel (fauteuils roulants, lits électriques, etc.). Les demandes peuvent venir de sa supérieure immédiate ou des autres responsables de services. Ces demandes sont d'abord reçues par la secrétaire, qui les transmet à Jérémie.

Depuis son retour à la suite d'un accident du travail, le contexte de travail s'est détérioré pour Jérémie. Il s'est aperçu d'un changement d'attitude de la part de sa supérieure immédiate. Non seulement lui crie-t-elle par la tête quotidiennement, mais elle n'écoute aucune de ses explications lorsqu'il veut faire le point. Jérémie ne se sent plus à l'aise dans son milieu de travail, surtout depuis que sa supérieure modifie ses conditions de travail.

En effet, on modifie son horaire sans qu'il soit mis au courant, sinon à la toute dernière minute. Il arrive un matin et on lui dit que l'autre technicien est déjà occupé à effectuer les tâches qu'il devait faire. Il doit retourner chez lui et s'adapter au nouvel horaire. Une semaine plus tard, on lui « coupe » cinq heures dans son horaire sous prétexte que les demandes de réparation sont moins nombreuses. C'est la première fois qu'une telle mesure est prise.

Quelques jours plus tard, étant donné que, dans le cadre de son travail, Jérémie doit se déplacer souvent, sa supérieure lui donne un téléavertisseur sous prétexte de pouvoir le joindre facilement. Les autres employés, par contre, n'en ont pas. Jérémie ne comprend pas cette nouvelle mesure à son égard.

Depuis un an, on lui avait fait miroiter la possibilité qu'il mette en place, dans un autre établissement, le même type de service qu'il fournit déjà. Sans avoir reçu d'avis de la direction, il apprend que ce sera l'autre technicien qui le fera et non lui. Il ne comprend pas. Il demande des explications et on lui dit que c'est comme cela et c'est tout !

L'approche des vacances ne fait qu'envenimer les choses. Habituellement, il est le premier à choisir puisqu'il a plus d'ancienneté. On lui fait comprendre qu'il n'a plus la priorité. Il n'aura qu'à s'entendre avec ses collègues.

Jérémie ne comprend plus ce qui se passe. Il a toujours bien fait son travail, mais il lui semble qu'on veut le décourager et tout faire pour qu'il décide de changer de travail et d'entreprise.

3.5 La menace de congédiement

La mise en péril de l'emploi est mentionnée par plusieurs plaignants (49 sur 236 plaintes) comme une forme de harcèlement psychologique. Selon les propos rapportés par les plaignants, on tente, par divers commentaires et attitudes, d'ébranler le sentiment de sécurité d'emploi :

- Le surintendant : *Tu vas peut-être perdre ton emploi, j'analyse ça. Pour toi, ça achève, ça achève probablement. Tu sais, t'es facile à remplacer.*
- Un chef d'équipe : *Tu ne parles pas au gérant de cette erreur, sinon tu devras partir de l'entrepôt !*

- Le propriétaire : *Vous savez, il y en a plein qui attendent votre job dehors. Même ceux qui travaillent ici depuis dix ans, ils vont faire le saut.*
- Dans un bureau d'assurance : Un matin, la plaignante arrive au bureau. Toutes ses affaires sont dans une boîte. La patronne est assise à son bureau et lui dit qu'elle va lui parler plus tard au cours de la journée...

Ces menaces de congédiement se matérialisent pour la moitié d'entre eux. Cette fin d'emploi est elle aussi marquée par des moments difficiles à vivre : on pousse à la démission, le patron met fin à l'emploi sur un coup de colère, on donne le choix entre une tâche ingrate ou un départ volontaire, etc. Dans les plaintes que nous avons lues, ces fins d'emploi se décident en une seule rencontre. Le dialogue est alors impossible, les esprits s'échauffent et les phrases fatidiques *Je démissionne!* ou *Tu es congédiée!* sont prononcées. Dans certains cas, l'iniquité est encore plus durement ressentie lorsque le patron, tout en reconnaissant les comportements exagérés d'un de ses cadres, souhaite voir partir l'employé qui se dit victime de harcèlement psychologique pour pouvoir garder son gestionnaire. Dans de tels cas, c'est le plaignant qui est considéré comme la personne à remplacer.

3.5.1 *Louise perd son emploi : des menaces de congédiement*

Les faits se passent dans une grande chaîne d'un magasin à rayons. Louise, la plaignante, est vendeuse à la commission dans le rayon des vêtements pour femmes. La mise en cause est la nouvelle directrice des opérations, qui a travaillé pendant plus de quinze ans dans un magasin spécialisé dans la mode féminine. Jusqu'à l'arrivée de la nouvelle gestionnaire, Louise n'a jamais connu de difficultés relationnelles avec qui que ce soit au magasin.

La situation dégénère lorsque la directrice des opérations se met à chronométrer les pauses de Louise, à la rappeler constamment à l'ordre et à la menacer de mesures disciplinaires.

Louise reconnaît que ce n'est pas facile de travailler dans un tel contexte, mais elle n'a pas le choix. Elle songe à se plaindre à la direction, mais en parle d'abord à ses collègues.

La directrice apprend que Louise se plaint d'elle auprès des autres employées. Elle la convoque à son bureau et lui dit qu'elle est en train de monter un beau dossier pour la congédier. Elle lui propose également de lui rédiger une lettre de recommandation pour des employeurs éventuels et lui demande de se chercher un emploi ailleurs. À la fin de la rencontre, la directrice lance : « Ce n'est pas une personne comme toi que je cherche dans mon équipe. T'es mieux de te *watcher*! »

Dans les jours qui suivent cette rencontre, la directrice passe près de la plaignante et lui souffle à l'oreille qu'il y en a plein dehors qui attendent pour prendre son job. La directrice ira jusqu'à se vanter devant Louise et la chef de rayon d'avoir du talent pour écœurer les gens et les pousser à quitter leur emploi. Louise n'a plus le goût de retourner au travail dans de telles conditions, même si la mode féminine est sa passion et que ses clientes habituelles vont lui manquer.

3.6 La mise en échec de la personne

La mise en échec de la personne est une attaque directe et souvent publique qui vise à discréditer, dénigrer, accuser faussement une personne ou porter atteinte à sa réputation dans le but de lui nuire (39 plaintes sur 236). Voici quelques exemples tirés des plaintes analysées :

- À un représentant : On lui fixe des objectifs plus élevés pour le mois qui vient, mais on restreint son territoire. On le menace de mesures disciplinaires si les objectifs ne sont pas atteints, ce qu'on ne fait pas pour les autres représentants.
- Le directeur : Ce matin, la réunion a bien été parce que t'étais pas là ! *I don't know why we hired you in the first instance; you don't know how to do your job right and you are worthless, you are nothing but a stupid Latin !*
- À une vendeuse, qu'on insulte devant les clients : T'as pas recommandé ça à madame ! Ben voyons, tu vois pas que ça ne lui va pas. Tu devrais aller nettoyer les toilettes ! Ha ! Ha !... Venez, Madame, je vais m'occuper de vous !
- À une formatrice : Le directeur général demande à une autre personne sans formation adéquate de préparer un atelier sur la pédagogie alors que c'est la plaignante qui est spécialiste dans le domaine. Plus tard, en rencontre d'équipe, le directeur demande à la plaignante d'expliquer aux autres comment s'est déroulé cet atelier.

Cette recherche d'un bouc émissaire est une stratégie que l'on adopte lorsqu'il y a une crise, lorsqu'on ne veut pas véritablement faire face au problème. En désignant un coupable, on déplace le conflit, mais on ne règle en rien le problème.

3.6.1 *Rosalie est ridiculisée : la mise en échec de la personne*

Le scénario se passe dans un magasin. La plaignante est conseillère et s'appelle Rosalie. Les individus mis en cause sont le directeur de la succursale, Georges, et la directrice du service à la clientèle, Lucie.

Au cours d'une réunion d'équipe, le directeur de la succursale a affirmé qu'il y aurait réduction de certaines dépenses, notamment dans le personnel. En clair, il demande aux différents services d'augmenter leur chiffre d'affaires et d'éliminer des postes. Il ajoute que les personnes qui ne sont pas contentes de cette décision n'ont qu'à « faire un choix ».

Depuis un certain temps, Rosalie perçoit déjà des comportements non souhaités de la part des deux personnes mises en cause, en l'occurrence le directeur ainsi que la responsable du service à la clientèle. Dès que Rosalie entre dans le bureau du directeur, la gestionnaire présente sort et ne la salue jamais.

En réunion, le directeur ne s'arrête pas aux questions de Rosalie et lui demande même devant les autres si elle croit que ses questions sont pertinentes.

La situation de Rosalie se dégrade à son retour de vacances. Sa supérieure immédiate aurait relevé une erreur dans un de ses dossiers. La mise en cause devient agressive avec la plaignante. Georges, le directeur, écrira une note à déposer au dossier de l'employée : « Erreur professionnelle de Mme Tremblay ». Il profitera de la réunion d'équipe qui suit pour soulever cette « erreur » à titre d'exemple en nommant la plaignante. Rosalie devient toute rouge, elle ne sait plus où regarder et demeure sans voix tellement cette affirmation est inattendue pour elle.

Plus tard, Rosalie démontre qu'elle a obtenu tous les renseignements nécessaires auprès du client, sauf l'élément mentionné par sa gestionnaire. Mais, en fait, il ne s'agissait pas d'un élément bien important. Dans son témoignage, Rosalie précise que sa gestionnaire aurait pu lui téléphoner à la maison, comme elle l'avait déjà fait dans le passé. Après tout, il s'agit d'une petite ville et tous se connaissent.

La plaignante n'avait jamais eu de note dans son dossier au cours de ses 23 années de service. Elle interprète l'attitude des deux gestionnaires comme de la pression pour qu'elle quitte son emploi. Pour elle, le directeur a été clair à l'occasion d'une des réunions : il veut rentabiliser au maximum sa succursale.

3.7 L'isolement de la personne

La détérioration du soutien social au travail ou l'isolement de la personne est un phénomène énoncé dans 39 plaintes sur 236. Dans toutes ces situations, la stratégie consiste à mettre le plaignant à l'écart. Les moyens relatés par les plaignants sont diversifiés :

- Exiger des autres employés qu'ils ne parlent plus au plaignant ;
- Ne pas inviter le plaignant aux activités sociales (dîner au restaurant, sorties sociales, etc.) ;
- Attribuer à la plaignante des tâches sans contact avec les collègues ou la clientèle ;
- Assigner des tâches au plaignant sur les heures de dîner ;
- Fermer les volets des bureaux pour éliminer tout contact visuel avec la plaignante ;
- Interdire au plaignant de parler aux autres employés.

L'impact de l'isolement social sur une personne est brutal et provoque souvent une pathologie de la solitude puisqu'il fait perdre toute référence et donne l'impression d'être à part, d'avoir tort. La plupart des plaignants qui se retrouvent dans cette situation disent être dépassés par les événements et ne plus pouvoir expliquer ce qui se passe autour d'eux. Il n'est pas rare de les voir exprimer de la honte et de l'humiliation de se retrouver dans une situation qu'ils ne parviennent pas à comprendre. Ils se sentent rejetés par les autres : *Je ne faisais plus partie de la grande famille de cette entreprise, j'avais honte de ce qui m'arrivait, j'étais devenu un étranger à qui on ne parlait plus. Ça me faisait mal au cœur. J'ai décidé de partir pour sauver ma santé !*, écrit un plaignant.

3.7.1 *Ginette, veilleuse de nuit : l'isolement de la personne*

Le cas se déroule dans un foyer pour aînés. La plaignante, Ginette, est veilleuse de nuit. La mise en cause est sa supérieure immédiate, Odile.

Le foyer où travaille Ginette héberge une trentaine de résidants. Ginette est au service du même employeur depuis une dizaine d'années. Pour des raisons de santé, elle a demandé de travailler sur l'horaire de nuit. Le jour, elle peut sans contrainte passer ses examens médicaux et suivre ses traitements. De plus, le travail de nuit exige moins d'efforts physiques. Ses contacts avec les bénéficiaires, qu'elle aime pourtant beaucoup, se limitent à quelques interventions aux activités du coucher et du lever.

Odile a été forcée de lui donner cet horaire. Ginette connaît bien le propriétaire, qui l'apprécie bien. Depuis ce changement, Odile n'a plus la même attitude envers Ginette. Un matin par semaine, Odile rencontre les employés pour une brève mise à jour. Elle ne convoque que rarement Ginette, sous prétexte que celle-ci doit terminer son quart de travail. Elle a également demandé à Ginette de ne pas déranger les «autres» lorsqu'elle quitte les lieux de travail même si certains sont en pause. De plus, Ginette a eu vent que sa supérieure immédiate a donné comme consigne à une nouvelle employée de ne pas lui adresser la parole.

À deux occasions, les employés ont reçu une note d'Odile sur de nouvelles directives au centre. Ginette ne les a jamais eues.

Ginette demande à plusieurs reprises qu'une autre personne lui donne un coup de main lorsqu'elle a besoin d'aide pour intervenir auprès d'un bénéficiaire. Odile semble faire la sourde oreille.

Ginette voit bien qu'Odile n'accepte pas que le propriétaire lui ait imposé son nouvel horaire. Que sa surveillante ait cette attitude ne lui plaît évidemment pas, mais elle se dit que, en étant de nuit, les conséquences ne sont pas trop graves. Ce qui l'affecte encore plus, c'est qu'Odile ait réussi à éloigner d'elle ses collègues. De plus, lorsque Odile s'adresse à elle, les paroles sont toujours blessantes. «T'es bien chanceuse de connaître le patron, si c'était de moi, ça fait longtemps que tu ne serais plus ici avec tous ces caprices.»

Ginette n'en peut plus et songe à en parler au propriétaire même si, de prime abord, cela ne lui semble pas la meilleure solution. Elle craint de se mettre à dos encore plus sa supérieure immédiate. Elle se dira finalement qu'elle devrait demander une rencontre en présence d'Odile. Elle espère ainsi arriver à élucider la raison de cette attitude et à améliorer leur relation.

4. CONCLUSION

Le phénomène du harcèlement psychologique est loin d'être simple. Les propos et les récits que nous avons rapportés montrent bien qu'il s'agit de situations complexes pour diverses raisons. L'une de ces raisons est que le harcèlement psychologique est une manifestation directe du caractère privé de la violence qui concerne des individus plutôt que des groupes et qui s'adresse aux proches et non à des étrangers ou à des opposants lointains. Le conflit prend donc forme, la plupart du temps, entre deux individus et dans des relations de face à face, c'est-à-dire sans la présence de témoin direct.

Avec la montée de l'individualisme, la perte de solidarité et l'augmentation des distances sociales au travail, le conflit qui se manifestait à l'extérieur (grève, pétition, piquetage ou sabotage) et en groupe s'exprime maintenant dans les lieux de travail (bureau, atelier, cuisine, entrepôt, etc.) et de manière privée, c'est-à-dire entre deux individus. La diminution des solidarités sociales au travail a donc aussi entraîné la migration des conflits, qui sont passés de la place publique au bureau ou à l'atelier. Dans notre étude, cette situation de perte des solidarités conduit souvent le plaignant à se taire : il n'ose parler de la situation et espère que le temps va arranger les choses. Dans huit cas sur dix, la personne qui se dit victime ne parvient pas à s'expliquer les raisons qui mènent à de tels comportements et elle se sent totalement isolée.

Le harcèlement psychologique est aussi socialement distribué, c'est-à-dire qu'il implique, à titre de victimes ou de mises en cause, des personnes de toutes les catégories d'emplois : secrétaire, technicien ou cadre supérieur. Toutefois, la direction du harcèlement psychologique n'est pas distribuée au hasard. Ce sont généralement les gestionnaires qui sont désignés comme les personnes mises en cause et les femmes se disent surtout harcelées par les hommes.

Par ailleurs, dans 57 % des cas, le plaignant est sans emploi ; il ne s'agit donc pas d'une situation exceptionnelle. Elle pourrait être en relation avec un certain fatalisme ou avec un rapport très inégalitaire, marqué par le silence, la domination, l'autoritarisme, qui conduit le plaignant vers la perte (volontaire ou non) de son emploi.

En analysant les 236 dossiers, nous avons été étonnés du grand nombre de cas de harcèlement psychologique rapportant des situations d'incivilité, des propos vexatoires et blasphématoires (132/236 plaintes). L'insulte, « la phrase qui tue », le dénigrement public sont monnaie courante dans les plaintes de harcèlement psychologique au travail déposées à la Commission des normes du travail du Québec. La situation semble similaire aux États-Unis, où, selon les recherches de Pearson et Porath, 20 % des travailleurs sondés se disent la cible d'incivilités au travail au moins une fois par semaine. Le respect de la personne est une valeur en perte de vitesse et l'individualisme justifie bien souvent n'importe quel propos lorsque l'on veut parvenir à ses fins.

L'ampleur des incivilités s'accompagne souvent d'une réaction de banalisation ou de déni, ou encore d'un jugement sur la trop grande sensibilité ou la fragilité du plaignant, comme en témoigne ce représentant aux ventes : *Je lui ai demandé qu'il arrête de m'insulter et de rire de ma tenue vestimentaire ; il n'a pas voulu. Même le gérant a dit que c'était moi qui étais trop sensible et qui exagérais tout !* Par ailleurs, ces incivilités, en plus d'être associées au harcèlement psychologique, sont un excellent terreau pour que des conflits et des agissements plus graves surviennent : *J'ai dû quitter le travail, mon patron et moi on est en venus aux poings ; ils ont appelé la police. Depuis le début de notre conflit, rien n'a été fait ; ça s'est donc fini en grosse crise.*

L'individualisation des conflits se manifeste aussi dans les tentatives de résolution des cas. En effet, dans la majorité des plaintes analysées, les tentatives de résolution (discussions avec le mis en cause, communication de l'information au gestionnaire, lettre de plainte, etc.) proviennent uniquement du plaignant. Les collègues sont presque toujours absents; rares sont les cas où un autre employé est intervenu pour faire cesser ou dénoncer une situation connue par l'environnement immédiat du plaignant. Il faut aussi dire que, de manière générale, on ne sait pas comment intervenir ni comment s'interposer dans un conflit. On préfère donc très souvent plaider le doute ou la trop grande complexité de la situation. Dans les événements relatés dans les dossiers, il arrive aussi que la situation se dégrade et que les réseaux de collègues disparaissent une fois que la situation est mise au jour par le plaignant. Ce revirement accroît le sentiment de vulnérabilité et d'iniquité, ce qui a pour effet de rendre la situation de harcèlement psychologique encore plus menaçante pour le plaignant. Cet extrait d'une plainte est éloquent : *Non seulement je suis la victime, mais mes coéquipiers ne me parlent presque plus. Ce gars [le mis en cause] m'en veut tellement qu'il a réussi à me mettre les autres à dos. Si ça, ce n'est pas du harcèlement, c'est quoi ?*

Le soutien extérieur semble aussi absent : sur 236 dossiers, dans douze cas seulement, on fait mention d'une aide extérieure (avocat, association de défense des travailleurs, etc.). Le seul et dernier recours des plaignants est donc le dépôt d'une plainte pour harcèlement psychologique à la Commission des normes du travail. Ils voient en la Commission leur planche de salut, l'organisme qui va reconnaître leur situation et démontrer formellement qu'ils ont raison, comme en témoigne cette caissière : *La CNT est mon seul recours; ailleurs personne ne veut entendre ce que je vis. C'est important pour moi de montrer que j'ai raison et que c'est moi la victime. Je n'invente pas toute cette histoire !*

Dans l'entreprise, la première réaction à un signalement à propos d'un harcèlement psychologique est l'inaction. On ignore la situation, on ne sanctionne pas la personne mise en cause, on tente par divers moyens d'étouffer l'histoire, on ne veut pas faire de vagues (banalisation, menace de congédiement, respect de la vie privée, problème entre des personnes adultes et responsables, etc.) ; on va même parfois jusqu'à mettre fin à l'emploi du plaignant.

L'un des défis liés au harcèlement psychologique au travail pour les employeurs et les employés consiste donc à ne pas s'enfermer dans un débat juridique, en se demandant si la situation cadre ou non avec la définition qu'en donne la loi. Dans une perspective de saine gestion des organisations et afin d'éviter une judiciarisation des cas, les problèmes rapportés par les plaignants doivent surtout être analysés à la lumière de l'éthique individuelle et collective et à la lumière des problèmes associés aux rapports de travail.

Qu'il s'agisse ou non de harcèlement, les situations que nous avons analysées sont, dans bien des cas, tout simplement inadmissibles dans nos organisations modernes et peuvent, par ailleurs, conduire à des problèmes de santé physique ou psychologique. Dans une telle perspective d'éthique et de santé publique, l'employeur et les employés ont le devoir de s'assurer que de telles situations ne puissent se produire. Il est donc important d'établir des frontières à ne pas dépasser, de définir le mieux possible ce qui est acceptable et ce qui ne l'est pas, de faire comprendre que le respect de la dignité de la personne n'est pas un privilège, mais bien un droit et un devoir fondamental et qu'il ne faut pas attendre que la situation soit jugée inacceptable pour intervenir.

Les organisations doivent aussi se doter de systèmes de veille pour détecter les cas ainsi que d'outils de gestion pour désamorcer les situations qui comportent un potentiel de harcèlement psychologique. Sur ce plan, dans aucune des plaintes que nous avons analysées, il n'est fait mention de dispositifs organisationnels de prévention ou de gestion des diverses formes possibles de tensions humaines. Il s'agit donc encore d'une problématique qui fait l'objet d'une gestion passive et réactive. En ce qui concerne les solutions et des moyens de prévention, cela signifie que le harcèlement psychologique ne se règle pas uniquement en l'interdisant au moyen de politiques organisationnelles, mais aussi en favorisant le dialogue, le soutien social au travail et des relations interpersonnelles saines qui accordent une plus grande place à l'éthique et à la morale.

À la lecture des plaintes, on constate que le harcèlement psychologique n'est pas seulement une série d'actes ponctuels et isolés mais surtout un processus qui se construit dans le temps. En fait, le harcèlement psychologique est en quelque sorte un accident relationnel au ralenti, qui se caractérise par des relations de plus en plus difficiles et qui se construit dans le temps à travers divers événements. De plus, le phénomène du harcèlement psychologique est d'autant plus complexe qu'il doit être interprété à la lumière, notamment, des styles de gestion, du climat organisationnel, des conflits interpersonnels, des complicités ou des oppositions entre groupes d'individus. En fait, il n'est pas rare de constater qu'une analyse ou une enquête d'une situation de harcèlement psychologique exige presque une analyse du contexte organisationnel et un historique des relations interpersonnelles. Il faut donc dépasser le cas anecdotique et faire une lecture plus large pour saisir la situation réelle, les relations et l'environnement à l'intérieur desquels s'inscrit la plainte. On éviterait ainsi que le harcèlement psychologique au travail soit confondu avec d'autres maux (conflit interpersonnel, lutte de pouvoir, compétition, etc.).

BIBLIOGRAPHIE

Andersson, L. M., et Pearson, C. M. (1999), « Tit for tat ? The spiraling effect of incivility in the workplace », *Academy of Management Review*, vol. 24, nº 3, p. 452-471.

Anonymous (2003), *Incidence of Workplace Bullying in Victoria*. Victoria.

Black, D. (1993), « Taking Sides » dans D. Black (dir.), *The Social Structure of Right and Wrong*, San Diego, Academic Press.

Brun, J.-P., et Plante, E. (2004), *Le harcèlement psychologique au travail au Québec*, Québec, Chaire en gestion de la santé et de la sécurité du travail.

Byrne, B. J. (1997), « Bullying : A community approach », *Irish Journal of Psychology*, vol. 18, nº 2, p. 258-266.

Carpentier-Roy, M.-C., et Vézina, M. (2000), *Le travail et ses malentendus : enquêtes en psychodynamique du travail au Québec*, Sainte-Foy, Toulouse : Presses de l'Université Laval ; Octares Éditions.

CNT. (2004), *Guide de prévention à l'intention des employeurs de la petite entreprise*, Québec, Commission des normes du travail.

CNT. (2005), *Portrait des plaintes déposées pour harcèlement psychologique au travail*, Retrieved. from.Cooney, M. (2003), « The privatization of violence », *Criminology*, vol. 41, nº 4, p. 1377-1406.

Dejours, C. (1980), *Travail : usure mentale, essai de psychopathologie du travail*, Paris, Le Centurion.

Dejours, C. (1998), *Souffrance en France : la banalisation de l'injustice sociale*, Paris, Éditions du Seuil.

Eisenhardt, K. M. (1989), « Building theories from case study research », *Academy of Management Review*, vol. 14, nº 4, p. 532-550.

Faulx, D., et Delvaux, S. (2005), « Le harcèlement moral au travail : phénomène objectivable ou concept horizon ? Analyse critique des définitions des phénomènes de victimisation au travail », *PISTES*, vol. 7, nº 3.

Faulx, D., et Geuzaine, C. (2000), « Le harcèlement moral au travail, état des lieux et pistes de développement », *Médecine de travail et ergonomie*, vol. 37, n° 3, p. 135-147.

Frappat, H. (2000), *La violence*, Paris, Flammarion.

Garcia, A., Hacourt, B., et Bara, V. (2005), « Harcèlement moral et sexuel. Stratégies d'adaptation et conséquences sur la santé des travailleurs et des travailleuses », *PISTES*, vol. 7, nº 3.

Gracia Cassia, M., Fattorini, E., Gilioli, R., et Rengo, C. (2003), *Raising Awareness of Psychological Harassment at Work* (Vol. 4), Switzerland, World Health Organization 2003.

Grenier-Pezé, M. (2005), « Petits meurtres entre amis. Approche psychosomatique et psychodynamique du harcèlement moral au travail », *PISTES*, vol. 7, n° 3.

Henwood, K. L., et Pidgeon, N. F. (1995), « Grounded theory and psychological research », *The Psychologist*, vol. 8, n° 3, p. 115-118.

Hirigoyen, M.-F. (1998), *Le harcèlement moral : la violence perverse au quotidien*, Paris, Syros.

Hirigoyen, M.-F. (2001), *Malaise dans le travail : harcèlement moral : démêler le vrai du faux*, Paris, Syros.

Hoel, H., Rayner, C., et Cooper, C. (2003), « Workplace bullying », *International Review of Industrial and Organizational Psychology*, vol. 14, p. 195-230.

Johnson, P. R., et Indvik, J. (2001), « Rudeness at Work : Impulse over Restrain », *Public Personnel Management*, vol. 30, n° 4, p. 457-465.

Karasek, R. (1979), « Job Demands, Job Decision Latitude, and Mental Strain : Implications for Job Redesign », *Administrative Science Quarterly*, vol. 24, p. 285-310.

Karasek, R., Brisson, C., Kawakani, N., Houtman, I., Paulien, B., et Amick, B. (1998), « The Job Content Questionnaire (JCQ) an Instrument for Internationnaly Comparative Assessments of Psychosocial Job Characteristics », *Journal of Occupational Health Psychology*, vol. 3, n° 4, p. 322-355.

Kelley, M. (1998), « On incivility in academe (Higher education, employment, Elaine Showalter) », *Minnesota Review*, (50-51), 243-248.

Lapeyrière, S. (2004), « Le harcèlement moral, une affaire collective et culturelle », *Travail et Emploi*, Janvier (97), p. 29-43.

Leclerc, C. (2005), « Intervenir contre le harcèlement au travail : soigner et sévir ne suffisent pas », *PISTES*, vol. 7, n° 3.

Legoff, J.P. (2003), « Harcèlement moral : le piège », *L'Express*, 13 mars.

Lewis, S. E., et Orford, J. (2005), « Women's experiences of workplace bullying : changes in social relationships », *Journal of Community & Applied Social Psychology*, vol. 15, n° 1, p. 29-47.

Leymann, H. (1996a), « The content and development of mobbing at work », *European Journal of Work and Organizational Psychology*, vol. 5, n° 2, p. 165-184.

Leymann, H. (1996b), *Mobbing : la persécution au travail*. Paris. Éditions Seuil

Lippel, K. (2005), « Le harcèlement psychologique au travail : portrait des recours juridiques au Québec et des décisions rendues par la Commission des lésions professionnelles », *PISTES*, vol. 7, n° 3.

Livian, Y.-F. (2004), « Le changement de règles dans les relations marchandes : violences discrètes au travail », *Travail et Emploi*, 97 (Janvier 2004), p. 45-52.

Martin, R. J., et Hine, D. W. (2005), « Development and Validation of the Uncivil Workplace Behavior Questionnaire », *Journal of Occupational Health Psychology*, vol. 10, nº 4, p. 477-490.

Monroy, M., et Fournier, A. (1997), *Figures du conflit : Une analyse systémique des situations conflictuelles*, Paris, Presses universitaires de France.

Pearson, C. M., Andersson, L. M., et Porath, C. L. (2000), « Assessing and attacking workplace incivility », *Organizational Dynamics*, vol. 29, nº 2, p. 123-137.

Pearson, C. M., Andersson, L. M., et Wegner, J. W. (2001), « When workers flout convention : A study of workplace incivility », *Human Relations*, vol. 54, nº 11, p. 1387-1419.

Pearson, C. M., et Porath, C. L. (2005), « On the nature, consequences and remedies of workplace incivility : No time for « nice » ? Think again », *Academy of Management executive*, vol. 19, nº 1, p. 7-18.

Pithers, R., et Soden, R. (1999), « Person-environment Fit and teachers stress », *Educational Research*, vol. 41, nº 1, p. 51-61.

Rayner, C. (1999), « From Research to Implementation : Finding leverage for Prevention », *International Journal of Manposer*, vol. 21, nº 1/2, p. 28-38.

Salin, D. (2003), « Ways of Explaining Workplace Bullying : a Review of Enabling, Motivating and Precipitating Structures and Processes in the Work Environment », *Human Relations*, vol. 56, nº 10, p. 1213-1232.

Sian E. Lewis, J. O. (2005), « Women's experiences of workplace bullying : changes in social relationships », *Journal of Community & Applied Social Psychology*, vol. 15, nº 1, p. 29-47.

Statistique Canada (2004), *Enquête sur la population active*, dans Santé Canada (dir.).

Strauss, A. L., et Corbin, J. M. (1998), *Basics of qualitative research*. London, Sage.

Traubé, P. (1987), *Propos sur la violence*, Mons, Centre de diffusion.

Vandekerkhove, W., et Commers, M. S. R. (2003), « Downward Workplace Mobbing : a Sign of the Times ? », *Journal of Business Ethics*, vol. 45, p. 41-50.

Vartia, M. (2004), *Research, practice and increased awareness : the Finnnish experience*, The Fourth International Conference on Bullying and Harassment in the Workplace.

Wornham, D. (2003), « A Descriptive Investigation of Morality and Victimisation at Work », *Journal of Business Ethics*, vol. 45, p. 29-40.

Zapf, D. (2001), « Bullying in the Workplace : recent trends in research and practice – an introduction », *European Journal of Work and Organizational Psychology*, vol. 10, nº 3, p. 369-373.

Tour d'horizon de la prévention de la violence en milieu de travail : perspective québécoise et canadienne[1]

JOHANNE DOMPIERRE
Département des relations industrielles,
Faculté des sciences sociales, Université Laval, Québec, Canada

SERGE ANDRÉ GIRARD
Direction des risques biologiques, environnementaux et occupationnels,
Institut national de santé publique du Québec

DENIS LALIBERTÉ
Département de médecine sociale et préventive,
Faculté de médecine, Université Laval, Québec, Canada

MARC BÉGIN
Département des fondements et pratiques en éducation,
Faculté des sciences de l'éducation, Université Laval, Québec, Canada

1. INTRODUCTION

Au Canada, la croissance de la violence au travail serait fulguranteet pourrait atteindre jusqu'à plus de 80 % selon les provinces[2]. Pourtant, selon un chercheur canadien, seulement une victime de violence sur onze porterait plainte, et ce, pour toutes sortes de raisons (Barling et coll. 1996). Bien que le phénomène de la violence tienne une place de plus en plus grande dans la couverture médiatique, il est toutefois difficile d'affirmer catégoriquement qu'il y a plus de violence de nos jours. D'une part, la perception et la définition de la violence se sont transformées au cours des deux dernières décennies :

---

1. Cet article a été initialement publié dans *Revue francophone du stress et du trauma*, vol. 4, nº 3, 2004, p. 203-210. Reproduit avec l'autorisation de l'éditeur.
2. Association des commissions des accidents du travail du Canada, Accidents du travail et maladies professionnelles : Canada 1999-2001

au départ, la définition de la violence revêtait une portée physique ; par la suite, elle est devenue aussi sexuelle, puis sa forme psychologique (ou morale) est maintenant de plus en plus reconnue. D'autre part, les efforts de conscientisation vis-à-vis de la violence en général ont peut-être porté fruit en rendant les gens plus vigilants et moins tolérants face aux manifestations de violence.

Le présent article a pour but de jeter un regard sur la prévention de la violence au travail au Québec et au Canada. Tout d'abord, les définitions et les législations canadienne et québécoise au regard des différentes formes de violence au travail seront exposées. Puis, après avoir établi la pertinence des programmes de prévention contre la violence en milieu de travail, seront décrits les différents types de programmes et seront présentées les mesures mises en place dans bon nombre d'organisations ainsi que les ressources disponibles au Québec et au Canada pour prévenir la violence en milieu de travail. Finalement, deux interventions visant à lutter contre la violence au travail seront présentées : l'une en milieu hospitalier et l'autre en milieu scolaire. Chacune de ces interventions fera l'objet d'un certain nombre de constats concernant l'implantation des structures et des procédures recommandées dans la documentation nord-américaine au moment de la mise en place d'un programme de prévention de la violence au travail.

2. DÉFINITION ET CADRE LÉGAL DE LA VIOLENCE

La violence au travail pouvant prendre plusieurs visages, une grande variété d'appellations jalonnent la documentation québécoise : violence psychologique, physique, sexuelle et financière, violence organisationnelle et hiérarchique, harcèlement psychologique ou persécution (*mobbing*), intimidation, harcèlement administratif, violence occupationnelle, abus de pouvoir ; comportements antisociaux au travail (Damant et coll. 1997). Cette multiplicité de concepts rend difficiles les comparaisons d'une étude à l'autre et témoigne de la nouveauté de l'intérêt porté à cette problématique. Très tôt, les chercheurs québécois ont été grandement influencés par la documentation européenne et américaine (Leymann, 1996). Mais à la différence des écrits américains centrés presque exclusivement sur la violence physique en milieu de travail, les chercheurs québécois ont également été très préoccupés par la violence psychologique.

D'une façon générale, le terme « violence au travail » réfère à la violence faite au personnel dans l'exercice de ses fonctions, pas uniquement sur les lieux de travail proprement dits, mais dans toutes circonstances où s'effectue le travail. Par exemple, c'est le cas du personnel infirmier effectuant des visites à domicile, ou encore du personnel qui, grâce aux nouvelles technologies, peut effectuer sa prestation de travail à son domicile. L'expression « violence en milieu de travail » implique que la violence peut être exercée par un supérieur, un collègue, un fournisseur, un client ou par toute autre personne avec qui le personnel peut entrer en contact dans le cadre de son travail (Wynne et coll. 1998). Quant aux autres termes utilisés pour désigner les multiples formes de la violence, ils peuvent être catégorisés selon la nature de la relation entre la victime et l'agresseur (violence hiérarchique ou verticale, violence entre collègues ou horizontale), selon la nature du comportement (violence physique, violence psychologique) ou encore selon la fréquence du comportement (intimidation, harcèlement). Jusqu'à tout récemment, en référence à la dimension psychologique, les auteurs québécois recouraient généralement à deux termes : violence psychologique ou harcèlement psychologique. Pour leur part, les gouvernements canadien et québécois, dans leurs législations récentes, ont fait le choix de privilégier l'appellation « harcèlement psychologique », ce qui devrait donner lieu à un alignement des chercheurs et des praticiens sur cette notion.

Au Canada, comme au Québec, les syndicats ont souvent été les instigateurs de la plupart des recherches sur la violence au travail en s'associant à des chercheurs universitaires afin d'obtenir un éclairage sur le vécu de leurs membres. Jusqu'à présent, les recherches se veulent généralement descriptives du phénomène : la fréquence des événements, les caractéristiques des agresseurs et des victimes, les causes ainsi que les conséquences. Au Québec, les recherches diffusées sur la violence psychologique ont été menées presque uniquement auprès d'employés du secteur public.

Parmi les formes de violence au travail relevées dans la population en général, l'intimidation est la forme la plus répandue, touchant 18 % des répondants[3]. Quant aux violences à caractère sexuel et physique, elles concernent respectivement 4,5 % et 3 % des répondants à cette enquête. Précisons que, au Canada comme au Québec, le harcèlement sexuel s'inscrit dans ce que l'on appelle le « harcèlement discriminatoire » dans les chartes des droits de la personne[4,5]. Le *Code canadien du travail* oblige d'ailleurs les employeurs fédéraux à établir une politique sur le harcèlement sexuel, à prévoir des

3. Gouvernement du Québec, Enquête sociale et de santé 1998, Collection la santé et le Bien-être, chapitre 27, Environnement psychosocial du travail, 2e édition. 1999.
4. Gouvernement du Canada, Charte canadienne des droits et libertés, Loi constitutionnelle de 1982, annexe B. ministère de la Justice du Canada, 1982.
5. Gouvernement du Québec, Charte des droits et liberté de la personne, L.R.Q. C-12

mécanismes internes pour le traitement des plaintes et à en informer leur personnel[6].

Au Québec, pour protéger les travailleurs contre les diverses formes de violence au travail, le législateur a fait le choix d'inscrire diverses mesures dans trois lois différentes et d'en confier l'application à trois organismes distincts. La Charte des droits de la personne interdit toute forme de discrimination ou de harcèlement fondée sur l'un des motifs suivants: sexe, race, religion, âge, déficience physique ou mentale et orientation sexuelle[7]. En vertu de cette loi, les travailleurs se croyant victimes de harcèlement pour l'un de ces motifs peuvent porter plainte auprès de la Commission des droits de la personne. L'article 52 de la Loi sur la santé et la sécurité du travail, dont l'application relève de la Commission de la santé et de la sécurité du travail, protège les travailleurs contre la violence physique[8]. Enfin, les modifications apportées récemment à la Loi sur les normes du travail – en vigueur à compter du 1er juin 2004 – visent à protéger les travailleurs contre le harcèlement psychologique défini comme étant « une conduite vexatoire se manifestant soit par des comportements, des paroles, des actes ou des gestes répétés, qui sont hostiles ou non désirés, laquelle porte atteinte à la dignité ou à l'intégrité psychologique ou physique du salarié et qui entraîne, pour celui-ci, un milieu de travail néfaste »[9]. Une seule conduite grave peut aussi constituer du harcèlement psychologique si elle porte une telle atteinte et produit un effet nocif continu chez le salarié (art. 81.18 C.a.). L'organisme mandaté pour recevoir et entendre les plaintes sera la Commission des normes du travail. D'autres lieux permettent également aux travailleurs d'exercer un recours en cas de violence au travail. En effet, de plus en plus, dans plusieurs conventions collectives, notamment dans le secteur public, des clauses relatives à la violence au travail ont été ajoutées. Ces travailleurs syndiqués peuvent donc exercer leur premier recours en déposant un grief contre leur employeur. Si les travailleurs victimes de violence n'ont pas été indemnisés en vertu de la Loi sur les accidents du travail, alors ils peuvent faire appel aux tribunaux civils pour obtenir réparation.

---

6. Gouvernement du Canada, Code canadien du travail, (L.R. 1985, ch. L-2)
7. Op. cit.
8. Gouvernement du Québec, Loi sur la santé et la sécurité du travail, L.R.Q., S-2.1, Québec, Éditeur officiel, 1994.
9. Gouvernement du Québec, Loi modifiant la Loi sur les normes du travail et d'autres dispositions législatives, L.R.Q., Québec: Éditeur officiel, 2002, chapitre 80.

3. PERTINENCE DES PROGRAMMES DE LUTTE CONTRE LA VIOLENCE EN MILIEU DE TRAVAIL

Avant d'aborder les programmes de prévention de la violence en milieu de travail, considérons la pertinence de mettre en place de tels programmes en examinant les stratégies individuelles utilisées par les victimes et la façon dont ces dernières perçoivent l'efficacité de ces stratégies. Deux groupes québécois de chercheuses universitaires ont exploré cette question (Damant et coll. 1997; Aurousseau et coll. 1996). D'une manière générale, les stratégies relevées peuvent être regroupées en deux familles: les stratégies dites passives ou indirectes (évitement, retrait), et celles dites actives ou directes (déclaration de l'événement, recherche de soutien). Les stratégies dites actives (ou directes) sont perçues par les répondants comme étant les plus efficaces (Damant et coll. 1997; Leather et coll. 1998; Schminder et coll. 1996). Toutefois, si elles sont laissées à elles-mêmes pour solutionner le problème, il semble que les victimes utilisent davantage les stratégies dites passives (ou indirectes). Une étude américaine menée auprès d'étudiants sur le marché de l'emploi a montré que lorsque ceux-ci sont victimes de violence, ils recourent davantage à des stratégies indirectes (ou passives) (p. ex.: ignorer ou éviter la personne) plutôt que directes (ou actives) (p. ex.: faire savoir à l'agresseur qu'il doit cesser son comportement) (Keashly et coll. 1994). Il est également ressorti que les stratégies directes (ou actives) sont plus aptes à apporter des modifications sur le plan de l'interaction. L'étude de Damant, Dompierre et Jauvin menée auprès de 200 travailleurs dans différents secteurs de l'emploi, a relevé, parmi les stratégies les plus efficaces, « chercher du soutien auprès des collègues », « chercher du soutien auprès des proches (familles/amis) », « quitter les lieux », « déclarer au syndicat », « prendre un congé sans solde ou des vacances » et « discuter avec l'équipe de santé-sécurité » (Damant et coll. 1997). Il est important de noter l'absence de « déclarer au supérieur immédiat » parmi les six stratégies perçues comme étant les plus efficaces.

Même si les stratégies actives (ou directes) apparaissent efficaces, une étude-pilote dont l'objectif était de sensibiliser toutes les catégories de personnel œuvrant dans quatre établissements scolaires et de les accompagner dans la prise en charge de la prévention de la violence dans leur milieu respectif met un bémol notamment lorsqu'il s'agit du rôle du supérieur (Girard et coll. 2002a). Selon les résultats de l'enquête menée au tout début du projet-pilote, 62,5 % des répondants ont rapporté un événement de violence au cours de l'année précédant l'enquête. Toutefois, il s'est avéré que 36,4 % des victimes ont qualifié le suivi d'aléatoire ou d'inapproprié, seulement 20,8 % ont jugé que le soutien obtenu avait été satisfaisant et, finalement, 36,4 % ont mentionné que des mesures avaient été prises à l'endroit de l'auteur de l'agression. Les raisons invoquées par les victimes qui n'ont pas déclaré l'événement sont: le manque de confiance envers la direction (33%); la crainte d'être jugées négativement par leur entourage (collègues et direction) (31%); le choix de régler elles-mêmes la situation (18%); ou encore l'événement n'était pas jugé suffisamment grave pour être déclaré (16%).

Dans cette étude, les répondants, interrogés sur la nature des facteurs pouvant expliquer la violence au travail en milieu scolaire, mentionnent le plus souvent en premier lieu l'absence ou la non-application de règles (21%), ensuite la nature ou la qualité des relations interpersonnelles (17%), les valeurs dominantes dans le milieu de vie (15%), la tolérance à l'égard de la violence (11%), l'exercice du pouvoir (9%) et les dimensions inhérentes à la gestion (8,5%). La plupart de ces facteurs relèvent des pratiques de gestion de l'établissement. Dans la même veine, les pistes de solution proposées par les répondants convergent également vers des pratiques de gestion de la direction; plus précisément, les répondants souhaitent un plus grand engagement de la part de la direction. Ils désirent que la direction anime la dynamique et la prise en charge de la prévention, qu'elle assume sa responsabilité d'assurer un milieu de travail sain et sécuritaire en soutenant les différentes catégories de personnel, en aidant à la recherche de solutions et en s'impliquant pour faire cesser les agissements violents, en incitant à la déclaration des événements et, finalement, en mettant en place un suivi plus transparent.

Selon les répondants, les organisations doivent faire connaître officiellement leur position de non-tolérance à l'égard de la violence au travail et mettre en place des structures pour aider à la résolution des situations au fur et à mesure qu'elles surviennent. Les résultats suggèrent en effet qu'il est irréaliste de penser que tous les individus, d'eux-mêmes, feront cesser les situations de violence.

4. TYPES DE PROGRAMMES DE PRÉVENTION DE LA VIOLENCE

Pour endiguer la violence en milieu de travail, parmi les mesures préconisées dans la documentation spécialisée, il est recommandé de mettre en place un programme de prévention. Toutefois, la mise en place d'un tel programme ne peut jamais être considérée comme un moyen sûr d'éliminer complètement la violence. Par conséquent, dans l'éventualité d'une agression physique, l'organisation doit être également prête à agir pendant et après l'agression. Autrement dit, les actions proposées dans ces programmes prennent place à trois moments-clés d'un événement violent: avant l'événement (prévention; p. ex.: politique contre la violence), pendant l'événement (intervention; p. ex.: désigner une personne pour maîtriser l'agresseur) et après l'événement (correction/réhabilitation; p. ex.: offrir de l'aide aux victimes, aux témoins et aux agresseurs). En l'absence d'études évaluatives, il n'est pas possible, pour le moment, de statuer sur l'efficacité des divers niveaux d'intervention. Il serait donc sage de mettre au point une stratégie incluant plusieurs niveaux afin d'en optimiser l'impact.

5. RESSOURCES DISPONIBLES POUR LUTTER CONTRE LA VIOLENCE EN MILIEU DE TRAVAIL

Au Québec, le mandat de la prévention de la violence dans les organisations est confié soit au comité de santé et de sécurité au travail (dont la responsabilité est déjà de veiller à ce que le milieu de travail soit sain et sécuritaire), soit à une personne ou à un comité spécialement constitué pour traiter cette question. Il existe un grand nombre de ressources pouvant aider les organisations à mettre en place des moyens pour lutter contre la violence au travail, provenant d'organismes gouvernementaux provinciaux comme fédéraux, d'associations pour la santé et la sécurité du travail, d'associations patronales, du réseau de la santé publique, d'établissements d'enseignement ainsi que de firmes de consultants. Ces ressources mettent les outils suivants à la disposition des organisations: documents d'information et de sensibilisation, guides d'élaboration d'un programme de prévention ou d'intervention, voire sessions de formation. Les actions du secteur public québécois et canadien sont documentées, contrairement au secteur privé, sur lequel il existe actuellement un manque flagrant de connaissances (sauf pour la violence exercée par la clientèle). Au Québec, dans les secteurs public et parapublic, la question de la violence au travail a été soulevée, principalement sous l'initiative de leurs syndicats respectifs. Sont exposées maintenant deux expériences vécues en milieu hospitalier et en milieu scolaire.

6. EXPÉRIENCES CONCRÈTES EN MILIEUX HOSPITALIER ET SCOLAIRE

6.1 Milieu hospitalier

Au cours des années 1990, la fonction publique québécoise a été marquée par d'importantes restrictions budgétaires, notamment dans le secteur de la santé. Ces restrictions ont donné lieu à la fusion d'hôpitaux et à la restructuration des services, ce qui a eu des répercussions notables sur le climat de travail, notamment à cause de la supplantation (Wright and Syme, 1996). Parallèlement, la charge de travail s'est accrue de façon importante (dans certains secteurs), ce qui a pu occasionner, entre autres, un allongement des délais dans les services rendus à la clientèle, contribuant d'autant à engendrer frustration et colère parmi la clientèle de même que l'insatisfaction au sein du personnel hospitalier. Ce contexte peut avoir été propice, du moins en partie, à la manifestation de comportements violents entre les membres du personnel, mais aussi de la part des patients ou encore des membres de leurs familles à l'endroit du personnel. La Fédération des infirmières et infirmiers du Québec (FIIQ) a été très active dans le travail de sensibilisation au phénomène de la violence au travail auprès de ses membres, entraînant, dans son effort, l'instauration d'une politique de « tolérance zéro » dans certains hôpitaux.

C'est dans ce contexte que le premier auteur de cet article a été impliqué dans ce processus dans un très grand centre hospitalier. À l'origine, l'initiative est venue d'une déléguée syndicale en collaboration avec une professionnelle des ressources humaines et d'une conseillère en santé et sécurité du travail qui ont soumis pour consultation et adoption une politique contre la violence auprès des décideurs et des parties intéressées. À la suite de la présentation officielle de la politique à l'occasion d'une conférence sur la violence au travail, l'étape suivante fut la constitution d'un comité de traitement des plaintes composé initialement de trois membres : une représentante des ressources humaines, une déléguée syndicale et une professeure d'université reconnue pour son intérêt pour la problématique de la violence au travail. Le comité s'est d'abord penché sur la préparation d'un formulaire de plainte et de déclaration d'événement de même que sur l'élaboration de critères pour décider si une plainte est recevable et fondée.

Six ans après l'implantation de la politique, voici quelques conclusions qu'il est possible de dégager à ce stade-ci : 1) au départ, chez certains employés, il y a eu une certaine confusion quant à l'étendue et à la nature du rôle du comité (un certain nombre confondaient problèmes de relations de travail et violence au travail, ce qui a eu pour effet que quelques employés insatisfaits de l'évaluation de leur rendement ont déposé une plainte contre leur supérieur en invoquant du harcèlement de sa part) ; mais des discussions entre le comité de traitement des plaintes, le service des ressources humaines, le service des relations de travail et les divers syndicats ont fait en sorte que ce malentendu a été de courte durée ; 2) ayant constaté l'absence de plaintes portées par le personnel masculin, le comité s'est adjoint un membre masculin afin qu'un employé masculin puisse se confier à un homme s'il le désirait ; 3) étant donné que, du moins dans le cas de la violence psychologique, le phénomène est de nature subjective, le recours à un comité plutôt qu'à un seul individu pour se prononcer sur un cas de violence favorise une vision plus large ainsi qu'une plus grande confiance au moment de la prise de décision ; 4) il n'y a pas eu une avalanche de plaintes depuis l'instauration de la politique et la mise sur pied du comité ; en fait, celui-ci a reçu beaucoup plus de demandes d'information que de plaintes ; 5) à cause du temps nécessité par l'enquête, il est souhaitable que plus d'une personne compétente mène les diverses entrevues afin de ne pas surcharger le même individu ; 6) une philosophie favorisant le règlement du problème au niveau le plus près des protagonistes semble être efficace puisqu'un nombre non négligeable de problèmes se sont réglés sans que le comité n'ait eu à intervenir de façon formelle ; 7) il apparaît important que l'organisation ait accès à une ressource interne ou externe pour fournir une aide psychologique à la victime lorsque cela s'avère nécessaire ; certaines victimes pouvant être dépressives, voire suicidaires, le comité doit donc être en mesure de leur offrir une aide immédiate ou de les référer à une ressource compétente. En conclusion, dans ce milieu hospitalier, les mesures préconisées dans la documentation spécialisée ont pu être appliquées telles quelles et se sont avérées très utiles pour l'assainissement de problèmes qui, dans certains cas, duraient depuis plusieurs années.

6.2 Milieu scolaire

Jusqu'à tout récemment, c'est surtout la violence entre élèves qui a retenu l'attention du milieu scolaire et plusieurs actions ont été menées en vue de rendre ce milieu exempt de violence entre les élèves. Devant l'émergence d'une préoccupation sociétale à l'égard de la violence au travail et soutenu par les résultats d'une enquête « syndicale » sur le thème de la violence où figurait spécifiquement le problème de la violence au travail (CEQ, 1998), un projet-pilote a été élaboré. Ce projet-pilote est né d'un partenariat entre la Centrale des syndicats du Québec (CSQ) représentant plus de 90 % des travailleurs du monde de l'enseignement au Québec), la Fédération des commissions scolaires du Québec, la Direction régionale de santé publique de Québec et le Département des relations industrielles de l'Université Laval. L'objectif principal visé par ce projet-pilote était d'abord de sensibiliser les membres du personnel et la direction des établissements d'enseignement au phénomène de la violence au travail, puis ultérieurement de conseiller et de soutenir les écoles dans le processus de prise en charge de ce phénomène. Dans ce projet, la violence au travail est définie comme étant la violence exercée envers le personnel enseignant ou non enseignant dans le cadre de son travail, que ce soit par un membre de la direction, un collègue, un élève, un parent d'élève ou toute autre personne ayant accès à l'établissement scolaire. Le projet-pilote a été mené auprès de quatre écoles volontaires (une école primaire et trois écoles secondaires appartenant à quatre commissions scolaires différentes). Aucune de ces écoles ne présentait un profil particulier sur le plan des comportements violents. Ce projet prend son originalité dans le fait que divers représentants du milieu scolaire ont participé, au sein d'un groupe de travail, non seulement à l'élaboration du projet-pilote, mais aussi à son implantation. Voici les cinq étapes de la mise en œuvre de ce projet-pilote :

Étape 1 : Une enquête par questionnaire a été effectuée auprès du personnel des quatre écoles participantes (Girard et coll. 2002a). La population visée par l'enquête était les 377 employés (toutes catégories occupationnelles confondues) ; de ce nombre, 278 ont répondu au questionnaire, soit un taux de participation de 73,8 %. Les caractéristiques des répondants se présentent de la façon suivante : personnels enseignant et non enseignant (69 % et 31 %) ; statuts d'emploi permanent et contractuel (74 % et 24 %) ; femmes et hommes (57 % et 43 %) ; 35 ans et moins (32 %), 36-45 ans (22 %) ; 46 ans et plus (46 %). Le questionnaire conçu par les auteurs comportait deux volets : 1) le volet « perception » (vingt énoncés) (alpha de Cronbach = 0,80) portait sur la perception du personnel concernant les facteurs jugés potentiellement favorables, dans la documentation nord-américaine, à la manifestation des différentes formes de violence en milieu de travail ; 2) le volet « événements violents » visait à quantifier la violence selon sa forme et à décrire les événements violents selon leur auteur, le lieu et leur nature. L'enquête couvrait la période débutant à l'automne 1999 et se terminant à l'automne 2000. On demandait aux répondants de décrire avec le maximum de détails les trois événements violents les plus récents. Les résultats indiquent que 54 % des répondants ont été victimes de violence physique, psychologique et sexuelle au cours de l'année précédant l'enquête. Collectivement, ils ont déclaré avoir été victimes de 300 cas de violence psychologique, de 57 cas de violence physique et de 21 cas de violence à caractère sexuel. En moyenne, les victimes ont été soumises à trois événements violents. Il ressort que les auteurs des agressions sont le plus souvent des élèves, suivis des collègues.

Étape 2 : Une formation sur la violence a été donnée par la Direction régionale de santé publique à seize formateurs issus des milieux de travail des quatre écoles participantes, avec pour objectif de sensibiliser par la suite le personnel enseignant et non enseignant de ces milieux. Chaque école avait désigné une équipe de quatre formateurs composée d'un représentant de la direction, de deux représentants des enseignants et d'un représentant des services professionnels ou des employés de soutien. Les principaux thèmes abordés au cours de cette formation furent : les composantes des différentes formes de violence, le processus de la violence ; les conséquences pour les victimes, les témoins et l'organisation ; les déterminants individuels et organisationnels ; les facteurs aggravants, individuels et organisationnels ; les facteurs modérateurs, individuels et sociaux ; et, finalement, la prévention par la mise en place de mesures individuelles et organisationnelles. Un document, intitulé *Outil de sensibilisation*, renfermant les renseignements ci-dessus mentionnés, de même qu'un recueil d'études de cas, accompagné d'un guide d'animation, ont été remis aux formateurs (Girard et coll. 2003). Chaque équipe de formateurs avait ensuite la responsabilité de sensibiliser son milieu de travail respectif. Les documents utilisés par les formateurs sont disponibles sur le site Internet de la Direction régionale de santé publique de Québec (www.rrsss03.gouv.qc.ca/index_D-Publications-DSPQ.html).

Étape 3 : Dans les quatre écoles, une session d'information a été donnée par « l'équipe de collègues formateurs » afin de sensibiliser les enseignants et les non-enseignants au phénomène de la violence au travail en milieu scolaire. Les principaux objectifs visés étaient : reconnaître l'existence du phénomène dans le milieu scolaire ; acquérir et partager un langage commun par rapport à la violence au travail ; faire en sorte que cette violence ne soit pas banalisée ; et, finalement, adhérer au principe selon lequel le milieu scolaire doit être un milieu sécuritaire et exempt de toutes formes de violence. Les quatre écoles ont réalisé l'activité qui s'est déroulée sur deux demi-journées. Les formateurs devaient choisir, parmi le matériel fourni, les outils qui répondaient le mieux aux besoins et aux caractéristiques de leur milieu. Le déroulement des activités était également laissé à la discrétion des formateurs : par exemple, certaines écoles ont organisé des jeux de rôles, d'autres ont réalisé des groupes de discussion.

Étape 4 : Soutenir les milieux scolaires pour qu'ils puissent amorcer une démarche de prise en charge de la prévention de la violence par l'appropriation d'un certain nombre d'outils et de mesures. Après l'activité de sensibilisation, les équipes de formation ont reçu un *Guide de prise en charge de la prévention de la violence au travail.* Ce guide présente les principes directeurs (conditions préalables), les éléments constitutifs d'un programme de prévention (politique, évaluation des risques, activités à mettre en place, intervention de crise) ainsi que des outils (formulaire de déclaration de plainte, critères d'évaluation d'une plainte, plan d'intervention de crise) (Girard et coll. 2002b).

7. CARACTÉRISTIQUES DE L'IMPLANTATION D'UN PROGRAMME DE PRÉVENTION DE LA VIOLENCE AU TRAVAIL

En s'appuyant sur la documentation, certaines conditions préalables à l'efficacité d'un programme de prévention de la violence en milieu de travail ont été identifiées : 1) engagement de la haute direction ; 2) implication des employés et de leurs syndicats respectifs; 3) reconnaissance du phénomène et de l'importance d'agir; 4) définition large de la violence pour englober ses différentes manifestations; 5) adoption d'une politique de « tolérance zéro »; 6) souscrire à une démarche proactive plutôt que réactionnelle; 7) favoriser une approche à la fois éducative et disciplinaire; 8) prendre au sérieux et consigner chaque incident (incluant les menaces) ; 9) acquérir une attitude de vigilance et agir promptement. Tous ces principes ont été approuvés par le comité de travail.

D'une façon générale, un programme de prévention peut porter sur trois sphères d'action : l'aménagement des lieux (p. ex. : aménagement sécuritaire des locaux), les pratiques administratives (p. ex. : élaboration d'une politique contre la violence en milieu de travail) et les compétences interpersonnelles (pé ex. : formation sur la résolution de conflits) (Runyan et coll. 2000). Dans la documentation nord-américaine concernant l'aménagement des lieux, il est suggéré de faire un bilan des risques associés à l'environnement (interne et externe) par une inspection des lieux, une analyse des incidents antérieurs ou encore au moyen d'un questionnaire administré au personnel afin d'être en mesure d'apporter les correctifs nécessaires. Ce type d'actions préventives visant l'aménagement des lieux est assez répandu au Québec et en Amérique du Nord en général. En effet, la plupart des établissements financiers et des services publics (aide sociale, impôt, etc.) se sont dotés de politiques à cet égard depuis quelques années. Dans le cadre du projet-pilote, le bilan a été fait au moyen du questionnaire et certains correctifs ont été apportés tels que l'installation d'une caméra de surveillance à la porte d'entrée d'une école et l'aménagement d'un local vitré où les professeurs peuvent rencontrer les élèves et les parents d'élèves. Sur le plan des intentions, les écoles envisagent de réduire le nombre de portes et de relocaliser le secrétariat près de l'entrée principale, de façon à pouvoir contrôler les allées et venues des parents d'élèves ou des personnes étrangères à l'école.

Toujours selon la documentation nord-américaine, il est recommandé de mettre en place, dans les milieux de travail, un certain nombre de pratiques administratives, notamment : faciliter l'intégration du nouveau personnel et lui faire connaître la politique, effectuer régulièrement un rappel de la politique auprès de tous, favoriser la résolution de conflits au niveau le plus près des protagonistes, fournir aide et soutien, évaluer régulièrement le programme et apporter les correctifs nécessaires. À ce stade-ci du projet, aucune de ces pratiques administratives n'a été mise en place.

En ce qui concerne le perfectionnement des compétences interpersonnelles, on suggère, dans la documentation nord-américaine, de former les membres du personnel sur les aspects suivants : apprentissage de comportements d'affirmation de soi, détection des signes avant-coureurs de violence, apprentissage de comportements visant à prévenir la manifestation ou l'escalade de la violence, connaissance des moyens mis à leur disposition pour se protéger, apprentissage de comportements d'autodéfense. Il est également recommandé de fournir, aux personnes en autorité, une formation supplémentaire en communication interpersonnelle et en résolution de conflits. Dans le cadre du projet, les membres du personnel et les personnes en autorité n'ont pas reçu de formation sur l'un ou l'autre des aspects mentionnés ci-dessus. La pertinence du besoin n'a pas été ressentie par les responsables des établissements scolaires.

Il est également recommandé de planifier une intervention de crise. Cette intervention consiste à élaborer un plan de gestion de crise, à mettre sur pied une équipe, à fournir la formation complémentaire si nécessaire, à préétablir des ententes avec les instances locales, à désigner un porte-parole pour informer les parents et, s'il y a lieu, les médias, à fournir aide et soutien à la victime sur les plans médical, juridique et psychologique, à offrir une intervention de crise posttraumatique « *debriefing* » aux personnes présentes au moment de l'agression, à faire un suivi auprès de la victime et des témoins, à prendre des mesures appropriées à l'égard de l'auteur de l'agression et, finalement, à évaluer l'intervention et à apporter les correctifs nécessaires. Au Québec, malgré l'incitation des autorités gouvernementales à l'endroit du milieu scolaire et des garderies, aucune des écoles ayant participé au projet-pilote ne semble être prête à se doter de mesures pour faire face à une éventuelle situation de crise.

Étape 5 : Évaluation de l'implantation du projet et des résultats. La préévaluation du projet-pilote permet de faire quelques observations préliminaires :

1. Les conditions préalables à la réussite d'un programme de prévention sont presque toutes satisfaites. Actuellement, sept des neuf conditions ont été mises en place dans les écoles. Les points d'achoppement sont l'adoption d'une politique de « tolérance zéro » et la déclaration des incidents violents. En ce qui concerne la prise en compte des incidents, bien qu'ils les prennent au sérieux, les milieux scolaires résistent fortement à l'idée de formaliser les plaintes par écrit. Il apparaît donc assez difficile, dans ces milieux restreints, d'élaborer des procédures de traitement des plaintes incluant la mise sur pied d'un comité de traitement des plaintes. Les écoles (direction, personnel et syndicat) préfèrent conserver un mode de fonctionnement informel. Leur résistance peut s'expliquer par le fait qu'il s'agit d'un milieu de vie restreint et qu'on ne veut pas être amené à juger le comportement d'un collègue que l'on

côtoie tous les jours. Les mesures concrètes à mettre en place ne semblent pas convenir à ce milieu. Concernant leur réticence à adopter une politique de « tolérance zéro », une des explications pourrait être que les écoles croient que son application relève plutôt de la responsabilité de la commission scolaire.

2. À la suite de l'activité de sensibilisation, une visite a eu lieu dans les écoles afin de recueillir les commentaires des participants et d'évaluer les connaissances acquises. Le niveau de satisfaction des participants s'est révélé excellent. Le fait que la formation soit donnée par des collègues et un membre de la direction s'est avéré un aspect très apprécié par les participants de même qu'un signe de l'intérêt de la direction à l'égard de la problématique. Dans les milieux où l'activité était obligatoire, l'appréciation des participants a été plus marquée encore.

3. Toutefois, force est d'admettre que la prise en charge n'est pas très avancée. Malgré un intérêt certain de la part des milieux scolaires, les raisons invoquées pour expliquer cet état de fait sont une charge de travail déjà bien lourde, le peu de ressources à consacrer à ce dossier et le fait que bon nombre de ces activités relèvent de la commission scolaire plutôt que de l'école. À ce jour, les quatre écoles participantes ont encore un comité opérationnel ; ces comités de formateurs existent depuis 2000. Le fait que les victimes de violence s'adressent aux membres de ces comités pour obtenir aide, information et assistance prouve leur utilité.

À partir des résultats de l'enquête et de l'activité de sensibilisation, trois constats peuvent être dégagés. Le premier est que, bien qu'il semble que le dossier de la lutte contre la violence relève d'abord de la responsabilité de la commission scolaire, conjointement avec le syndicat, la constitution d'un comité interne est bénéfique pour écouter, conseiller et guider les victimes de violence. Le deuxième constat est que les employés ont de la difficulté à dénoncer la violence de leurs collègues. Enfin, troisième constat, il semble y avoir des temps forts quant aux manifestations de la violence (moments critiques dans l'année scolaire), qui pourraient s'expliquer par l'interférence de phénomènes sociaux.

8. CONCLUSION

En se référant à ces deux expériences, l'une en milieu hospitalier et l'autre en milieu scolaire, il ressort que les mesures préconisées dans la documentation nord-américaine constituent un cadre de référence utile pour élaborer un programme de prévention de la violence. Toutefois, il apparaît également que certains milieux ne sont pas en mesure d'appliquer ces mesures telles quelles et doivent apporter un certain nombre d'ajustements. La mise en place des structures et des procédures est vraisemblablement plus facile dans les grands établissements, probablement parce que la plupart des membres du personnel s'y connaissent peu ou pas et n'ont pas nécessairement à interagir dans le cadre de leur travail. De plus, à cause de la grande taille de l'établissement hospitalier (quelques milliers d'employés), les risques de conflits d'intérêts des membres du comité sont moins élevés au moment du traitement d'une plainte ; par conséquent, il est fort probable que ceux-ci se sentiront plus libres de se prononcer sur une situation donnée. *A contrario,* dans les petits établissements, ces mesures devront être nécessairement adaptées pour permettre aux gens du milieu d'agir avec liberté, sérénité et efficacité. Il semble donc que la taille de l'établissement soit un facteur déterminant dans l'application des mesures préventives.

À compter du 1er juin 2004, en vertu de la Loi sur les normes de travail, tous les salariés québécois, syndiqués ou non, auront le droit de bénéficier d'un milieu de travail exempt de harcèlement psychologique et les employeurs seront obligés de prendre les moyens raisonnables pour prévenir ce type de harcèlement et, lorsqu'une telle conduite est portée à leur connaissance, de prendre les moyens nécessaires pour qu'elle cesse. Dans ce contexte, il devient impératif d'évaluer l'efficacité des mesures mises en place afin de lutter contre la violence au travail et d'en déterminer les meilleures modalités selon les caractéristiques des milieux de travail.

BIBLIOGRAPHIE

Association des commissions des accidents du travail du Canada, Accidents du travail et maladies professionnelles : Canada 1999-2001 / Work injuries and diseases : Canada 1999-2001.Mississauga, Ont. : Association des commissions des accidents du travail du Canada, 2002. 277 pages.

Barling J. (1996), « The prediction, experience, and consequences of workplace violence », dans G.R., VandenBos, E.Q. Bulatao, et coll. (dir.), *Violence on the job : Identifying risks and developing solutions,* Washington, American Psychological Association.

Damant D., Dompierre J., Jauvin N. (1997), « La violence en milieu de travail », *Centre de recherche interdisciplinaire sur la violence familiale et la violence faite aux femmes* (CRI-VIFF), Université Laval.

Aurousseau C., Landry S. (1996), « Les professionnelles et professionnels aux prises avec la violence organisationnelle », Protocole UQAM-CSN-FTQ, document n° 64, Services aux collectivités de l'UQAM, Fédération des professionnel(le)s salarié(e)s et des cadres du Québec (FPPSCQ).

Soares A. (2002), « Quand le travail devient indécent : le harcèlement psychologique au travail », *Performance*, n° 3, Mars-Avril, p. 16-26.

Gouvernement du Québec (1999), « Enquête sociale et de santé 1998 », *Collection la santé et le Bien-être*, Chapitre 27, Environnement psychosocial du travail, 2e édition. 1999.

Savoie A., Brunet L. (2000), *Les comportements antisociaux au travail*, Congrès bi-annuel de l'Association internationale de psychologie du travail de langue française (AIPTLF), Rouen, France.

Leymann H. (1996), *Mobbing : la persécution au travail*, Paris, Seuil.

AFL-CIO (1995), *We Can Do Something About Workplace Violence*, USA.

Wynne et coll. (1998), dans Chappell, D. Di Martino, V. *Violence at work*, Genève, Bureau international du travail.

Gouvernement du Canada (1982), Charte canadienne des droits et libertés, Loi constitutionnelle de 1982, Annexe B. ministère de la Justice du Canada.

Gouvernement du Québec, Charte des droits et libertés de la personne, L.R.Q. C-12

Gouvernement du Canada, Code canadien du travail (L.R. 1985, ch. L-2)

Gouvernement du Québec (1994), Loi sur la santé et la sécurité du travail, L.R.Q., S-2.1, Québec, Éditeur officiel.

Gouvernement du Québec (2002), Loi modifiant la Loi sur les normes du travail et d'autres dispositions législatives, L.R.Q., Québec : Éditeur officiel, 2002, chapitre 80.

Leather P.et coll. (1998), « Exposure to occupational violence and the buffering effects of intra-organizational support », *Work and Stress*, vol. 12, n° 2, p. 161-178.

Schmieder R.A., Smith C.S. (1996), « Moderating effects of social support in shiftworking and non-shiftworking nurses », *Work and Stress*, vol. 10, n° 2, p. 128-140.

Keashly L., Trott B., Maclean L. (1994), « Abusive behavior in the workplace : A preliminary investigation », *Violence and Victims*, vol. 9, n° 4, p. 341-357.

Girard S.A., Laliberté D., Dompierre J. (2002a), « La violence au travail en milieu scolaire : Portrait d'un phénomène peu connu », *Direction de santé publique de Québec*, 35 pages.

Wright L., Smye M. (1996), *Corporate abuse : How « lean and mean » robs people and profits*, Toronto, Key Porter Books Limited.

Girard S.A., Laliberté D., Dompierre J. (2003), *Prévention de la violence au travail en milieu scolaire : outil de sensibilisation*, Direction de santé publique de Québec, 134 pages.

Girard S.A., Laliberté D., Dompierre J. (2002b), *Prévention de la violence au travail en milieu scolaire. Guide de prise en charge, Document de travail,* Direction de santé publique de Québec.

Runyan C.W., Zacoks R.C., Zwerling C. (2000), « Administrative and Behavioral Interventions for Workplace Violence Prevention », *American Journal of Preventive Medicine* (4 Suppl) p. 116-27. Review, 2000 : 18.

Les influences temporelles des acteurs du milieu de vie sur les parents travailleurs[1]

Lise Chrétien
Département de management,
Faculté des sciences de l'administration, Université Laval, Québec, Canada

Isabelle Létourneau
Faculté de philosophie, Université Laval, Québec, Canada

1. INTRODUCTION

Au cours des dernières années, le thème de la conciliation travail-famille (CTF) a fait couler beaucoup d'encre, et pour cause. Les incidences pratiques de la tension qui s'exerce entre le travail et la famille sur les individus, les familles et les entreprises ne se comptent plus, tant elles sont nombreuses : stress, épuisement, manque de temps pour la famille, dégradation des relations conjugales, absentéisme, baisse de rendement au travail (Guérin et coll. 1997 ; DEJSC, 1999 ; Johnson et coll. 2001 ; Duxbury et Higgins, 2003a ; INSPQ, 2005), etc. La littérature spécialisée qui traite de cet aspect abonde, de même que celle portant sur les antécédents motivant les difficultés de CTF (Chenevier, 1996 ; Guérin et coll. 1997 ; Caussignac, 2000, St-Onge et coll. 2002 ; Duxbury et Higgins, 2005) et les mesures mises en place par les entreprises afin de les surmonter (Paris, 1989 ; Guérin et coll. 1993 ; Bachmann, 2000 ; Rochon, 2000 ; CFE et ORHRI, 2001 ; MESSF, 2004a). Par ailleurs, en parcourant les ouvrages consacrés à la CTF, nous pouvons constater que la relation unissant les vies professionnelle et familiale est essentiellement abordée à partir de ses deux acteurs centraux : les travailleurs et les employeurs. Les travailleurs y sont aussi

1. Cet article a été initialement publié dans *Loisir & Société*, « Temps sociaux et temporalité sociale », vol. 29, n° 1, 2006, p. 203-210. Reproduit avec l'autorisation de l'éditeur.

généralement dépeints comme effectuant un sempiternel aller-retour entre le travail et la maison.

Au-delà de cette dynamique à deux termes, dans un souci de traitement plus exhaustif de la problématique, nous devons cependant nous demander si la CTF n'impliquerait pas d'autres acteurs et ne s'inscrirait pas, en vérité, dans un contexte socio-économique plus large que celui des seuls milieux professionnels et familiaux. De ce côté-ci de l'Atlantique, une poignée de penseurs partagent cet avis et encouragent la poursuite des recherches en ce sens (Voydanoff, 1989 ; Googins, 1997 ; Bailyn, Drago et Kochan, 2002 ; Bookman, 2004). La relation travail-famille devrait être comprise, selon eux, en référence au milieu de vie dans lequel elle s'inscrit. Le support provenant d'une source externe à l'entreprise et à la famille peut avoir un impact significatif sur la façon dont les personnes arrivent à intégrer leurs responsabilités professionnelles et familiales. Le soutien offert par les services de garde à l'enfance et l'aide octroyée par les services sociaux pour répondre aux besoins des aînés sont cités en guise d'exemples. Bien plus, il faut voir que les tensions entre le travail et la famille peut avoir des conséquences sur le temps consacré au bénévolat, aux loisirs ou même aux relations amicales, fragilisant ainsi d'autant le tissu social (CCDS, 1999 ; DEJSC, 1999).

En pratique, des expériences impliquant un réaménagement du temps des villes, menées depuis plus d'une dizaine d'années dans plusieurs pays européens (dont notamment l'Italie, la France, l'Allemagne, la Finlande et les Pays-Bas), s'avèrent d'un apport considérable à la CTF : l'extension des heures d'arrivée à l'école permet d'éviter la formation d'embouteillages, l'ouverture des cabinets de médecins en soirée améliore l'accessibilité aux services de santé, la mise en place de services de garde 24 heures sur 24 répond aux besoins des parents dont les horaires de travail sont atypiques, etc. (Boulin et Mückerberger, 2002). Tentant d'emboîter le pas de ses homologues européens, le gouvernement du Québec a lancé récemment un appel aux acteurs des milieux de vie, aux municipalités en particulier, dans le but de favoriser la CTF (MFE, 2002 et 2003 ; MESSF, 2003 et 2004b). Cet appel, couplé aux expériences européennes, n'a pas manqué de mousser le questionnement sur les temps sociaux et les politiques publiques relatives à son aménagement (Tremblay, 2004 et 2005).

Au Québec et au Canada, les recherches qui abordent la CTF en lien avec les acteurs du milieu de vie en sont à leur début. En 1994, le Centre de recherche en aménagement et développement de l'Université Laval, l'INRS-Urbanisation de l'Université du Québec et le Carrefour action municipale et famille réalisent un document sur le rôle des municipalités en matière de CTF. Les auteurs y analysent plusieurs mesures de CTF mises de l'avant par des municipalités québécoises, américaines et européennes à titre d'employeurs, de pourvoyeurs de services et d'aménagistes. Une thèse de doctorat, déposée à l'Université Laval, en 2000, aborde la dimension géographique de la CTF par l'entremise du choix du lieu de résidence en regard du lieu de travail (Brais, 2000). Depuis peu, Duxbury et Higgins (2003b et 2005) ont élargi le champ de leur série d'études sur la CTF afin de prendre en considération l'environnement de résidence (l'emplacement au Canada, le caractère rural ou urbain et la densité de population), en plus de traiter des impacts des caractéristiques des travailleurs eux-mêmes, de leur emploi, de leur environnement de travail et de leurs familles sur la CTF. Du côté des recherches qualitatives, des témoignages de travailleurs rassemblés par Duxbury, Higgins et Coghill (2003) et le MESSF (2004a) tendent à montrer que des acteurs du milieu de vie, tels les municipalités, les services de garde, les écoles et les services de santé peuvent influer, parfois même négativement, sur la CTF.

Nos préoccupations relativement à la CTF s'inscrivent dans la foulée de ces études. Elles visent à déterminer les acteurs du milieu de vie qui ont un impact réel sur la CTF, à décrire les contraintes temporelles que ces acteurs posent aux parents[2] et à dégager des stratégies que les acteurs du milieu de vie pourraient adopter afin de contribuer à la réduction des tensions entre le travail et la famille. Les témoignages de parents et d'employeurs, recueillis dans le cadre de notre recherche qualitative menée sur la CTF et analysés en fonction d'une approche holistique de la CTF de type écosystémique, nous permettront de dégager des éléments de réponse relativement à ces préoccupations.

2. CADRE THÉORIQUE

Plusieurs modèles théoriques ont été proposés pour tenter de comprendre la relation qu'entretiennent le travail et la famille. Le modèle de la fusion incorpore le travail et la famille dans une même sphère d'activité, gommant les fonctions et finalités propres de chacun. Le modèle de la segmentation, qui est l'opposé du premier, présente le travail et la famille comme des sphères d'activité indépendantes l'une de l'autre (Bartolomé et Evans, 1979). Entre ces deux modèles extrêmes se retrouve une série de modèles intermédiaires, lesquels conçoivent les sphères du travail et de la famille distinctement, bien que chacune soit ouverte à des échanges (d'affects, de comportements, de savoirs, de temps, d'énergie, etc.) avec l'autre. Les théoriciens parlent en ce

2. L'utilisation du mot parent est préféré à celui de parents-travailleurs dans le seul but d'alléger le texte.

cas d'instrumentalisation, de compensation, de débordement, d'accommodation, de congruence, de conflit de temps, de conflit de tension ou de conflit de comportement pour thématiser la relation travail-famille (Greenhaus et Beutell, 1985 ; Burke et Greenglass, 1987 ; Zedeck, 1992 ; Edward et Rothbard, 2000 ; Fredriksen-Goldsen et Scharlach, 2001).

Tous ces modèles théoriques de la relation travail-famille sont d'inspiration systémique, c'est-à-dire qu'ils pensent chaque sphère d'activité comme un tout composé de parties interdépendantes. Par exemple, dans la sphère familiale, parents et enfants entretiennent une relation de dépendance réciproque, tout comme les employeurs et les travailleurs dans la sphère du travail. Le modèle de la fusion tend à agglutiner tous les acteurs du travail et de la famille dans une même sphère d'activité. Ce modèle, ainsi que celui de la segmentation, mettent en scène des systèmes fermés, qui n'entretiennent aucun lien avec un autre système ou un environnement évolutif extérieur. Les modèles intermédiaires présentent plutôt les sphères du travail et de la famille comme des systèmes ouverts, susceptibles d'échanges l'un avec l'autre. Ces modèles collent plus à la réalité parce qu'ils rendent mieux compte des multiples effets expérimentés et documentés du travail sur la famille, et inversement. Mais, une fois de plus, les sphères du travail et de la famille, telles que conçues par ces modèles intermédiaires, ne semblent pas s'insérer dans un environnement qui les comprendrait et avec lequel des échanges pourraient s'opérer.

Nos préoccupations relatives aux acteurs de la CTF provenant du milieu de vie nous obligent à adopter une approche plus englobante, une approche qui puisse prendre en compte la présence d'acteurs autres que l'employeur et le travailleur, qui proviendrait d'une sphère d'activité différente de celles du travail et de la famille. Quelques approches holistiques de la CTF ont récemment fait leur apparition dans la littérature portant sur la CTF. À titre d'exemple, notons les modèles théoriques proposés par Lewis et Cooper (1995), CCDS (1999), Voydanoff (2001) et Bailyn et coll. (2002). Ces modèles comportent la particularité d'ouvrir le travail et la famille à des influences externes en faisant intervenir de nouvelles sphères d'activité comme la collectivité et le gouvernement. Toutefois, ils ne considèrent pas les relations d'inclusion comme pouvant exister entre les différentes sphères d'activité et ne ciblent guère les acteurs respectifs de chacune d'elles.

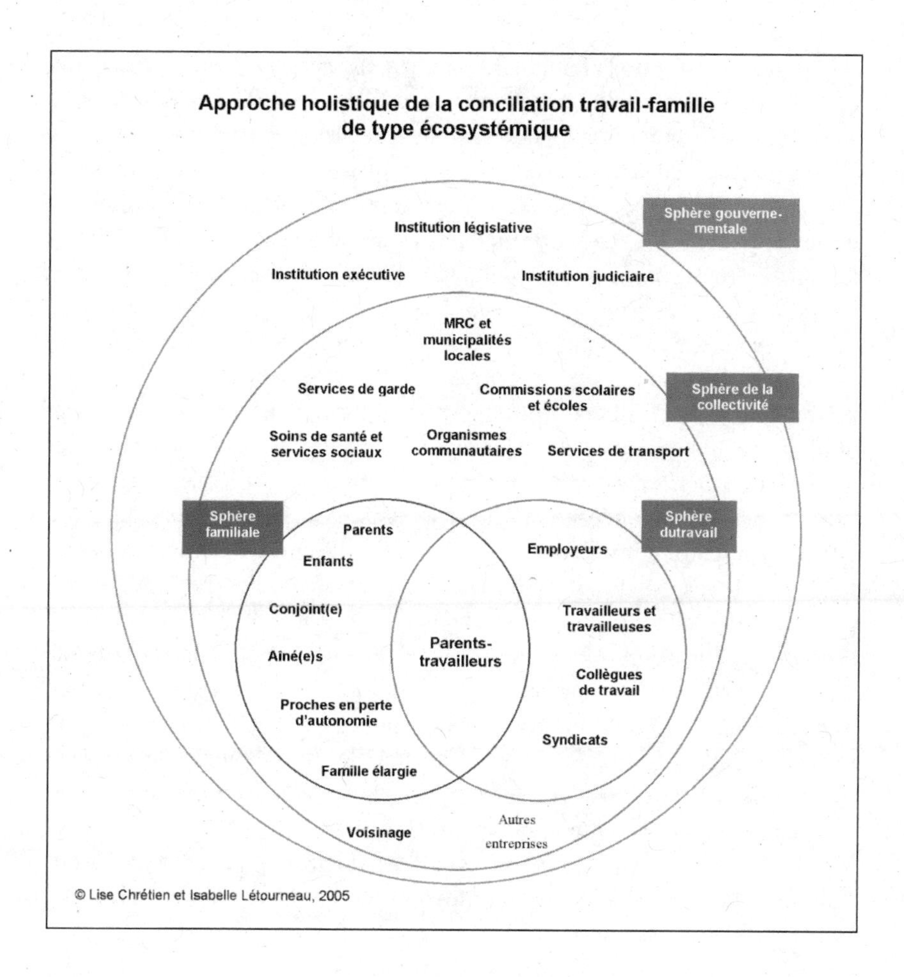

Notre modèle, de type écosystémique, rassemble plusieurs sphères d'activité, tout en tâchant de les disposer en fonction de leur niveau de contextualisation socio-économique par rapport au travail et à la famille. Les sphères sont ordonnées entre elles de manière à faire en sorte que la sphère qui présente le contexte le plus général, quant au déroulement des activités socio-économiques, puisse inclure les autres sphères : la sphère gouvernementale inclut la sphère de la collectivité, laquelle inclut à son tour les sphères du travail et de la famille. Notre modèle opère aussi une distinction entre les sphères d'activité et les acteurs qui en font partie. Les seuls acteurs qui puissent appartenir, par inclusion, aux quatre sphères d'activité simultanément sont les « parents travailleurs ». Ces derniers se situent dans l'intersection entre la sphère du travail et de la famille. De la sorte, ils représentent les principaux vecteurs de la relation d'interdépendance qu'entretiennent ces deux sphères. Notre approche comporte également une dimension dynamique en ce sens qu'elle met l'accent sur le don et la réception de ressources entre les différents acteurs et d'une sphère à une autre, et ce, dans la limite des contraintes imposées par chacun. Par l'intermédiaire de ses acteurs, chacune des sphères intègre des ressources provenant d'autres sphères, les transforme grâce à ses opérations propres, puis les retourne à ses homologues. Ce processus dynamique enclenche une boucle de rétroaction continue, aussi longtemps que le transfert de ressources se poursuit d'une sphère à l'autre. Des contraintes peuvent empêcher la libre transition des ressources entre les sphères d'activité et d'un acteur à un autre. Ces contraintes sont conséquentes à la nature des différentes sphères d'activité et au mode d'action privilégié par chacun des acteurs. En ce qui concerne la CTF, les ressources correspondent à ce qui facilite la jonction pour les parents de leurs activités professionnelles et familiales dans le respect des obligations liées à chacune d'elles. Les contraintes, par opposition aux ressources, renvoient à ce qui empêche cette jonction de se produire efficacement et pleinement. Tel qu'annoncé dans notre introduction, nous nous en tenons ici aux seules contraintes temporelles, c'est-à-dire à ce qui réduit le temps dont disposent les parents à consacrer à leurs activités professionnelles et familiales, pour en assumer les responsabilités respectives de façon satisfaisante. Notre analyse portera tout particulièrement sur les contraintes temporelles que les acteurs de la sphère de la collectivité imposent aux parents. Leur identification nous aidera à mieux comprendre les raisons pour lesquelles les ressources collectives nécessaires à la CTF ont du mal à transiter en direction des parents.

La sphère de la collectivité correspond à ce que nous nommons communément le « milieu de vie ». Elle se définit comme le domaine des activités collectives organisées qui regroupe les résidants et résidantes d'un même territoire, à la même époque, et qui s'est peaufiné en vue de répondre aux besoins socio-économiques de ces derniers. Il s'agit en fait du continuum espace-temps dans lequel les activités sociales et économiques de la vie collective ont directement et quotidiennement cours. La sphère de la collectivité comporte de nombreux acteurs, la figure précédente présente ceux dont la littérature sur la CTF fait explicitement mention : les MRC et les municipalités locales, les services de garde, les commissions scolaires et les écoles, les services de santé et sociaux, les organismes communautaires, les services de transport, les autres entreprises et le voisinage.

Les municipalités régionales de comté (MRC) et les municipalités locales correspondent aux entités administratives d'un territoire donné. Elles assument de nombreuses responsabilités relatives à la vie en commun de leurs citoyens et citoyennes. Parmi ces responsabilités figurent celles qui rejoignent plus directement la CTF : l'organisation de loisirs sportifs et culturels, l'aménagement du territoire, le transport en commun et la sécurité (MESSF, 2003). L'appellation « services de garde » désigne les organismes, à but lucratif ou non, destinés à veiller sur les enfants de zéro à douze ans en l'absence des parents. Ils peuvent prendre la forme d'un service de garde en installation tel un centre de la petite enfance (CPE), d'un service de garde en milieu familial, d'un service de garde scolaire, d'une garderie privée, d'un jardin d'enfants, d'un service de garde à horaire non usuel ou d'une halte-garderie. Les commissions scolaires constituent les gouvernements locaux d'un territoire donné dont les responsabilités s'étendent à l'organisation et à l'offre des services éducatifs des ordres d'enseignement préscolaire, primaire et secondaire. Les écoles, lesquelles fonctionnent sous la compétence des commissions scolaires, sont les établissements d'enseignement destinés à assurer la formation des élèves de niveau préscolaire, primaire et secondaire. Les services liés aux soins de santé et les services sociaux, comme leur nom l'indique, désignent les organismes destinés au maintien de la santé et au soutien social des personnes. Ces organismes, publics ou privés, sont généralement des hôpitaux, des CLSC, des cliniques, des CHSLD, des centres d'accueil, des centres de réadaptation, etc. Les organismes communautaires renvoient aux organismes à but non lucratif qui constituent un mouvement social autonome et d'intérêt public voué à l'amélioration du tissu social. Ils offrent des services de prévention, d'aide et de soutien aux personnes, et cela, dans tous les domaines sociaux et regroupent, par exemple, des maisons de la famille, des associations d'aînés, des services judiciaires alternatifs, etc. Les services de transport correspondent à des organismes, à but lucratif ou non, privés ou publics, voués à soutenir les déplacements de la population sur un territoire donné. Ils peuvent prendre la forme de réseaux de transport en commun municipaux, de services de transport scolaire, de services d'autobus interrégionaux, de taxis, de minibus, de covoiturage ou même de transport adapté pour les personnes à mobilité restreinte. Par l'expression « autres entreprises », nous entendons toute entreprise ne participant pas à notre étude. Ces entreprises rassemblent les institutions financières et les commerces de détail qui offrent une panoplie de biens et de services nécessaires à la vie courante de leur clientèle. Elles peuvent tout aussi bien être des caisses populaires, des banques, des épiceries, des nettoyeurs, des restaurants, des services de traiteurs ou d'entretien domestique, etc. Enfin, le voisinage constitue l'ensemble des résidants et amis habitant à proximité d'une famille. Celui-ci peut soutenir cette dernière par l'offre de biens ou de services, notamment le prêt d'une voiture, la garde informelle des enfants ou la surveillance du quartier.

3. MÉTHODOLOGIE DE RECHERCHE

Notre recherche sur la CTF couvre le territoire des municipalités régionales de comté (MRC) de Bellechasse, Lévis et Lotbinière[3]. Ces MRC sont situées dans la province de Québec (Canada). Plus précisément, elles se trouvent dans la région administrative de Chaudière-Appalaches, laquelle se distingue par son taux d'emploi parmi les plus élevés au Québec et sa très faible croissance démographique comparativement à celle de la province[4]. Bref, les MRC de Bellechasse, Lévis et Lotbinière évoluent à la fois dans la perspective d'une pénurie de main-d'œuvre et d'une pénurie d'enfants. On s'attend dès lors qu'une tension croissante entre le travail et la famille puisse être vécue sur ce territoire. Les MRC de Bellechasse, Lévis et Lotbinière constituent donc un lieu à privilégier pour une étude sur la CTF.

Notre étude repose sur un échantillon de parents et d'employeurs. Pour les deux groupes ciblés, la participation à la recherche reposait sur une base tout à fait volontaire. Les parents ont principalement été sollicités, avec l'accord de leur employeur, grâce à des affiches apposées sur les babillards des entreprises et à des lettres jointes à leur paie. En ce qui a trait aux employeurs, les participants furent recrutés par sollicitation téléphonique.

La partie de l'échantillon relative aux parents est composée de 30 personnes résidant dans les MRC sur lesquelles porte l'étude : 26 femmes et quatre hommes. Les participants ont en majorité de 35 à 44 ans. Plus des deux tiers vivent maritalement. En moyenne, ils ont à charge deux enfants. Le tiers des participants doivent aussi s'occuper d'un proche en perte d'autonomie (d'un aîné ou d'un enfant handicapé), tout en travaillant au moins 25 heures semaine. La majorité des participants travaille à temps plein, de jour, du lundi

3. La MRC de Bellechasse regroupe vingt petites municipalités rurales et compte une population totale de 33 960 habitants sur un territoire de 1 759 km^2. La Ville de Lévis regroupe, depuis la fusion municipale de 2002, dix anciennes municipalités urbaines. Elle compte plus de 125 500 habitants rassemblés sur un territoire de 444 km^2. Elle est considérée depuis comme une municipalité exerçant des compétences de MRC. La MRC de Lotbinière regroupe dix-huit petites municipalités rurales et compte une population de 27 390 habitants sur un territoire de 1 661 km^2. Dans les MRC de Bellechasse, Lévis et Lotbinière, on compte 4 089 entreprises, dont 99 % sont des PME.

4. Selon l'Institut de la statistique du Québec, le taux d'emploi dans Chaudière-Appalaches était, en septembre 2005, de 63,4 % et celui du Québec de 60,2 %. La variation démographique prévue, entre 2001 et 2026, se chiffre par 0,5 % pour cette région administrative comparativement à 9,3 % pour la province.

au vendredi. Notons que plus du quart travaillent occasionnellement le soir, la nuit ou la fin de semaine. Au total, les parents proviennent de six catégories d'emploi différentes (trois cadres, huit professionnels, trois techniciens, neuf ouvriers, cinq employés de bureau et deux employés du domaine de la vente). Plus du tiers sont syndiqués. Neuf participants travaillent dans une autre MRC que celle où ils habitent. Seulement cinq parents doivent se déplacer dans le cadre de leur travail à l'extérieur de la MRC dans laquelle leur employeur est situé. Pour la majorité des participants, le revenu personnel annuel se situe à l'intérieur de la fourchette s'étalant de 20 000$ à 39 999$ et, le revenu familial annuel se situe dans la fourchette allant de 60 000$ à 79 999$.

La partie de l'échantillon relative aux employeurs est composée de 30 organisations, lesquelles sont réparties proportionnellement entre les trois MRC à l'étude: six entreprises de Bellechasse, dix-neuf de Lévis et cinq de Lotbinière. Au total, 24 petites organisations, trois moyennes et trois grandes ont participé à l'étude. La syndicalisation est présente dans treize entreprises. Les organisations à l'étude couvrent treize secteurs d'activité. Elles emploient au total 2 551 employés, dont 63 % d'hommes et 37 % de femmes. La moyenne d'âge de leur main-d'œuvre se situe entre 35 et 44 ans. Les ouvriers représentent, à eux seuls, 60 % de la main-d'œuvre. Remarquons que 80 % des employés travaillent à temps plein. Seulement 11 % de la main-d'œuvre doivent se déplacer hors de la MRC de l'entreprise dans le cadre de leur travail. Au chapitre des horaires de travail, les deux tiers des entreprises opèrent de jour et de soir. Selon les dix-huit dirigeants et douze dirigeantes interviewés, 51 % de leur main-d'œuvre ont des enfants de moins de dix-huit ans à charge. La réalité des responsabilités envers les proches en perte d'autonomie s'avère très peu connue des employeurs.

L'approche privilégiée pour la recherche est essentiellement qualitative. Elle nous a permis de recueillir quelques faits, mais surtout les témoignages des parents et des employeurs concernant les difficultés qu'ils vivent et les attentes qu'ils formulent en matière de CTF. Les parents furent conviés à participer à l'un des six groupes de discussion semi-dirigée organisés au printemps 2005. Les rencontres se sont déroulées à l'extérieur des milieux professionnels et familiaux afin de permettre aux participants de s'exprimer en toute liberté. La méthode utilisée pour recueillir les contenus auprès des parents, soit l'entretien collectif, comporte deux avantages principaux: elle permet aux participants de livrer le sens qu'ils donnent aux situations auxquelles ils sont confrontés, sans toutefois se sentir l'objet d'une étude de cas. En effet, l'entretien collectif est ouvert à l'expression d'une multitude d'opinions et de perceptions, ce qui permet aux participants d'écouter le point de vue et les expériences vécues par leurs pairs et d'effectuer un retour réflexif sur leurs propres points de vue et expériences. Les employeurs, quant à eux, furent rencontrés en milieu de travail au cours de l'hiver 2005. Pour éviter les comparaisons entre les organisations, l'entrevue individuelle auprès des dirigeants fut privilégiée. Nous avons donné aux entretiens collectifs et individuels une forme semi-dirigée afin de laisser beaucoup de latitude à l'expression des participants, tout en centrant celle-ci autour de thèmes de discussion en lien avec nos objectifs de recherche. En guise d'entrée en matière aux entretiens individuels et collectifs, les objectifs généraux sont brièvement présentés aux participants, de même que le cadre théorique sous sa forme visuelle.

Pour animer les groupes de discussion auprès des parents et les entrevues individuelles avec les employeurs, nous avons utilisé un canevas de discussion et un guide d'entrevue proposant essentiellement des questions ouvertes: *Quels sont les services offerts par votre municipalité et ses partenaires pouvant vous aider à concilier travail et famille ? Lesquels utilisez-vous ? Les services offerts par les acteurs de votre milieu de vie répondent-ils à vos besoins en matière de CTF ? Quelles sont les mesures en matière de CTF que vous aimeriez voir apparaître dans votre milieu de vie ? Quels services, externes à votre entreprise pourraient aider vos employés et employées à mieux concilier travail et famille ?, etc.* Dans l'hypothèse où les participants se seraient montrés peu loquaces, des sous-questions plus précises avaient été préparées pour interroger les participants à propos de leurs attentes relatives à chacun des acteurs du milieu de vie: *L'horaire du service de garde que vous utilisez convient-il à vos besoins ? Le calendrier scolaire vous pose-t-il des contraintes ? La fréquence et les trajets d'autobus répondent-ils à vos attentes ?, etc.* La formulation de ces sous-questions découle d'une recension des services aux citoyens et à la famille que nous avons effectuée sur le territoire de recherche.

Les témoignages livrés par les parents et les employeurs ont été retranscrits tels quels, avec toute la familiarité et la spontanéité du verbe québécois. Une traduction des propos des participants en aurait dénaturé la tonalité affective et, par conséquent, la signification.

4. RÉSULTATS DE RECHERCHE

La présentation des résultats de la recherche s'articule principalement autour des témoignages des parents, les dires des employeurs ayant plutôt pour fonction de corroborer ou de nuancer ces derniers. L'interprétation des témoignages vise principalement à comprendre en quoi les acteurs du milieu de vie contribuent à la «surcharge de l'horaire de vie» des parents. Cette compréhension nous permettra de cibler les acteurs clés du milieu de vie et de dégager quelques stratégies pour favoriser la CTF. Les résultats de l'étude sont ordonnés de telle sorte que les contraintes temporelles auxquelles les parents doivent faire face sont présentées par ordre d'importance et d'influence sur la vie de ceux-ci.

4.1 Les services de garde

Le tout premier point mentionné par l'ensemble des parents et des employeurs portent sur le nombre insuffisant de places dans les services de garde subventionnés. D'une MRC à l'autre, le même constat se dégage. La rareté des places peut allonger indûment le congé parental et repousser le retour au travail : « *Moi, je serais revenue travailler avant,* avoue une dirigeante, *mais il n'y avait pas de place pour mon enfant.* » Le plus difficile, semble-t-il, consiste à trouver une place à proximité du domicile familial, surtout pour les participants habitant en milieu urbain : « *J'ai inscrit mes enfants sur des listes d'attente à Saint-Jean-Chrysostome, cela a pris trois ans avant d'avoir une réponse. Mes enfants ont eu leur place quand ils ont eu l'âge d'aller à l'école.* » Comment les parents se débrouillent-ils entre-temps ? L'une demanda à son conjoint, travailleur autonome, de modifier son horaire professionnel pour garder leur bébé, l'autre trouva un service de garde à plus de vingt minutes de chez elle. L'espoir d'un accroissement du nombre de places dans les services de garde subventionnés demeure toutefois bien présent.

La question des heures d'ouverture des services de garde fut aussi abordée par les participants. À cet égard, les parents qui sont d'avis que les heures d'ouverture mériteraient d'être adaptées ont tous recours aux services de garde en milieu familial : « *En milieu familial, ce n'est pas adapté du tout, surtout pour les horaires. Les garderies ouvrent (...) pour un maximum de 10 heures par jour. Par exemple, ma gardienne ouvre à 6 h 30, à cause des besoins particuliers d'un parent, et ferme à 16 h 30.* » Du côté des employeurs, plusieurs souhaiteraient que les services de garde ouvrent plus tôt et ferment plus tard. Certains seraient même en faveur d'un service de garde atypique pour accommoder leurs employés travaillant en fonction d'un horaire rotatif. À notre connaissance, un seul CPE de Lévis offre le service de garde à horaire non usuel alors que le travail atypique semble en pleine croissance. Un employeur manifeste toutefois quelques réserves face à la garde prolongée : « *Il y a toujours une chaîne et les heures semblent s'étendre de plus en plus parce que certaines entreprises ouvrent de plus en plus tôt ou ferment de plus en plus tard. À la longue, l'enfant ne sera jamais chez lui.* »

Le coût des pénalités de retard fut un point chaud des discussions avec les parents. « *C'est une pression de plus sur les parents* », s'insurge une mère. « *Je ne compte pas les fois où j'ai fait de la vitesse sur l'autoroute pour arriver à temps* », renchérit une autre participante. La pratique des pénalités de retard a principalement cours dans les CPE. Les coûts varient d'un endroit à l'autre, mais ils apparaissent toujours salés aux yeux des parents : *« Pour les retards, le soir, il m'en coûte vingt dollars par quinze minutes de retard ! Une fois, j'étais prise sur le pont au retour du travail et la garderie n'a jamais voulu accepter qu'il s'agissait d'une raison hors de mon contrôle. »* Bien des parents travailleurs apprécieraient une plus grande compréhension des CPE, surtout lorsque des situations exceptionnelles se présentent. Les employeurs trouvent, quant à eux, que l'application de pénalités de retard limite le temps supplémentaire que leurs employés seraient susceptibles de leur offrir.

En ce qui a trait au calendrier des services de garde préscolaire, les interventions des participants ont principalement porté sur les services en milieu familial, que ce soit pour les vacances de la gardienne ou ses congés imprévisibles de maladie : *« C'est très bien en milieu familial aussi, mais si une éducatrice est malade en CPE, tu amènes ton enfant quand même. Moi, si ma gardienne est malade et qu'elle m'appelle à 6 h 30 le matin… je fais quoi ? Et quand elle prend congé l'été… elle ferme un mois. Elle a plus de vacances que moi, alors il faut que je m'enligne pour la garde. »* Pour ce qui est du calendrier des services de garde scolaire, il faut savoir que tous ces services ferment leurs portes pendant la période estivale et que quelques-uns le font aussi pendant la relâche et des journées pédagogiques, ce qui contraint les parents travailleurs à dénicher un service de garde de rechange (ce qui n'est pas toujours évident lorsque les camps de jour organisés par les municipalités n'ont pas encore débuté) ou même à prendre congé. Comme l'explique un employeur : *« Lors des journées pédagogiques, le service de garde n'est pas ouvert. Si j'ai trois ou quatre mamans qui travaillent, alors c'est trois ou quatre congés la même journée. »* Allonger le calendrier des services de garde scolaire d'une semaine au début et à la fin de l'été afin de favoriser un meilleur arrimage avec le calendrier des terrains de jeux organisés par les municipalités et rassembler les enfants de plusieurs écoles afin de pouvoir offrir un service de garde durant la relâche et les journées pédagogiques, lorsque la demande est trop faible dans une seule école, sont des solutions qui mériteraient d'être expérimentées.

Par rapport aux CPE, les participants ont dénoncé la rigidité des règles dans le cas des enfants malades, plus de souplesse à cet égard serait vivement appréciée. Une mère raconte à cet effet : *« Un matin, je me rends compte que mon enfant a l'œil rouge et collé. Je dis à l'éducatrice que je vais emmener le petit au CLSC, le soir, parce que je pense qu'il fait une conjonctivite. Elle me répond que la garderie ne peut le prendre, ce matin, parce que c'est contagieux et qu'il aurait fallu que je lui mette de la crème dans l'œil avant de venir le porter. Il est 7 h 30 et je commence à travailler à 8 h. Je fais quoi là avec le petit ? »* Et que faire lorsque les enfants souffrent de maladie chronique ? *« Moi, avec mon garçon asthmatique, j'ai dû me battre. […]*

Les éducatrices du CPE refusaient de donner les pompes à mon garçon. Il fallait que je quitte le bureau pour aller lui donner ses médicaments. Explique ça à ton fils : « Maman vient juste te donner ton médicament, puis elle s'en va. » C'est l'enfer ! » Difficile aussi d'expliquer cela à son employeur qui compte sur elle 40 heures semaine... Mettre de l'avant un service de garde à domicile pour les enfants malades pourrait être une solution à envisager.

4.2 Les commissions scolaires et les écoles

D'une façon générale, les parents s'accommodent assez bien de l'horaire quotidien des écoles primaires, surtout avec les services de garde scolaires. Les horaires des écoles secondaires, par contre, leur posent quelques problèmes : certains adolescents terminent très tôt et passent de longues heures seuls à la maison, de quoi inquiéter les parents au travail. En ce qui concerne le calendrier scolaire, que les journées pédagogiques, la relâche et les vacances d'été en tracassent plusieurs, nous en avons déjà traité précédemment.

L'un des aspects de la vie scolaire qui cause le plus de soucis aux parents a trait aux devoirs des enfants, surtout lorsque ces derniers éprouvent des difficultés d'apprentissage. La supervision des devoirs peut alors demander un temps et une énergie dont les parents ne disposent plus à la fin d'une journée de travail. L'aide aux devoirs apparaît dès lors à plusieurs être un service essentiel à offrir aux enfants... et à leurs parents. Quelques écoles ont entrepris d'intégrer l'aide aux devoirs dans les services de garde scolaire, mais la situation n'est pas généralisée. Pour les élèves du secondaire, l'offre d'aide aux devoirs demeure encore très informelle. Quelques écoles expérimentent un système de tutorat entre les élèves ou un service offert par un professeur à l'heure du dîner. Quant aux élèves pour lesquels ce type d'aide ne suffit pas, les parents peuvent passer des mois à chercher un tuteur privé. Poursuivre l'amélioration des services institutionnels d'aide aux devoirs, surtout pour les élèves du secondaire, pourrait être bénéfique à la CTF.

Pour les services plus spécialisés, l'orthophonie par exemple, les budgets alloués aux écoles semblent varier en fonction du nombre d'élèves en difficulté. Par conséquent, certaines écoles ne bénéficient des compétences d'un professionnel qu'à peine quelques heures par semaine. Les écoles dans cette situation ne disposent pas des ressources nécessaires pour diagnostiquer rapidement les problèmes des enfants et commencer aussitôt les exercices correctifs appropriés. Dans l'attente d'un spécialiste, ce qui était au départ un léger problème d'orthophonie peut vraisemblablement prendre de l'ampleur. Les parents doivent alors, lorsque leur horaire et leurs moyens financiers le permettent, se tourner vers des services privés, ce qui peut impliquer de se déplacer hebdomadairement hors de sa MRC pour recevoir ces services. Bonifier l'offre de services scolaires spécialisés s'avérerait une façon efficace de faire économiser temps et argent aux familles.

De nombreux parents jugent difficile de coordonner les activités scolaires spéciales de leurs enfants et leur horaire de travail : accompagner les écoliers à l'occasion d'une sortie ou assister au spectacle des élèves devient pratiquement impossible. Plusieurs en ressentent une grande culpabilité envers leurs enfants et aimeraient que les écoles sollicitent moins leur participation lorsque les activités se déroulent en journée.

Quelques employeurs de la MRC de Lotbinière ont manifesté le mécontentement qu'ils éprouvent par rapport aux rencontres de parents fixées le jour : « *Les rencontres de parents sur les heures de semaine nous causent des problèmes. Mais qui doit faire le compromis, les professeurs ou les parents ? Il faut aussi penser que les enfants n'ont pas d'école pendant ces rencontres. Donc, en plus d'avoir à prendre congé du travail, les parents doivent faire garder leurs enfants.* » Les employeurs et les parents aimeraient avoir la possibilité de rencontrer les professeurs le soir.

En ce qui a trait à la distribution des élèves dans les écoles, il faut savoir que toutes les municipalités rurales ne comptent pas, faute de clientèle, d'établissement d'enseignement primaire. Si les enfants n'empruntent pas le transport scolaire pour se rendre à l'école, les parents doivent les reconduire dans une municipalité voisine. Pour les écoles en milieu urbain, plusieurs parents ont semblé s'inquiéter des regroupements scolaires fondés sur les cycles. Par exemple, une école accueillerait de la maternelle à la deuxième année, une autre école prendrait en charge la troisième et la quatrième année et une dernière école enseignerait la cinquième et la sixième année. Ce type de regroupement, bien qu'il puisse être bénéfique en vertu d'une offre de services mieux adaptée à la clientèle, risque d'allonger passablement le trajet des travailleurs : « *Moi, je me suis dit : Ça n'a pas de bon sens ! Je ne vais pas faire deux écoles pour aller chercher les enfants le soir.* »

Enfin, le matériel scolaire requis pour la rentrée cause aussi bien des tracas aux parents . Non seulement ce matériel se révèle-t-il de plus en plus coûteux d'année en année, mais encore l'investissement en temps pour trouver tous les articles précis figurant sur la liste n'est pas négligeable. Combien de magasins les parents devront-ils visiter pour dénicher le stylo X, la calculatrice Y ou simplement une paire d'espadrilles à semelles blanches ? Limiter les exigences relatives au matériel scolaire serait, selon les parents, un pas dans la bonne direction.

4.3 Les MRC et les municipalités locales

En ce qui concerne les MRC et les municipalités locales, la grande majorité des témoignages des participants a porté sur l'organisation des loisirs. D'une façon générale, l'offre de camps de jour et de terrains de jeux pour les enfants d'âge primaire pendant l'été est très appréciée des parents. Quelques aspects à améliorer furent cependant ciblés. Comme l'explique un employeur : *« Il faut étendre le camp de jour pendant l'été. À ma connaissance, le camp commence une semaine après la fin des classes et se termine deux semaines avant la rentrée. Cela est un gros casse-tête pour tout le monde. »* Une meilleure coordination entre le calendrier scolaire et celui des terrains de jeux serait ainsi tout à fait nécessaire, car elle éviterait aux parents la nécessité de prendre leurs vacances à ces moments précis pour combler le vide d'activités des enfants. La prolongation de l'horaire quotidien du terrain de jeux semble tout aussi essentielle, au dire d'une mère : *« Je sais que le terrain de jeux ouvre à 8 h le matin. Moi, à 8 h, il faut que je sois assise et que je réponde au téléphone. Qu'est-ce que je fais pour l'heure le matin ? Un enfant de cinq ans, est-ce que tu le laisses là dans le chemin et tu lui dis que sa monitrice va arriver dans une demi-heure ? Et mon chum commence à 7 h 30. Alors, on n'est pas plus avancé. »* Un horaire quotidien mieux adapté éviterait aux parents d'avoir à recourir à une gardienne pour les débuts et les fins de journée. De plus, les parents-travailleurs aimeraient pouvoir inscrire leurs enfants au terrain de jeux à la semaine et non pour l'été entier. Plusieurs participants s'offrent au moins une semaine de vacances pendant l'été et trouvent superflu de payer pour une activité à laquelle leurs enfants ne se présenteront pas durant cette période.

Les participants ont mentionné que les municipalités devraient jouer un rôle plus actif en ce qui a trait aux loisirs pour les adolescents. Ils souhaitent que les villes puissent, par exemple, prendre la relève des établissements d'enseignement à l'occasion des journées pédagogiques ou de la relâche et organiser des activités thématiques, des visites dans les entreprises de la région, une tournée des bibliothèques, des sorties sur des bases de plein air, etc. Pendant la période estivale, les participants aimeraient que des camps supervisés par des adultes soient organisés pour les douze à quinze ans. Les parents s'inquiètent beaucoup du fait de savoir que les adolescents sont seuls à la maison. *« Laisser les enfants seuls à la maison, c'est ma mort ! »*, nous révèle une participante, mère de deux adolescents. Les parents ne peuvent prendre l'été entier de congé pour surveiller leurs jeunes et certains, en raison de la nature de leur emploi, peuvent à peine téléphoner à la maison à partir de leur lieu de travail pour savoir si tout se déroule bien. Ils aimeraient donc pouvoir compter sur un organisme pour surveiller leurs adolescents pendant qu'ils sont au travail, leur évitant ainsi bien des préoccupations.

D'une façon générale, les parents souhaiteraient avoir accès à des activités familiales abordables aussi bien culturelles que sportives, intérieures qu'extérieures, estivales qu'hivernales. En ce sens, ils jugent que disposer de gymnases, de piscines, de patinoires, de parcs, de terrains de sport extérieurs, de pistes cyclables, de pistes de ski et de bibliothèques est tout à fait nécessaire dans une MRC. Les participants comprennent toutefois que ce ne sont pas toutes les municipalités locales qui peuvent se le permettre. Mais à mesure que la population d'une municipalité croît, les parents s'attendent à ce que l'offre de services et d'installations se bonifie. Par exemple, un participant de Saint-Jean-Chrysostome (le seul arrondissement de Lévis qui a exceptionnellement vu sa population s'accroître considérablement au cours des dix dernières années) espère qu'une piscine sera un jour construite près de chez lui. Cela lui éviterait d'avoir à courir dans l'arrondissement voisin pour les cours de natation de ses enfants. Les parents se montrent par ailleurs très conscients du fait que plus ils demandent de services et d'installations, plus leur compte de taxes risque de grimper.

Un tout dernier aspect concernant les municipalités fut abordé par un parent : les heures d'ouverture restreintes de certains services municipaux. Cela contraint les travailleurs à quitter leur emploi plus tôt pour avoir accès à ces services. Une offre de services de soir, une fois par semaine, améliorerait certainement la situation.

4.4 Les soins de santé et les services sociaux

Peu importe leur provenance, les parents et les employeurs s'accordent tous pour dire qu'il manque cruellement de médecins généralistes. Les petites localités rurales comptent à peine un médecin (qui, en raison des quotas imposés, ne pratique pas nécessairement à longueur d'année), tandis que les cliniques des milieux urbains débordent. La difficulté à trouver un médecin de famille, disponible rapidement en cas de besoin, en est d'autant accrue. Reste donc à se présenter à la clinique sans rendez-vous et à s'armer de patience. Bien entendu, les heures interminables d'attente dans les cliniques furent dénoncées par les participants. Quelques personnes ont proposé que les cliniques trient les patients en fonction de la gravité des cas. De cette façon, les patients les plus malades ou contagieux et les petits enfants pourraient être traités rapidement. D'autres souhaiteraient vraiment pouvoir retourner attendre chez eux après s'être inscrits à la clinique. Ainsi, ces gens pourraient, sans perdre trop de temps, continuer à vaquer à leurs occupations. Certaines cliniques sans rendez-vous appliquent un système d'inscription téléphonique. Or, tout le problème, prétendent les parents, consiste à réussir à obtenir la ligne téléphonique entre 9 h et 9 h 15 pour avoir un rendez-vous le soir même.

Les participants des MRC rurales notent une diminution des services de santé : le CLSC qui devait être ouvert 24 heures sur 24 n'offre maintenant que trois demi-journées de services sans rendez-vous par semaine, la radiologie est disparue, tel médecin de famille n'a jamais été remplacé après son départ à la retraite, etc. Par conséquent, certains parents se voient contraints à se déplacer dans d'autres municipalités ou MRC pour avoir accès aux services dont ils ont besoin. La plupart d'entre eux visent alors les grands centres hospitaliers de Charny, Lévis ou Québec, tout en sachant que l'attente sera sans doute interminable là aussi. Plusieurs parents ont dénoncé l'accueil reçu dans les hôpitaux : *« Quand tu arrives à l'urgence de l'hôpital, ils te disent : « Il n'y a pas de CLSC près de chez vous ? C'est un cas de CLSC. » Oui, mais le CLSC est fermé présentement. »* Pour ce qui est des services de santé accessibles par téléphone (Info-santé, par exemple), deux parents trouvent, là encore, que l'attente au bout du fil s'éternise pour rejoindre une infirmière.

Les aléas du système de santé qui attendent les parents ne s'arrêtent pas à la prise d'un rendez-vous ou à la disponibilité générale des services, comme en témoigne cette mère : *« L'autre fois, j'ai amené à mon médecin quatre points et il m'a dit que l'on en réglerait trois et que l'autre irait pour la prochaine fois. Moi, avant, j'ai toujours eu un médecin qui prenait le temps. Maintenant, on est minuté quand on entre dans le bureau du médecin. »* Cette personne a dû, par conséquent, consacrer deux fois plus de temps qu'elle ne le prévoyait au départ pour recevoir des soins de santé.

En ce qui concerne les médecins spécialistes, il faut souligner trois choses : les listes d'attente sont très longues, les rendez-vous ont généralement lieu le jour et les bureaux de consultation sont essentiellement rattachés aux centres hospitaliers des régions urbaines. Ainsi les parents doivent-ils supporter l'attente, prendre congé du travail pour les rendez-vous et se déplacer parfois à des kilomètres de leur lieu de résidence.

Du côté des services sociaux, la situation est loin d'être reluisante. La question du suivi par un même intervenant social apparaît au cœur du problème pour une mère : *« C'est la chaise musicale. Tout le monde se passe les dossiers. Tu ne sais pas que ton intervenant social a changé. […] Tu as de la difficulté à rejoindre quelqu'un. La nouvelle personne ne connaît pas ton dossier. Et là, tu as une urgence. Après une semaine à laisser des messages sur les répondeurs, je me fâche. »* Les employés des services sociaux sont certes débordés, mais ils contribuent à exacerber chez les bénéficiaires le sentiment d'une perte inutile de temps.

4.5 Les services de transport

Tous les parents rencontrés possèdent des voitures et aucun n'utilise le transport en commun. De fait, ceux qui habitent les MRC de Bellechasse et de Lotbinière ne disposent même pas d'un tel service. Une participante croyait pouvoir éviter l'achat d'une voiture en emménageant à deux pas de son employeur. Après un périple de trois heures pour aller et revenir de l'épicerie, située à un kilomètre de chez elle, à pied avec sa fille de trois ans, elle s'est facilement convaincue du contraire.

Les participants qui résident à Lévis croient, quant à eux, que les horaires et les trajets du transport en commun sont trop restreints. Pour ceux-ci, utiliser l'autobus équivaudrait à s'imposer des contraintes supplémentaires en matière de CTF. Une mère note à cet effet: *« Si le service de garde t'appelle au bureau pour que tu ailles chercher ton enfant malade, c'est impossible de s'y rendre rapidement en autobus. »* Un employeur est, quant à lui, subjugué du temps qu'il faut parfois consacrer pour parcourir une douzaine de kilomètres avec les transports en commun: *« J'ai un employé qui reste à Lévis et qui vient travailler ici, à Saint-Romuald, en autobus. Cela lui prend 1 heure 15 minutes ! »*

Quoi qu'il en soit, les parents de Lévis soulignent que leurs adolescents utilisent parfois le transport en commun, mais déplorent le manque de ponctualité et la diminution de la fréquence des autobus les fins de semaine: *« Pour nous, le problème se situe surtout au niveau du transport le dimanche. Les bus sont en opération de 10 h à 18 h. C'est un problème pour nos jeunes qui travaillent dans les commerces. »* Les parents se trouvent ainsi sollicités pour jouer au taxi ou à prêter leur voiture.

En ce qui concerne les activités parascolaires des enfants, les parents n'ont d'autre choix que de les transporter eux-mêmes ou d'organiser un service de covoiturage entre amis. Une participante raconte qu'un service de navette fut implanté à Beaumont pour lier les écoles et les installations sportives, mais que le projet a pris fin en raison du manque d'utilisateurs. Tout compte fait, les parents rencontrés semblent résignés à investir de leur temps pour véhiculer eux-mêmes leurs enfants, faute de quoi ces derniers ne participeraient à aucune activité parascolaire.

La question du transport pour les personnes à charge en perte d'autonomie commence à susciter l'intérêt des parents. Avec le nombre croissant de personnes âgées, quelques-uns s'interrogent sur les services qui seraient adaptés à cette clientèle. Au cours des dernières années, un service de transport social fut mis en branle dans la MRC de Bellechasse en collaboration avec l'organisme communautaire Entraide Solidarité. Faute d'utilisateurs, le service serait présentement remis en question. Plusieurs parents-travailleurs de cette MRC ont toutefois noté que, s'ils avaient été au fait de l'existence de ce service, ils en auraient informé leurs proches. Cela aurait évité à quelques participants de devoir prendre congé du travail afin de conduire leurs parents âgés chez le médecin pour des examens de routine.

Au chapitre du transport adapté pour les personnes handicapées, une participante déplore l'étanchéité du service entre les MRC. Les utilisateurs de la MRC de Lotbinière ne peuvent, par exemple, se rendre à Lévis en transport adapté, même si les services de santé qui répondent à leurs besoins s'y trouvent. Cette mère doit donc prendre quelques heures pour transporter sa fille, laquelle serait autrement assez autonome pour se rendre seule en transport adapté à Lévis.

4.6 Les organismes communautaires

Au fil des discussions avec les parents, de nombreux organismes communautaires ont été ciblés comme étant des ressources pour la CTF : les coopératives de services, les comptoirs vestimentaires, les cuisines collectives, les groupes d'allaitement, les maisons de la famille, les maisons des jeunes, les centres femmes, les associations pour personnes handicapées, les organismes de transport adapté, le Patro de Lévis, le Carrefour pour les personnes aînées, le Carrefour Jeunesse-Emploi, Ressources-Naissances, Entraide Solidarité, les Frigos Pleins et le Cercle des fermières. Mais les parents n'étaient pas au courant de tout le soutien que peuvent offrir ces organismes : *« Moi, je vous dirais que la plus grande difficulté, ce n'est pas les ressources comme telles, c'est de les trouver.* » Une mère nous a en effet raconté avoir passé des semaines à appeler ici et là pour trouver des services domestiques à prix modique ; ces services lui auraient permis de partager plus de temps en famille. Résultat : elle consacre toujours un temps précieux à cette recherche, de même qu'aux tâches ménagères dont elle voulait se départir. Plusieurs avouent qu'il faut s'impliquer ou travailler dans le domaine communautaire pour en connaître les organismes. Mais qui peut encore se permettre de donner de son temps, après la famille et le travail ? D'autres soutiendront, pour y avoir déjà eu recours, que la meilleure porte d'entrée concernant les ressources communautaires est le CLSC. Quoi qu'il en soit, les parents trouvent important que les ressources communautaires puissent bénéficier d'une meilleure visibilité auprès du grand public. De cette façon, les gens sauraient, par exemple, que le Patro de Lévis, la Maison de la Famille de Bellechasse ou même le Cercle des fermières peuvent proposer des activités pour les enfants pendant la relâche scolaire. Un gestionnaire que nous avons rencontré croit que les MRC et les municipalités auraient un rôle d'information à jouer à ce chapitre auprès de la population.

4.7 Les autres entreprises

La grande majorité des parents se dit satisfaite des heures d'ouverture des commerces de détail, que ce soit les épiceries ou les magasins. Une seule participante a dit espérer qu'au moins une pharmacie de sa région demeure ouverte 24 heures sur 24, car cela lui serait utile lorsque ses enfants tombent malades la nuit et qu'elle ne dispose pas des médicaments appropriés. Autrement, elle doit s'armer de patience jusqu'au matin. De leur côté, les employeurs sont conscients que le fait d'allonger les heures d'ouverture des autres entreprises ne fait que déplacer le problème de la CTF: «Au niveau des autres entreprises, je crois que l'élargissement des heures est inévitable, mais je suis conscient que cela occasionne des problèmes de CTF pour les employés de ces entreprises.»

Les personnes habitant dans des municipalités rurales semblent à l'aise avec le fait de devoir se rendre en ville occasionnellement pour faire des courses. En règle générale, elles peuvent trouver l'essentiel des biens de consommation et des services près de chez elles. Les participants qui résident dans de très petits villages déplorent, quant à eux, la diminution du nombre de commerces au fil des ans. À certains endroits, il n'y a tout simplement plus de stations-service, de garages, de restaurants ou d'institutions financières. Cette situation contraint les résidents de ces petites localités à parcourir des kilomètres pour trouver des biens et des services de première nécessité. Leur temps de déplacement peut alors devenir important et augmenter considérablement le temps alloué aux courses.

Les préoccupations les plus vives des parents, qu'ils soient des milieux urbains et ruraux, portent toutefois sur les institutions financières: «Les caisses et les banques ne sont plus du tout adaptées à nos besoins. Une chance qu'il y a des guichets automatiques. Il faut prendre un après-midi de congé pour pouvoir y aller. Et tu ne peux pas n'importe quel jour, car ce n'est pas toujours ouvert. C'est terrible.» Un employeur renchérit: «Les caisses et les banques, ce sont les pires. On ne sait jamais quand on peut y aller.» Un élargissement des heures d'ouverture des institutions financières et une meilleure diffusion de l'information auprès de la population relativement aux heures d'ouverture seraient tout à fait appréciés.

4.8 Le voisinage

Au dire des parents rencontrés, les voisins et amis s'avèrent de précieuses ressources pour le gardiennage de leurs enfants, la surveillance de leurs adolescents et du quartier en leur absence, ainsi que pour le transport des membres de leurs familles.

4.9 Les autres sources de contraintes temporelles

Plusieurs parents ont souligné les contraintes temporelles imposées par les clubs sportifs. Parmi les participants, quelques-uns doivent se rendre jusqu'à cinq fois par semaine à l'aréna ou au dojo. Une mère met en évidence les impacts de la situation sur le temps passé en famille: «L'hiver, on ne fait rien parce que mon fils joue au hockey. Et c'est au moins quatre fois par semaine. Alors, on oublie les sorties du samedi et du dimanche avec la famille parce que l'on est tout le temps à l'aréna.» Une participante qui ne cesse, depuis des années, d'effectuer la navette entre le travail, la maison et le club de taekwondo de son fils déclare: *«J'aurais voulu un soir par semaine et cela aurait été bien correct pour moi.* [...] *Je suis tannée de cela. Je trouve cela bien difficile, les soirs, de m'occuper des cours de mon fils et d'avoir du travail à faire à la maison.»* De surcroît, certains notent que la limite entre les activités sportives récréatives et compétitives tend de plus en plus à se brouiller: «J'ai voulu inscrire mon enfant à un cours d'initiation au soccer, mais c'est trois fois par semaine!» De nombreux parents se retrouvent ainsi à devoir choisir entre tout ou rien pour les activités physiques de leurs enfants.

La conciliation travail-famille-études s'affirme également comme une source de préoccupations pour les parents-travailleurs. Que la formation continue permette d'obtenir des promotions ou des hausses salariales, elle n'en exige pas moins une bonne dose d'organisation (tant au travail qu'à la maison) et de l'énergie à revendre. Au chapitre des études, les parents déplorent surtout la quantité de travaux d'équipe à réaliser: cela leur demande énormément de temps et de disponibilité, ce dont ils manquent précisément. Certains acceptent occasionnellement de s'absenter du travail pour les rencontres d'équipe, mais en subissent les conséquences: une accumulation de travail et des reproches de leur supérieur. Il faut aussi prendre en compte que le temps alloué à la formation vient restreindre le temps passé en famille. Les cours à distance, est-ce la solution miracle? «Non, répond un père-travailleur, on est souvent dérangés à la maison.» Reste donc une plus grande sensibilisation du personnel enseignant des établissements d'études postsecondaires aux exigences de vie des élèves qui sont aussi des parents.

5. DISCUSSION

La présentation des résultats de notre recherche met en évidence la « surcharge de l'horaire de vie » des parents en relation avec les acteurs de la collectivité, laissant ainsi en suspens la question de la « surcharge familiale ou professionnelle de l'horaire de vie » comme telle. Dans cette perspective, une « surcharge collective de l'horaire de vie » survient lorsque les acteurs de la collectivité imposent des contraintes temporelles aux parents qui tentent de concilier leurs activités familiales et professionnelles. Ces contraintes temporelles ont pour effet de réduire indûment le temps que les parents consacrent ou voudraient normalement consacrer à leurs familles et à leur travail. Selon les dires des parents et des employeurs interviewés, les heures d'ouverture des services de garde peuvent, par exemple, limiter le temps de travail et la pratique d'une activité sportive compétitive peut, quant à elle, restreindre le temps familial. Consacrer du temps aux activités en lien avec les acteurs de la collectivité n'est pas un problème en soi. D'ailleurs, plusieurs activités familiales et professionnelles se déroulent en collaboration avec les acteurs du milieu de vie : les parents peuvent compter sur les services de santé et d'éducation pour le bien-être des membres de leurs familles ou, lorsque cela est possible, bénéficier de services de transport pour se rendre au travail. Mais lorsque le temps investi dans les activités collectives et les contraintes d'horaire imposées par les acteurs du milieu de vie prennent une importance déraisonnable en regard des exigences familiales et professionnelles, cela engendre une surcharge qui tend à restreindre le temps destiné au foyer ou au bureau. Les participants à l'étude nous ont livré de nombreux témoignages allant en ce sens, témoignages qui révèlent que les acteurs de la collectivité n'offrent pas toujours des services adaptés à leurs besoins. Dans un tel contexte, les services collectifs, précisément offerts aux parents et aux autres membres de la collectivité comme ressources dont ils peuvent bénéficier, se transforment parfois en contraintes.

Le nombre des sources de contraintes temporelles provenant des acteurs de la collectivité est plus élevé que cela peut sembler de prime abord, car la littérature sur la question se concentre surtout sur les municipalités locales, les services de garde, les écoles, les services de santé, les organismes communautaires et les services de transport. À ces acteurs, il faut maintenant ajouter, en priorité, les équipes sportives, les institutions d'enseignement supérieur et les institutions financières.

Pour chacun de ces acteurs de la collectivité, de nombreuses contraintes temporelles furent ciblées par les participants, révélant ainsi leurs besoins en matière de ressources collectives. Il va de soi que tous les parents n'éprouvent pas les mêmes besoins par rapport aux acteurs de leur milieu de vie. Ceci est redevable, d'une part, au fait que les exigences familiales et professionnelles varient d'une personne à l'autre et, d'autre part, au fait que les parents ne bénéficient pas tous des mêmes ressources familiales et professionnelles – les ressources collectives étant considérées comme complémentaires à ces dernières par les participants (Chrétien et Létourneau, 2005). Dans la présentation des résultats de recherche, nous avons tout de même tenté de mettre en avant-plan les tendances générales, lesquelles sont corroborées par d'autres études. En effet, les besoins quant au nombre de places dans les services de garde subventionnés, à la flexibilité des heures d'ouverture et de fermeture des services de garde et à la garde atypique sont aussi constatés dans l'*Enquête sur les besoins et les préférences des familles en matière de services de garde 2004* (ISQ, 2006), *Pour une région engagée envers ses familles : L'état de la situation de l'offre de services de garde à l'enfance et l'évolution des besoins de garde des familles de la région de la Chaudière-Appalaches* (CRÉCA, 2004) et *La conciliation travail-famille dans les petites et moyennes entreprises québécoises* (MESSF, 2004a). L'aide aux devoirs est reconnue comme un moyen d'action à privilégier dans les milieux de vie par le Conseil de la famille et de l'enfance (CFE, 2004 et 2005). Plusieurs organismes notent également l'importance d'un meilleur arrimage entre les services de garde, les écoles et les services de loisirs municipaux au cours de la période estivale (CFE, 1999 ; CRÉCA, 2004 ;CAMF, 2004), ainsi que de l'offre de loisirs pour tous et spécialement pour les adolescents (CFE, 2006). En ce qui a trait aux soins de santé, le ministère de la Santé et des Services sociaux du Québec reconnaît les difficultés liées à l'accès aux soins immédiats et de routine (MSSSQ, 2004). Le ministère des Transports du Québec, dans son *Plan de transport de la Chaudière-Appalaches* (MTQ, 2006), reconnaît que les services de transport collectif et de transport en commun doivent être améliorés afin de mieux répondre aux besoins de la population de cette région du Québec.

À travers le discours des parents et des employeurs, nous pouvons noter deux préoccupations constantes revenant sous diverses formes. Il s'agit de préoccupations relatives à la garde des enfants et à la surveillance des adolescents. Que ce soit en abordant les services de garde, les écoles ou les municipalités, les participants ont exprimé le besoin de pouvoir compter sur des services de garde et de loisirs pour veiller sur leurs enfants de la naissance à quinze ans en leur absence. En raison de leurs obligations professionnelles, les parents ne peuvent prendre congé toutes les fois que les écoles, les services de garde scolaire, les services de garde en milieu familial ou les terrains de jeux municipaux ferment leurs portes. D'ici quelques années, des préoccupations analogues risquent d'affecter les parents, mais cette fois par rapport aux personnes en perte d'autonomie à leur charge. Près du tiers des parents interviewés disent assumer des responsabilités envers leurs aînés, mais seulement deux d'entre eux accueillent présentement chez eux leurs mères qui ont plus de quatre-vingts ans. Pour le moment, les préoccupations des parents en regard de leurs aînés concernent surtout le transport de ceux-ci vers les services de santé. Les participants qui hébergent leurs aînés entrevoient devoir bientôt faire appel à un service pour tenir compagnie à ces derniers lorsqu'ils seront au travail.

Les participants ont formulé quelques stratégies que les acteurs de la collectivité pourraient adopter afin d'aider les parents à mieux concilier travail et famille. Un premier pas dans la bonne direction consisterait à mieux informer la population – familles et employeurs – des services offerts dans les milieux de vie locaux et régionaux. Les organismes communautaires et les services de transport collectif, nous l'avons vu, mériteraient d'être davantage connus. Un guide des ressources disponibles s'avérerait certainement une solution à privilégier, car il permettrait non seulement de présenter les organismes et les différents services que ceux-ci peuvent offrir aux parents mais aussi leurs horaires d'ouverture (ce qui diminuerait probablement en partie les contraintes temporelles liées aux services de santé et aux institutions financières). Une autre stratégie à privilégier concerne, cette fois-ci, le fonctionnement interne des acteurs du milieu de vie et consisterait en un prolongement des horaires quotidiens et des calendriers de certains services, dont ceux des services de garde en milieu familial et en installation, des terrains de jeux municipaux, des services de santé et des institutions financières. Ce prolongement favoriserait une meilleure coordination des activités des acteurs de la collectivité avec celles des acteurs des milieux familiaux et professionnels. Un tel prolongement d'horaire ou de calendrier n'implique cependant pas que tous les acteurs du milieu de vie ont à offrir leurs services sur une plus longue période temporelle. Une coordination plus adéquate entre les acteurs de la collectivité pourrait être tentée afin de mieux répondre aux besoins issus des exigences de la vie familiale et professionnelle d'aujourd'hui. Cela paraît d'autant plus important dans les milieux à prédominance rurale, tel notre territoire de recherche, où les services à la collectivité se trouvent souvent offerts en quantité très limitée.

6. CONCLUSION

Partant de l'hypothèse que la CTF implique d'autres acteurs que les seuls travailleurs et les employeurs et s'inscrit dans un contexte socio-économique plus large que celui des milieux professionnels et familiaux, nous avons tenté, en nous appuyant sur les témoignages de 30 parents et de 30 employeurs recueillis dans le cadre de notre recherche qualitative menée sur la CTF, de déterminer les acteurs du milieu de vie qui ont un impact sur la CTF, de décrire les contraintes temporelles que ces acteurs posent aux parents et de dégager quelques stratégies que ces acteurs pourraient adopter afin de contribuer à la réduction des tensions vécues par les parents entre leurs vies professionnelle et familiale.

Notre étude sur la CTF en lien avec les acteurs du milieu de vie a permis, en premier lieu, de concevoir un nouveau cadre théorique qui puisse prendre en compte les influences de tels acteurs. Elle a ensuite confirmé la présence des acteurs du milieu de vie désignés dans la littérature (les MRC et les municipalités locales, les services de garde, les commissions scolaires et les écoles, les services de santé et les services sociaux, les organismes communautaires, les services de transport, les autres entreprises et le voisinage), tout en y ajoutant les équipes sportives et les institutions d'enseignement supérieur. Elle a aussi mis en évidence le fait que les contraintes temporelles sur la CTF provenant des acteurs du milieu de vie touchent d'abord et avant tout la garde des enfants et la surveillance des adolescents. Enfin, elle nous amène à penser qu'une plus grande information quant aux services offerts par les acteurs du milieu de vie et à leurs horaires serait bénéfique aux parents, de même qu'un prolongement des horaires quotidiens et des calendriers de certains services (services de garde, terrains de jeux, services de santé et institutions financières, par exemple) et une meilleure coordination entre les acteurs du milieu de vie et ceux des milieux familiaux et professionnels.

Loin d'être exhaustifs, les résultats de notre étude ne sauraient toutefois être généralisés tels quels à l'ensemble du territoire québécois. Ils demandent à être complétés par des recherches qui prendront en compte le point de vue d'un plus grand nombre de pères, de parents dont l'horaire de travail est considéré comme atypique, de résidants de grandes métropoles et d'acteurs de la collectivité. Il demeure tout de même que l'implication de nombreux acteurs du milieu de vie se révèle plus que jamais nécessaire, notamment par leurs influences temporelles positives, afin que les parents puissent relever le double défi de la natalité et de l'emploi.

7. REMERCIEMENTS

La réalisation de cette étude a été rendue possible, entre autres, grâce au soutien financier et technique du ministère de l'Emploi et de la Solidarité sociale du Québec, en collaboration avec les Centres locaux d'emploi de Lévis, des Chutes-de-la-Chaudière, de Sainte-Croix et de Saint-Lazare. Nous les en remercions vivement.

BIBLIOGRAPHIE

Bachmann, K. (2000), *Équilibre travail-vie personnelle : les employeurs sont-ils à l'écoute ?* Ottawa : Conference Board du Canada.

Bailyn, L. Drago, R.D. et Kochan, T.A. (2002), *Integrating Work and Family Life : A Holistic Approach.* A Report of the Sloan Work-Family Policy Network.

Bartolomé, F. et Evans, P.L. (1979), « Professional Lives Versus Private Lives – Shifting Patterns of Managerial Commitment », *Organizational Dynamics*, vol. 7, n° 4, p. 3-29.

Bookman, A. (2004), *Starting in our Own Backyards : How Working Families Can Build Community and Survive the New Economy,* New York, Routledge.

Boulin, J.-Y. Et Mückenberger, U. (2002), *La ville à mille temps,* [s.l.] : Éditions de l'Aube.

Brais, N. (2000), *La dimension géographique de l'articulation vie professionnelle / vie familiale : stratégies spatiales familiales dans la région de Québec.* Thèse de doctorat. Québec, Université Laval.

Burke, R.J. Et Greenglass, E.R. (1987), « Work and Family », dans Cooper, C.L. et Robertson, I.T. (dir.), *International Review of Industrial and Organizational Psychology,* p. 273-320. [s.l.] : John Wiley & Sons Ltd.

Carrefour action municipale et famille (CAMF) (2004), *Réflexions et commentaires sur le document de consultation* Vers une politique gouvernementale sur la conciliation travail-famille, Greenfield Park : Carrefour action municipale et famille.

Caussignac, E. (2000), *La nature des liens entre les déterminants du conflit emploi-famille, son ampleur et ses impacts.* Mémoire de maîtrise, Montréal, Université de Montréal, École des Hautes Études Commerciales.

Centre de recherche en aménagement et développement de l'Université Laval (CRAD), INRS-Urbanisation de l'Université du Québec et carrefour action municipale et famille (CAMF) (1994), *Concilier travail et famille : le rôle des municipalités,* Québec, Université Laval.

Chenevier, L. (1996), *Les variables influençant l'ampleur du conflit « emploi-famille » ressenti par l'employé(e),* Mémoire de maîtrise, Université de Montréal, École des Hautes Études Commerciales de Montréal.

Chrétien, L. (dir.) (2005), *La conciliation travail-famille dans les MRC de Bellechasse, Lévis et Lotbinière,* Rapport final de recherche, [Analyse et rédaction : I. Létourneau]. Québec, Université Laval.

Chrétien, L. et Létoureau, I. (2005), « Les municipalités et le défis de la conciliation travail-famille », *Municipalité & Famille,* vol. 2, n° 3, p. 5.

Conférence régionale des élus de la Chaudière-Appalaches (CRÉCA) (2004), *Pour une région engagée envers ses familles : L'état de la situation de l'offre de services de garde à l'enfance et l'évolution des besoins de garde des familles de la région de la Chaudière-Appalaches.* Rapport d'enquête.

Conseil canadien de développement social (CCDS) (1999), *Travail, famille et collectivité : questions clés et orientations pour la recherche à venir*, Ottawa, Conseil canadien de développement social.

Conseil de la famille et de l'enfance (CFE) (2006), *Créer des environnements propices avec les familles : le défi des politiques municipales*, Avis, [Recherche et rédaction : Donald Baillargeon]. Québec, Conseil de la famille et de l'enfance.

Conseil de la famille et de l'enfance (CFE) (2005), *Le rapport 2004-2005 sur la situation et les besoins des familles et des enfants : 5 bilans et perspectives*, Québec, Conseil de la famille et de l'enfance.

Conseil de la famille et de l'enfance (CFE) (2004), *Mémoire du Conseil de la famille et de l'enfance présenté dans le cadre de la* consultation Vers une politique gouvernementale sur la conciliation travail-famille, Québec, Conseil de la famille et de l'enfance.

Conseil de la famille et de l'enfance (CFE) (1999), *Famille et travail : deux mondes à concilier*, Avis, [Recherche et rédaction : Daniel Villeneuve]. Québec, Conseil de la famille et de l'enfance.

Conseil de la famille et de l'enfance (CFE) et Ordre des conseillers en ressources humaines et en relations industrielles agréés du Québec (ORHRI) (2001), *La détermination et la gestion des problèmes de conciliation travail-famille en milieu de travail*, [Rédaction : Danièle Blain]. Québec, Conseil de la famille et de l'enfance.

Division de l'enfance et de la jeunesse de Santé Canada (DEJSC) (1999), *Incidence du défi travail-famille sur la santé : Revue de la littérature sur la recherche canadienne*, Ottawa, Centre de statistiques internationales et Conseil canadien de développement social.

Duxbury, L. et Higgins, C. (2005) *Qui sont les personnes à risque ? Les variables prédictives d'un haut niveau de conflit entre le travail et la vie personnelle (Rapport 4)*, Ottawa, Santé Canada.

Duxbury, L. et Higgins, C. (2003a), *Le conflit entre le travail et la vie personnelle au Canada durant le nouveau millénaire : état de la question (Rapport 2)*. Ottawa, Santé Canada.

Duxbury, L. et Higgins C. (2003b) *Where to Work in Canada ? An Examination of Regional Differences in Work Life Practices*. Rapport de recherche. Ottawa, Développement des ressources humaines Canada.

Duxbury, L., Higgins, C. et Coghill, D. (2003) *Témoignages canadiens : à la recherche de la conciliation travail-vie personnelle*. Ottawa, Développement des ressources humaines Canada.

Edwards, J.R. et Rothbard, N.P. (2000), « Mechanisms Linking Work and Family : Clarifying the Relationship Between Work and Family Constructs », *The Academy of Management Review*, vol. 25, n° 1, p. 178-199.

Fredriksen-Goldsen, A.E. et Scharlach, A.E. (2001), *Families and Work : New Directions in the Twenty-First Century*, Oxford, Oxford University Press.

Googins, B.K. (1997), « Shared Responsibility for Managing Work and Family Relationships : A Community Perspective », dans Parasuraman, S. et J.H. Greenhaus (dir.), *Integrating Work and Family : Challenges and Choices for a Changing World*, p. 220-231. Westport, CT, Quorum Books.

Greenhaus, J.H. et Beutell, N.J. (1985), « Sources of Conflict Between Work and Family Roles », *Academy of Management Review*, vol. 10, n° 1, p. 76-88.

Guérin, G., St-Onge, S., Wills, T., Haines, V., Trottier, R. et Simard, M. (1993), *Une analyse de l'efficacité des pratiques de gestion favorisant la conciliation du travail et des responsabilités familiales.* Rapport de recherche. Montréal, Université de Montréal, École des relations industrielles.

Guérin, G., St-Onge, S., Chevalier, L., Deneault, K. et Deschamps, M. (1997), *Le conflit emploi-famille : ses causes et ses conséquences.* Résultats d'enquête. Montréal, Université de Montréal, École des relations industrielles.

Institut national de la santé publique du Québec (INSPQ) (2005), *La difficulté de concilier travail-famille : Ses impacts sur la santé physique et mentale des familles québécoises,* [Rédaction : St-Amour, N., Laverdure, J., Devault, A. et Manseau, S.], Québec, Institut national de santé publique du Québec.

Institut de la statistique du Québec (ISQ) (2006), *Enquête sur les besoins et les préférences des familles en matière de services de garde 2004,* Québec, gouvernement du Québec.

Institut de la statistique du Québec (ISQ) (2005), *Profils des régions et des MRC.* Septembre 2005. <http://www.stat.gouv.qc.ca/regions/profils/region_00/region_00.htm>

Johnson, K.L., Lero, D.S. et Rooney, J.A. (2001), *Recueil travail-vie 2001 : 150 statistiques canadiennes sur le travail, la famille et le bien-être,* Université de Guelph, Centre d'études sur la famille, le travail et le mieux-être et Développement des ressources humaines Canada.

Lewis, S. et Cooper, C.L. (1995), « Balancing the Work/Home Interface : A European Perspective », *Human Resource Management Review,* vol. 5, n° 4, p. 289-305.

Ministère de l'Emploi, de la Solidarité sociale et de la Famille (MESSF) (2004a), *La conciliation travail-famille dans des petites et moyennes entreprises québécoises : analyse et interprétation des résultats d'une enquête qualitative,* Rapport de recherche, [rédaction : M. Rochette]. Québec, gouvernement du Québec.

Ministère de l'Emploi, de la Solidarité sociale et de la Famille (MESSF) (2004b), *Vers une politique gouvernementale sur la conciliation travail-famille,* Document de consultation, [rédaction : N. Paquet]. Québec : gouvernement du Québec.

Ministère de l'Emploi, de la Solidarité sociale et de la Famille (MESSF) (2003), *La municipalité : un lieu de qualité pour les familles.* [Rédaction : C. Lajoie]. Québec, gouvernement du Québec.

Ministère de la Famille et de l'Enfance (MFE) (2003), *Horizon 2005 : Conciliation famille-travail : prendre parti pour les familles*, Québec, gouvernement du Québec.

Ministère de la Famille et de l'Enfance (MFE) (2002), *Le Québec en amour avec les familles : plan d'action concerté pour les familles du Québec*, Québec, gouvernement du Québec.

Ministère de la Santé et des Services sociaux (MSSSQ) (2004), *Rapport du Québec sur les indicateurs comparables dans le domaine de la santé*, Québec, gouvernement du Québec.

Ministère des Transports (MTQ) (2006), *Plan de transport de la Chaudière-Appalaches*. <http://www.mtq.gouv.qc.ca/fr/regions/chaudiere/plan.asp>

Paris, H. (1989), *Les programmes d'aide aux employés qui ont des obligations familiales*, Ottawa, Conference Board du Canada.

Rochon, C.P. (dir.) (2000), *Les dispositions favorisant la conciliation travail-famille dans les conventions collectives au Canada*, Ottawa, Développement des ressources humaines Canada.

St-Onge, S., Renaud, S., Guérin, G. et Caussignac, E. (2002), « Vérification d'un modèle structurel à l'égard du conflit travail-famille », *Relations industrielles*, vol. 57, n° 3, p. 491-516.

Tremblay, D.-G. (dir.) (2005), *De la conciliation emploi-famille à une politique des temps sociaux*, Sainte-Foy, Presses de l'Université du Québec.

Tremblay, D.-G. (2004), *Conciliation emploi-famille et temps sociaux*, Québec, Télé-université.

Voydanoff, P. (2001), « Conceptualizing Community in the Context of Work and Family », *Community, Work & Family*, vol. 4, n° 2, p. 133-156.

Voydanoff, P. (1989), « Work and Family : A Review and Expanded Conceptualization », dans E.B. Goldsmith (dir.), *Work and Family : Theory, Research and Applications*, p. 1-22. Newbury Park, Sage Publications.

Zedek, S. (1992), « Introduction : Exploring the Domain of Work and Family Concerns », dans Zedek, S. (dir.), *Work, Families, and Organizations*, p. 1-32. San Francisco, Jossey-Bass Publishers.

Représentations et prise en charge de la sécurité dans les petites entreprises manufacturières : pistes pour l'intervention et la recherche[1]

DANIÈLE CHAMPOUX
Institut de recherche Robert-Sauvé en santé et en sécurité du travail

JEAN-PIERRE BRUN
Chaire en gestion de la santé et de la sécurité du travail
Département de management, Faculté des sciences de l'administration, Université Laval

1. INTRODUCTION

1.1 Problématique

Selon Industrie Canada, 94,6 % des établissements employeurs au Canada et 95,8 % au Québec employaient moins de 50 travailleurs, en 2006 ; par ailleurs, 38,7 % des salariés canadiens et 34,9 % des salariés du Québec étaient à l'emploi d'entreprises de moins de 50 employés, en 2005)[2]. En dépit de leur importance économique et de la population de salariés qu'elles regroupent, peu d'études se sont intéressées à la santé et à la sécurité du travail (SST) dans les petites entreprises[3] (PE) en Amérique du Nord. Alors qu'une majorité de pays sont

---

1. Cet article a été initialement publié dans *PISTES*, vol. 2, nº 2, novembre 2000. Reproduit avec l'autorisation de l'éditeur.
2. Ces chiffres sont semblables aux statistiques du MICST pour le Québec, en 1998, qui étaient utilisées dans la précédente version de cet article : les petites entreprises de moins de 50 travailleurs (PE) constituaient 96,5 % des entreprises québécoises, en 1995, et on y retrouvait 33 % des emplois en moyenne.
3. L'appellation de PE, utilisée dans une majorité de pays, dont le Canada et les pays de l'UE, regroupe les petites entreprises de moins de 50 employés. Les PE se distinguent des PME,

en mesure de donner un ordre de grandeur au chapitre de risque dans les PE, cette information n'est pas disponible au Québec parce que la Commission de la santé et de la sécurité du travail du Québec (CSST) ne produit pas d'indicateurs de risque selon la taille des entreprises. L'assignation temporaire et la sous-déclaration des lésions contribueraient par ailleurs à une sous-estimation du risque ; selon le discours officiel de la CSST, les travailleurs de PE ont peu d'accidents. Néanmoins, des analyses préparées par l'Institut de recherche en santé et sécurité du travail du Québec (IRSST) à partir des fichiers de la CSST permettent d'estimer l'incidence et la gravité des lésions déclarées selon la taille des entreprises et suggèrent que le niveau de risque est plus élevé dans les PE que dans les entreprises de plus grande taille.

Depuis les années 1990, il est devenu évident que les petites entreprises (PE) ont un rôle incontournable de tampon et de complémentarité pour le maintien de la productivité des grandes entreprises. En ce qui a trait au contexte dans lequel prennent forme les pratiques de SST des PE, le positionnement particulier de ces entreprises dans un marché fortement concurrentiel et leurs marges de manœuvre financières réduites sont associés à un faible taux de survie de ces entreprises. Aussi, les décideurs publics se préoccupent de faciliter la croissance des PE et de ne pas leur nuire par une législation trop lourde. Un contexte politique favorable à une conception néolibérale de l'économie et du rôle de l'État dans plusieurs pays occidentaux depuis les années 1990 privilégie davantage l'autorégulation et l'application de principes de gestion en SST au détriment d'une approche réglementée. Bien que tous les patrons et employés aient les mêmes droits et obligations de base, la production d'un programme de prévention ainsi que le recours à des comités de santé et de sécurité du travail paritaires et à des représentants à la prévention sont des mesures auxquelles peuvent se soustraire les entreprises de vingt travailleurs et moins[4] alors que la gestion participative de la SST est un élément clé de l'approche préconisée par la législation. De plus, le taux de cotisation de l'unité s'applique uniformément aux petits établisse-

---

les petites et moyennes entreprises dont les effectifs vont jusqu'à 250 ou 500 employés selon le pays. Les caractéristiques distinctives des PE en ce qui a trait aux ressources et à l'organisation ont des effets sur la prise en charge de la SST et sur leur interaction avec les systèmes de SST.

4. Pour les établissements des secteurs prioritaires, tous les établissements doivent élaborer et faire appliquer un programme de prévention, mais seuls les établissements de 21 travailleurs et plus doivent le soumettre pour approbation à la CSST. En ce qui concerne le comité de santé et de sécurité, il n'y a pas d'obligation légale à cet égard, mais dans les établissements de plus de vingt travailleurs, il sera constitué si une des deux parties le demande. Les établissements des secteurs non prioritaires tels l'habillement ne sont soumis à aucune obligation quelle que soit la taille de l'établissement.

ments[5], ce qui les prive d'une incitation économique à la prise en charge de la SST. Les employés de PE ne sont pas syndiqués et ne disposent donc pas de leviers pour influencer les pratiques internes ou les décisions du système de SST. Les interventions du système, qu'il s'agisse d'inspection des lieux de travail, d'interventions ciblées ou de recherche, sont basées sur les effectifs et sur le niveau de risque établi de manière rétrospective à partir des statistiques d'accidents indemnisés et favorisent donc les grandes entreprises. Cet ensemble de facteurs a pour effet que les PE sont largement laissées à elles-mêmes en matière de sécurité du travail.

1.2 Recension des écrits

L'Europe, contrairement à l'Amérique du Nord, se préoccupe de la santé et de la sécurité du travail dans les petites entreprises (PE) de moins de 50 travailleurs depuis plus de vingt ans. La forte majorité des études recensées démontrent que les PE éprouvent des difficultés à gérer la santé et la sécurité du travail et que la fréquence d'accidents y est plus importante que dans les autres entreprises. Certaines études rapportent des variantes à cet égard au sein des PE pour certains sous-groupes professionnels, secteurs industriels ou activités spécifiques ; ainsi, des auteurs soulignent que les entreprises de petite taille sont fortement représentées dans les industries à risque élevé et dans la sous-traitance. Des auteurs rapportent que, dans les secteurs de la construction et du transport, par exemple, la gravité des accidents serait également affectée par la taille des entreprises (Borley, 1997 ; Salminen, Saari, Saarela, Rasanen, 1993 ; Silverstein, 1998). Certains auteurs considèrent que, dans les secteurs où le risque inhérent aux procédés et aux techniques est particulièrement élevé, telles la chimie, la construction et la forêt, ce sont les problèmes organisationnels qui font augmenter le risque dans les PE. À l'inverse, de fréquents changements de tâche dans les petites entreprises peuvent signifier des périodes d'exposition plus courtes et un risque moins important. Selon certains auteurs, la sous-déclaration des lésions serait particulièrement préoccupante dans les PE et ajouterait à la difficulté d'évaluer les risques auxquels sont exposés les travailleurs.

5. Avec l'entrée en vigueur de la loi 79, certaines modifications ont été apportées au système de tarification, ce qui a pour effet qu'un plus grand nombre d'entreprises ont un taux personnalisé. Par ailleurs, les PE peuvent maintenant se regrouper en mutuelles de prévention ; au moment de la collecte de données, ce n'était pas encore le cas ; aussi, les résultats présentés n'en tiennent pas compte.

La plus forte part des publications porte sur les facteurs internes qui caractérisent les PE et qui permettraient d'expliquer le risque relatif plus élevé. Les patrons assument eux-mêmes presque toutes les fonctions de gestion de leur entreprise ; ils manquent de temps et de ressources. Plusieurs auteurs ont constaté que, les accidents étant peu nombreux à cause des effectifs réduits, les patrons de PE ont une perception erronée et réduite des problèmes dans leur entreprise et ont l'impression que le maintien du statu quo est acceptable. Dans les petites entreprises où sont survenus des accidents, les patrons sont davantage sensibilisés à l'importance de la prévention, mais n'ont pas une approche structurée à la prise en charge de la SST. Les PE ont une capacité financière réduite contribuant à rendre l'investissement en SST peu attrayant puisque les bénéfices financiers de la prévention ne sont pas rapidement perceptibles ; la prévention n'est pas une priorité. En outre, l'irrégularité et la nature changeante de la production, dans certains cas, rendent la sélection et l'implantation de mesures de prévention à la source plus problématiques que dans les entreprises dont la production est stable.

Les travailleurs des PE sont jeunes, moins scolarisés et moins expérimentés en moyenne que ceux des grandes entreprises et peuvent être associés à un plus haut niveau de risque d'accident du travail. Les rôles ne sont pas toujours clairement définis, les tâches sont peu formalisées et la formation est sommaire. On exige des travailleurs une grande polyvalence qui les expose à un large éventail de risques. Selon Eakin (1992), l'approche privilégiée par les patrons de PE en matière de SST consiste à laisser le travailleur assumer lui-même sa sécurité au travail. Pour eux, la SST est une question de comportement au travail et une responsabilité personnelle, sur laquelle l'entreprise n'a aucune autorité légitime. Cette perception explique en grande partie la faible implication des dirigeants, qui se contentent le plus souvent de fournir l'équipement de protection individuel. Certaines études relient les petits effectifs à une culture familiale et des valeurs partagées pour expliquer la gestion informelle de la SST également décrite par une étude québécoise. Comme plusieurs patrons de PE sont socialement proches de leurs employés, ils éprouvent en outre de la difficulté et un certain malaise à exercer leur autorité. D'autres auteurs rappellent que les employés de PE ne sont pas informés des risques auxquels ils sont exposés, sont non syndiqués et peu en mesure de défendre leurs droits s'ils sont en désaccord avec leurs patrons. L'absence apparente de conflits est attribuée à l'absence de rapport de force compte tenu des caractéristiques de la main-d'œuvre et de l'absence ou de la faiblesse des syndicats. Le faible taux de syndicalisation dans les PE est effectivement associé, dans nombre d'études, à une moindre capacité des travailleurs à défendre leurs droits et leur sécurité et à des taux d'accidents plus élevés. Une synthèse des résultats obtenus par des études réalisées auprès de PME québécoises employant 200 salariés ou moins indique que l'implantation des comités et la collaboration des parties sont fragiles.

Des auteurs se sont intéressés aux contraintes macrosociologiques qui viennent exacerber les difficultés organisationnelles des PE. Les forces concurrentielles qui amènent les employeurs à restructurer leurs opérations pour obtenir le maximum de flexibilité et réduire leurs coûts ont des effets significatifs sur les emplois. Des études recourent à la théorie de la segmentation de Piore (1983) pour expliquer les conditions de travail et de sécurité de portions croissantes de la main-d'œuvre. Ainsi, distinguent les emplois de mauvaise qualité du segment secondaire des emplois « standard » du segment primaire du marché du travail nord-américain. Les mauvais emplois non syndiqués du segment secondaire, associés aux plus bas salaires, à l'absence d'avantages sociaux et aux plus mauvaises conditions de travail sont fortement concentrés dans les PE. Comme ces emplois demandent peu de qualifications, la main-d'œuvre est facilement remplaçable et peu coûteuse ; il n'y aurait donc pas d'incitatifs pour les employeurs à protéger ces travailleurs.

La recension a permis de constater que peu de chercheurs sont allés dans les petites entreprises pour recueillir de l'information complémentaire aux statistiques et prendre en compte les obstacles concrets à la prise en charge de la SST dans les PE. En particulier, alors qu'un certain nombre de chercheurs ont réalisé des entrevues avec des patrons de PE, la collecte d'information auprès d'employés de PE semble spécialement difficile, ce qui a été confirmé par l'étude présentée ici. Dans l'ensemble, les études recensées démontrent que les difficultés de prise en charge de la SST dans les PE sont liées à l'isolement des patrons, au peu de connaissance qu'ils ont des risques dans leur entreprise mais aussi de leurs droits et obligations en matière de SST, et finalement au manque de ressources de toute nature.

1.3 Objectifs des travaux

À la lumière de la recension des écrits, une étude québécoise a été entreprise pour produire un premier tableau québécois des représentations et de la prise en charge de la santé et de la sécurité du travail dans les petites entreprises manufacturières. Trois objectifs spécifiques ont orienté l'étude : 1. Décrire les représentations de la SST chez les patrons et les travailleurs dans les petites entreprises. Quelles sont leurs connaissances et leurs préoccupations à cet égard? Ces facteurs devaient être documentés compte tenu de leur importance comme base des pratiques, mais aussi parce que les profils des patrons de PE devront être pris en compte dans l'élaboration de stratégies et de services à leur intention. 2. Décrire de quelle façon s'effectue la prise en charge de la sécurité et de la prévention. Comment cela s'intègre-t-il au reste des activités et fonctions dans l'entreprise ? 3. Cibler les problèmes de SST particuliers aux petites entreprises et décrire les liens entre les pratiques de SST et certaines caractéristiques organisationnelles.

2. DONNÉES ET MÉTHODES

Dans les secteurs de l'habillement et de la fabrication de produits en métal, la contribution des PE à l'emploi au moment de l'étude atteignait 30 % dans le premier cas et à 50 % dans le deuxième. Il se trouve par ailleurs que l'industrie de la fabrication de produits métalliques se classait au 3e rang des industries en termes d'incidence des lésions professionnelles pour 1995-1996 avec un taux d'incidence de 15,5 %. Pour la même période, le taux d'incidence pour le secteur de l'habillement atteignait 4,0 %[6]. La forte concentration de PE de même que le niveau de risque moyen, dans le secteur de la fabrication de produits métalliques particulièrement, font que les entreprises de 50 travailleurs et moins des deux secteurs constituent un bon terrain pour une étude exploratoire sur les petites entreprises. Les représentants des associations sectorielles paritaires (ASP) des deux secteurs réunis dans un comité de suivi ont collaboré de façon active à la réalisation de l'étude, depuis l'élaboration des objectifs et du questionnaire, l'accès aux données, jusqu'à la validation des résultats.

2.1 Collecte des données

Une banque de données des petites entreprises de moins de 50 employés a été constituée à partir des fichiers d'entreprises utilisés par les ASP des secteurs de l'habillement et de la fabrication de produits en métal[7]. Entre juillet et novembre 1997, 223 entrevues téléphoniques d'une durée moyenne de vingt minutes ont été réalisées auprès de patrons de PE[8] à l'aide d'un

---

6. Le taux moyen était de 4,7 %.
7. Ces fichiers administratifs constitués par la CSST et mis à jour en décembre 1996 rassemblent des informations de base (adresse, numéro de téléphone, personne responsable, etc.) sur l'ensemble des entreprises déclarées à la CSST. Le contact téléphonique a été utilisé pour valider les informations sur le nombre d'employés et pour solliciter la participation de patrons de PE des deux secteurs.
8. Des entrevues avec des employés de ces petites entreprises avaient également été prévues, mais l'accès aux travailleurs s'est avéré très difficile ; aussi cette partie de la collecte de données n'a pas donné les résultats attendus et n'a pu faire l'objet d'analyses statistiques valides. Les résultats présentés proviennent donc uniquement des entrevues réalisées

questionnaire validé, soit 103 entrevues dans le secteur de la fabrication de produits en métal et 120 dans le secteur de l'habillement. Le questionnaire comportait quatre sections: 1) profil de l'entreprise, 2) profil de la main-d'œuvre et de l'organisation du travail, 3) diagnostic de la santé et de la sécurité du travail et 4) gestion de la SST. La répartition des entreprises de l'échantillon selon le nombre de travailleurs et le secteur industriel est présentée au tableau 1[9].

TABLEAU 1

RÉPARTITION DES ENTREPRISES DE L'ÉCHANTILLON SELON LE NOMBRE DE TRAVAILLEURS ET LE SECTEUR INDUSTRIEL

N EMPLOYÉS	HABILLEMENT		FABRICATION DE PRODUITS EN MÉTAL		TOTAL	%
	N	%	N	%		
1-5	40	33,3	72	69,9	112	**50,2**
6-10	21	17,5	17	16,5	38	**17,0**
11-25	30	25,0	6	5,8	36	**16,1**
26-50	29	24,2	8	7,8	37	**16,7**
Total	**120**	**100,0**	**103**	**100,0**	**223**	**100,0**

2.2 Portée et limites

Aucune étude sur les pratiques de SST dans les PE n'avait été réalisée au Québec. Cette lacune s'ajoutait à l'absence de statistiques fiables sur les petites entreprises. L'étude réalisée décrit des représentations, des façons de faire ainsi que certains des problèmes de SST des PE et les lie à des caractéristiques

---

auprès des propriétaires de petites entreprises. Le rapport de recherche présente en annexe une synthèse des tendances décelées dans les données obtenues auprès de travailleurs des entreprises participantes.

9. Les fichiers de travail des ASP ont révélé des différences importantes de distribution des entreprises selon la taille entre les deux secteurs; le secteur de la fabrication de produits en métal présente une proportion très forte d'entreprises de cinq travailleurs et moins, alors que celui de l'habillement présente une distribution plus égale entre les quatre catégories d'entreprises de 50 travailleurs et moins. La répartition des entreprises de l'échantillon ne peut forcément respecter tout à fait la répartition des fichiers de travail des ASP; elle constitue toutefois un compromis satisfaisant et suffisamment équilibré pour permettre d'effectuer des analyses.

organisationnelles des entreprises. Ces résultats originaux serviront à orienter la recherche future de même que le travail des principaux intervenants en SST auprès des entreprises des secteurs participants.

L'échantillon non aléatoire de type accidentel n'est pas nécessairement représentatif de toutes les petites entreprises des deux secteurs, ce qui impose des limites en termes de généralisation des résultats. La taille réduite de l'échantillon et le fait que les données obtenues par entrevues téléphoniques avec des patrons n'ont pu être validées sur le terrain ou par des entrevues de travailleurs, limitent aussi la portée des résultats. Enfin, il n'est pas impossible que les patrons qui ont accepté d'être interviewés aient eu des caractéristiques particulières. Malgré tout, les représentants des milieux ont validé les profils d'entreprises décrits avec les données et cautionnent les résultats.

2.3 Analyses

Les données recueillies ont été compilées et analysées à l'aide des logiciels SPAD.N et SIMSTAT. Des distributions de fréquence et des tableaux croisés (avec tests de Chi-2) ont d'abord été produits. Dans tous les cas, seules les analyses répondant au critère de signification statistique de. 05 sont présentées. Les techniques multivariées de l'analyse factorielle de correspondance (AFC) et de la classification ascendante hiérarchique (CAH), adaptées aux variables nominales ont ensuite été utilisées pour analyser simultanément les associations entre 49 variables actives. Ces variables décrivent deux principales dimensions de la gestion de la SST dans les entreprises : a) les représentations des patrons au point de vue des responsabilités en SST et des obstacles à l'amélioration de la prévention dans l'entreprise et des problèmes de sécurité, et b) les activités de prévention et de prise en charge de la SST réalisées dans l'entreprise. Ce sont les associations significatives entre ces variables qui déterminent des classes, aussi homogènes et aussi distinctes les unes des autres que possible. Les associations qui caractérisent les classes sont ensuite mises en relation avec 26 variables descriptives correspondant à d'autres caractéristiques des entreprises qui peuvent aider les intervenants à les reconnaître, tels la taille, le secteur d'activité, le mode de production, la participation à des regroupements d'entreprises, etc. Quatre classes, c.-à-d. des groupes de patrons et d'entreprises aux profils bien caractérisés en termes de prise en charge de la SST, ont ainsi été déterminées. Ces classes décrivent de manière synthétique les associations entre les variables documentées ; elles facilitent la compréhension en révélant des interactions entre des aspects concrets facilement reconnus par la clientèle cible et par les intervenants[10]. La présentation des résultats débute donc par des distributions et des croisements simples, suivis par les résultats des analyses multivariées.

3. RÉSULTATS

3.1 Synthèse des résultats descriptifs

La très forte majorité des patrons qui ont participé à l'étude sont propriétaires de leur entreprise et ces entreprises sont presque toutes indépendantes. Cependant, moins de la moitié des entreprises sont propriétaires de l'immeuble qu'elles occupent. Sur le plan financier, un peu plus de la moitié des patrons ont indiqué que le chiffre d'affaires de leur entreprise, en 1997, était inférieur à 500 000$ et plus des trois quarts des entreprises de l'échantillon ont un chiffre d'affaires qui ne dépasse pas le million de dollars. Ces chiffres concordent avec l'information présentée au tableau 1 sur la distribution des entreprises participantes selon le nombre de travailleurs et le secteur industriel: une entreprise sur deux emploie cinq travailleurs ou moins. Dans plus d'une entreprise sur deux, le travail de production repose sur le travail individuel sur des morceaux uniques ou des petits contrats, et, dans un cas sur trois, la production de grandes séries est exécutée à la chaîne. Dans trois cas sur quatre, les patrons doivent eux-mêmes participer au travail de production. Enfin, moins de quatre patrons sur dix interviewés sont membres d'un regroupement d'entreprises ou d'une association professionnelle.

Les données révèlent que neuf patrons de petite entreprise sur dix se considèrent comme assez et même bien renseignés en ce qui a trait à la SST. De même, la quasi-totalité des patrons sont satisfaits ou même très satisfaits de la situation en ce qui a trait à la SST dans leur entreprise. Quatre patrons sur dix disent qu'ils confient des responsabilités en matière de SST à leurs travailleurs. Ce sont cependant bel et bien les patrons des PE qui assument le plus souvent la responsabilité de la gestion en matière de SST et des activités de surveillance et de contrôle des risques, c.-à-d. dans 50% à 63% des cas selon le type de responsabilité (Fig. 1).

10. L'expérience a démontré que la présentation des résultats sous forme de classes multifactorielles d'événements accidentels se prête bien au transfert de l'information au milieu de travail et à l'identification de pistes d'intervention.

FIGURE 1
REPRÉSENTATION DES RESPONSABILITÉS EN SST

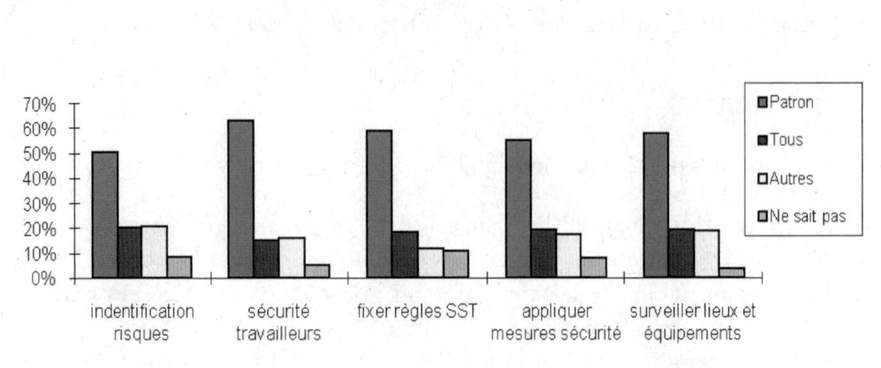

Le consensus sur la responsabilité du patron est le plus fort quand il s'agit d'assurer la sécurité des travailleurs. En moyenne, dans un peu moins d'un cas sur cinq, les patrons considèrent que la SST relève de la responsabilité de tous ; cette réponse est la plus forte quand il s'agit de cibler les risques. On note par ailleurs qu'entre 4 % et 11 % des répondants ne peuvent pas dire à qui incombent ces responsabilités dans leur entreprise. Les structures formelles de participation prévues par la LSST, les comités paritaires de santé et de sécurité, sont très peu présents (4,5 %) dans les entreprises de moins de 50 travailleurs et ils sont regroupés dans les établissements comptant de 26 à 50 travailleurs[11]. Une minorité des petites entreprises de moins de 50 travailleurs (12,6 %) a un programme de prévention écrit.

Une liste de seize activités de prévention a été utilisée pour obtenir un aperçu de la gestion quotidienne de la SST dans les petites entreprises. La pratique des activités abordées rapportée par les patrons est plus importante qu'attendu (Fig. 2). Surtout, deux activités de prévention : l'inspection des lieux et de l'équipement et l'entretien de l'équipement seraient pratiquées régulièrement dans la quasi-totalité des PE étudiées. On constate cependant qu'il s'agit, dans ce cas, d'activités qui sont également requises pour assurer la production et que les activités de prévention qui n'ont pas d'effet direct sur la

11. La LSST stipule que l'élaboration du programme de prévention est obligatoire pour toutes les entreprises du secteur de la fabrication de produits en métal, considéré comme secteur prioritaire et que le comité paritaire doit être mis sur pied dans les entreprises de plus de vingt travailleurs si une des deux parties le demande. Aucune obligation ne s'applique aux secteurs non prioritaires.

production sont beaucoup moins pratiquées. Un autre groupe d'activités qui peuvent avoir un effet à la fois sur la production et la sécurité, telle la modification des équipements et des postes de travail, l'installation de gardes, sont pratiquées à l'occasion ou régulièrement, dans plus des deux tiers des PE. Pour un dernier groupe d'activités de gestion de la SST, l'évaluation du bruit, l'amélioration de la qualité de l'air et l'enquête d'accidents, par exemple, la pratique dans les PE est surtout occasionnelle et se situe entre 50 % et 20 %.

FIGURE 2

PRATIQUE D'ACTIVITÉS SST

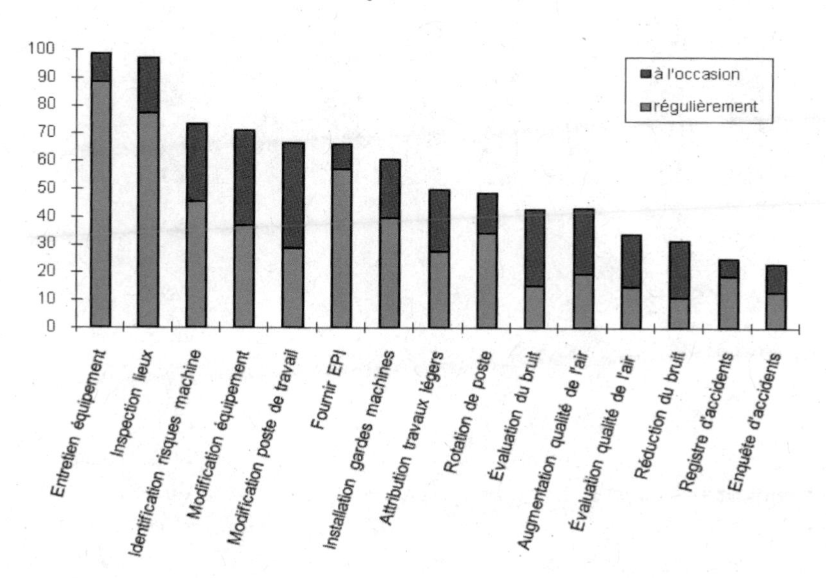

Les patrons de PE ont ensuite été invités à ciblerles facteurs qui constituaient pour eux des obstacles à l'amélioration de la SST dans leur entreprise (Fig. 3). Trois genres d'obstacles ont été présentés : des obstacles liés aux coûts de la prévention et à la production, des obstacles rattachés à la gestion tels la paperasse, le manque de temps, les difficultés liées à la planification et au manque de personnel et, enfin, des obstacles liés aux employés. La majorité (plus de six patrons sur dix) ne voit aucun obstacle à l'amélioration de la SST dans leur PE. On constate que les coûts associés à l'amélioration des conditions de travail et de la SST ne constituent un obstacle que pour 37 % des patrons et que 13 % seulement des personnes interviewées émettent des réserves quant à la rentabilité des investissements en prévention. Cependant, le manque de formation, la nécessité de donner priorité à la production et le manque de temps sont des obstacles pour 30 % environ des patrons interviewés. Les obstacles liés aux attitudes et aux exigences des employés semblent peu importants.

FIGURE 3

REPRÉSENTATION DES OBSTACLES À L'AMÉLIORATION DE LA SST

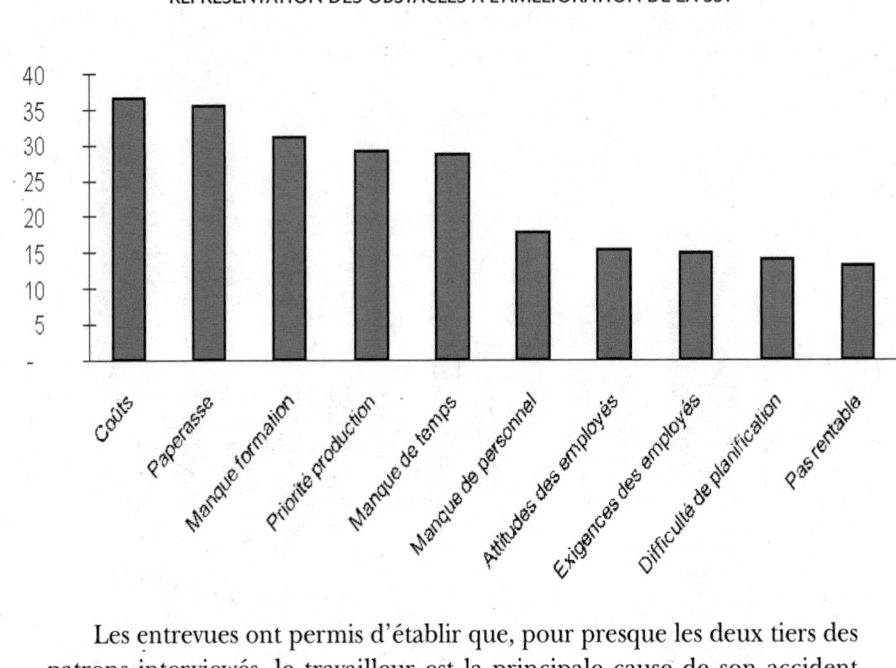

Les entrevues ont permis d'établir que, pour presque les deux tiers des patrons interviewés, le travailleur est la principale cause de son accident (Fig. 4.). Près d'un patron sur cinq considère cependant que les caractéristiques du travail sont la cause des lésions, ce qui ouvre des portes nouvelles sur la prévention.

FIGURE 4

RÉPARTITION DES CAUSES D'ACCIDENTS DU TRAVAIL

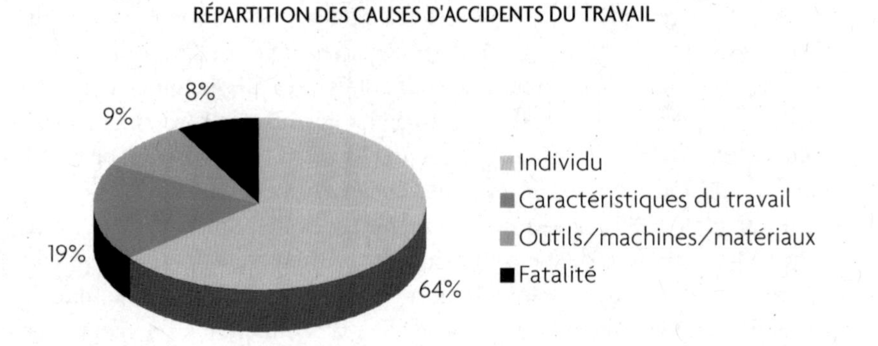

On constate enfin que la majorité des patrons sont incapables de préciser quelles sont les difficultés qu'ils éprouvent à gérer la SST dans leur entreprise (Fig. 5) et de déterminer ce qui pourrait les aider à améliorer la SST dans leur entreprise (Fig. 6). Deux seules pistes claires se dessinent : certains patrons (un sur six) souhaiteraient obtenir de l'information ou de la formation, d'autres (un sur sept) de l'expertise technique ou de l'aide financière.

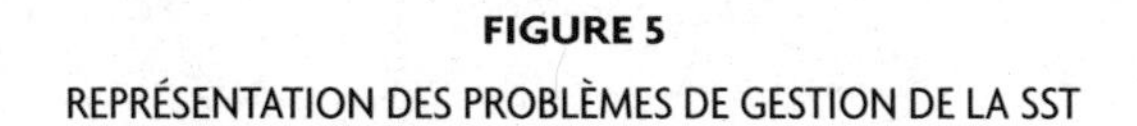

FIGURE 5

REPRÉSENTATION DES PROBLÈMES DE GESTION DE LA SST

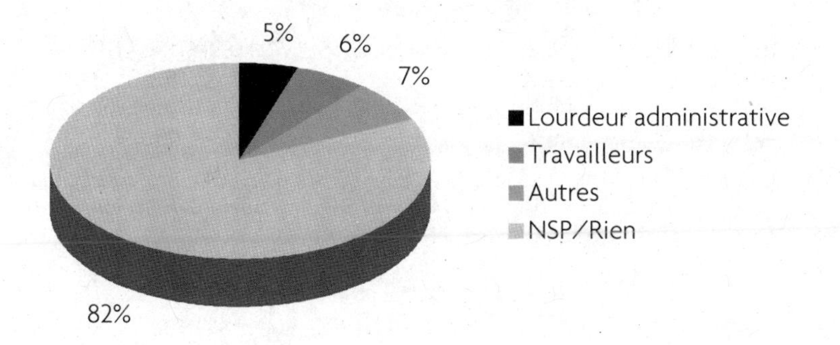

FIGURE 6

SOUHAITS POUR L'AIDE EN GESTION DE LA SST

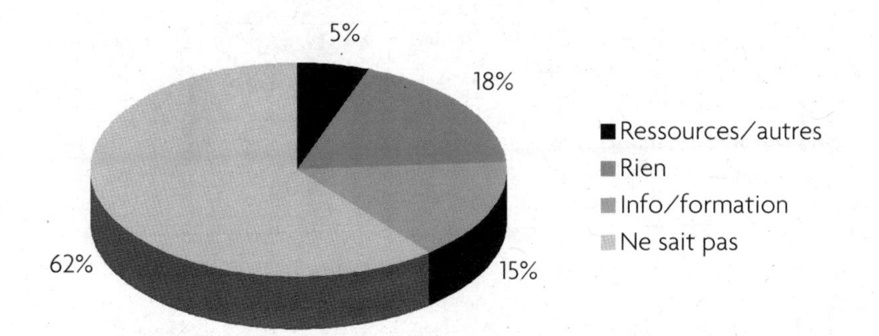

3.2 Profils de prise en charge de la SST dans les petites entreprises

L'analyse multivariée a été utilisée pour produire un portrait synthétique des associations significatives entre les variables qui décrivent la prise en charge de la SST et les descripteurs d'entreprises documentés. Chacune des quatre classes est identifiée à l'aide d'étiquettes qui résument les principales caractéristiques des entreprises qui y sont regroupées et qui la distinguent des autres sur les dimensions des activités pratiquées, du style de gestion et de la prise en charge de la SST.

TABLEAU 2

SYNTHÈSE DES PROFILS DE PRISE EN CHARGE DE LA SST DANS LES PETITES ENTREPRISES

Classe 1 : Inactives/pas informées N=15 (7 %) Inertie : 0. 0147*	**Classe 2 : Inactives/traditionnelles/non structurées N=112 (52 %) Inertie : 0. 0904**
Identification et contrôle des risques : ne sait pas Gestion SST : aucune personne Propriétaires peu informés sur les enjeux de SST Plus bas taux de pratique des activités SST Obstacles à l'amélioration de la SST : priorité à la production 11-25 travailleurs, secteur habillement aucun réseau	Gestion SST, reconnaissance et contrôle des risques : propriétaires Pas de comité SST, pas de programme de prévention écrit Pas de responsabilité SST aux travailleurs Peu d'activités de prévention Aucun obstacle à l'amélioration de la SST Aucun problème de gestion de la SST Aide à la gestion de la SST : ne sait pas 1-5 travailleurs aucun réseau
Classe 3 : Actives/participatives/non structurées N=38 (18 %) Inertie : 0. 0327	**Classe 4 : Actives/participatives/structurées/réseaux N=50 (23 %) Inertie : 0. 0873**
Gestion de la SST : propriétaires Reconnaissance et contrôle des risques : tous Responsabilités de SST aux employés Pas de comité SST, pas de programme de prévention écrit Pratique moyenne d'activités de prévention Aucun obstacle à l'amélioration de la gestion de la SST 1-5 travailleurs, secteur produits de métal	Gestion de la SST, reconnaissance et contrôle des risques : propriétaires, contremaîtres et autres Comité SST, programme de prévention écrit Responsabilités de SST aux employés Pratique régulière des activités de SST Obstacles à l'amélioration de la gestion de la SST : exigences des travailleurs, manque de planification, manque de personnel, de temps et de formation Cause des accidents : caractéristiques du travail Aide à l'amélioration de la gestion de la SST : information et formation 26-50 travailleurs réseau d'affaires et de SST

* L'inertie est une mesure qui indique l'homogénéité de la classe. Plus l'inertie est faible, plus les éléments constituant la classe sont semblables

Classe 1 : PE inactives/pas informées

Le petit groupe des entreprises de cette classe (7 % des cas) présente le plus sombre profil en termes de prise en charge de la SST. Les patrons ne savent pas à qui incombent les responsabilités de reconnaissance et de contrôle des risques SST, personne dans l'entreprise ne gère le dossier SST et c'est dans ce groupe que les activités de SST sont le moins pratiquées. Les propriétaires disent qu'ils doivent donner priorité à la production plutôt qu'à la sécurité. Au point de vue économique, ils semblent fonctionner en mode de survie. Il semble qu'ils n'ont ni le temps ni les connaissances ni le soutien nécessaire pour s'occuper de SST et de prévention. On peut donc considérer qu'il n'y a aucune prise en charge de la SST dans ces petites entreprises.

Ces patrons d'entreprises de 11 à 25 travailleurs du secteur de l'habillement ne correspondent évidemment pas à toutes les entreprises du secteur, mais les difficultés que pose ce groupe en termes de sensibilisation et d'intervention pour l'amélioration des conditions de travail sont documentées et bien réelles.

Classe 2 : PE inactives/traditionnelles/non structurées

Les patrons de ce groupe important de petites entreprises (52 % des cas) pratiquent une gestion centralisée de toutes les fonctions de leur entreprise. Ils sont responsables de la gestion de l'ensemble du dossier SST ainsi que des activités de reconnaissance et de surveillance des risques. Ces entreprises n'ont ni comité paritaire ni programme de prévention écrit, donc aucune structure formelle de prise en charge de la SST. Les patrons de ces entreprises ne donnent pas de responsabilités en SST à leurs employés et n'utilisent pas les ressources du réseau SST.

La pratique réduite des activités de prévention et de prise en charge de la SST caractérise aussi fortement les entreprises de ce groupe. Les patrons ne déterminent pas de causes pour les lésions professionnelles dans leur entreprise, ou considèrent majoritairement que les travailleurs sont eux-mêmes la cause des accidents qu'ils subissent. Ces patrons disent qu'ils n'ont pas de difficulté à gérer le dossier SST de leur entreprise ou alors ils sont incapables de reconnaître ce qui constitue pour eux les principales difficultés. De même, ils ne reconnaissent aucun obstacle à l'amélioration de la SST dans leur entreprise, mais sont incapables de préciser ce qui pourrait les aider à améliorer la SST dans leur entreprise.

Ce profil est caractéristique de toutes les petites entreprises de moins de cinq travailleurs des deux secteurs étudiés. Les patrons sont seuls propriétaires de l'entreprise qu'ils dirigent et ils ne font pas partie de regroupements d'entreprises.

Classe 3 : PE actives/participatives/pas structurées

Les PE de cette classe (18 % des cas) se distinguent des autres de même taille sur plusieurs dimensions. Ce sont les patrons qui assument la gestion du dossier SST pour l'entreprise ; toutefois, ils déclarent que les responsabilités de reconnaissance et de contrôle en SST sont l'affaire de tous et ils donnent des responsabilités en SST aux employés. Ces entreprises n'ont ni comité de SST ni programme de prévention écrit, mais même en l'absence de structure formelle pour la gestion de la SST, on y rapporte une approche participative informelle à la prise en charge de la SST.

En termes relatifs, ces entreprises sont également plus actives que les autres de même taille et se caractérisent par une performance moyenne des activités de prévention. Enfin, les patrons de ce groupe ne voient pas d'obstacles à l'amélioration de la SST dans leur établissement. Les toutes petites entreprises dont il est question ici proviennent du secteur de la fabrication de produits en métal.

Classe 4 : PE actives/participatives/structurées/réseaux

La principale caractéristique des entreprises de ce groupe (23 % des cas) est que les responsabilités de reconnaissance et de contrôle des risques, de même que la gestion du dossier SST, y sont souvent attribuées à une personne autre que le patron, soit un contremaître ou un gestionnaire. On relève en outre la plus forte proportion d'entreprises ayant un programme de prévention et un comité paritaire de SST, et le plus grand nombre de patrons qui donnent des responsabilités aux employés en matière de SST. Une approche participative de la SST dans le cadre d'une structure formelle de prise en charge de la SST, cette fois, avec programme de prévention et comité paritaire, est donc une caractéristique importante de ce groupe d'entreprises.

C'est également dans ce groupe que la pratique des activités de prévention est la plus fréquente et la plus régulière. Par ailleurs, les patrons de ce groupe sont ceux qui reconnaissent le plus d'obstacles à l'amélioration des conditions de SST ; malgré tout, ils ont comme tous les autres de la difficulté à préciser les problèmes qu'ils éprouvent à gérer la SST dans leur entreprise. Ces patrons ont moins tendance que les autres à attribuer la cause des accidents aux travailleurs et ils sont les plus nombreux à reconnaître les caractéristiques du travail comme principales causes des lésions. Enfin, ils sont le plus en mesure d'exprimer leurs besoins en matière d'aide à la prévention: ils souhaitent davantage de formation et d'information.

Ce profil décrit des entreprises des deux secteurs étudiés qui emploient de 26 à 50 employés. Plus que les autres, les patrons font partie de regroupements d'entreprises et utilisent le réseau SST.

4. DISCUSSION

En dépit de ses limites méthodologiques, l'étude a produit beaucoup d'informations sur les représentations et les pratiques de prise en charge de la santé et de la sécurité du travail dans les PE. La première partie des résultats décrit des patrons de PE assez typés en termes de représentations, de connaissances et de préoccupations relatives à la SST. Ainsi, plus de huit patrons sur dix déclarent qu'ils n'ont pas de problèmes à gérer la SST dans leur entreprise ou sont incapables de cibler leurs problèmes, sept patrons sur dix répondent que rien ne pourrait les aider à faire plus de prévention dans leur entreprise ou qu'ils ne savent pas ce qui pourrait les aider. Enfin, la majorité (plus de six patrons sur dix) ne cible aucun obstacle à l'amélioration de la SST dans leur PE. Par ailleurs, 10 % des interviewés seulement se sentent peu renseignés au point de vue SST, alors que neuf sur dix se considèrent comme assez et même bien renseignés. De même, la quasi-totalité des patrons sont satisfaits ou même très satisfaits de la situation au point de vue SST dans leur entreprise et la majorité (plus de six sur dix) considère que les travailleurs sont eux-mêmes la cause des accidents qu'ils subissent. Les profils des patrons interviewés concordent avec les résultats des études recensées, en particulier.

Les réponses des patrons qui déclarent être satisfaits de la situation dans leur entreprise surprennent au premier abord. En effet, les entreprises proviennent de secteurs reconnus pour la forte incidence relative des lésions et il n'y a aucune raison de penser que les petites entreprises de notre échantillon présenteraient un meilleur bilan SST que les autres entreprises de leur secteur. On remarque une forte cohérence entre ces réponses, qui vont dans le sens de ne pas voir, de nier ou de négliger les problèmes ou encore de les attribuer au comportement des travailleurs de manière à ne pas remettre en cause la gestion et l'organisation du travail. Dans une autre étude où des patrons de PE étaient également interviewés, les auteurs rapportaient des réponses similaires à celles rapportées ici alors que des audits de sécurité avaient révélé que la majorité des entreprises présentaient des risques importants. Pour les auteurs, les patrons avaient une mauvaise perception du risque et semblaient trouver normal de travailler dans des conditions associées à un niveau de risque élevé. D'autres auteurs ont associé ce genre de résultat au fait que les patrons de PE sont isolés, manquent d'information, gèrent le plus souvent toutes les fonctions de l'entreprise eux-mêmes et portent une charge très lourde, tout en fonctionnant avec des moyens financiers réduits. Il faut rappeler que les résultats ne tiennent pas compte du point de vue des employés eux-mêmes sur leurs conditions de travail ; des études ont démontré qu'il n'est pas rare que les employés de PE diffèrent d'opinion avec leurs patrons quant aux risques présents dans leur milieu de travail, et que les rapports sociaux dans les milieux de travail déterminent fortement les pratiques en ce qui a trait à la prévention.

Les résultats attirent l'attention sur l'importance du style de gestion pratiqué dans les petits établissements, en matière de SST tout particulièrement. Les patrons portent une lourde charge et assument la responsabilité d'une bonne part des fonctions de gestion de leur entreprise avec peu de ressources. On constate ainsi que l'attribution formelle ou informelle de responsabilités aux travailleurs en ce qui a trait à la prise en charge de la SST et la gestion participative n'est pas très répandue dans les petites entreprises. Des comités de SST seraient présents dans une petite minorité de PE. Bien que quatre patrons sur dix disent donner des responsabilités de SST à leurs employés, il faudrait vérifier sur le terrain les moyens concrets dont disposent les travailleurs pour assumer les responsabilités qui leur seraient déléguées et l'effet de styles de gestion différents en termes de pratiques et de bilan SST dans les PE.

Contrairement à ce que laissaient prévoir la recension des écrits et les rencontres avec certains informateurs, certaines activités de prévention et de prise en charge de la SST seraient régulièrement pratiquées dans les PE, ce qu'a également constaté par la suite une autre étude québécoise. Les plus pratiquées sont celles qui sont aussi requises pour assurer la production (l'inspection des lieux et de l'équipement, l'entretien d'équipement), ce qui avait déjà été rapporté par Antonsson (1997). En ce qui concerne les activités dont le lien avec la production est moins direct (la rotation de poste et l'attribution de travaux légers), et tout particulièrement les activités de gestion de la sécurité (l'enquête d'accident), leur pratique est beaucoup moins importante. En rétrospective, toutefois, il faut reconnaître que l'entrevue téléphonique n'est pas la meilleure méthode pour recueillir de l'information sur la fréquence d'une pratique ; elle produit une information subjective et susceptible d'être influencée par la rectitude politique. Par ailleurs,, la question posée ne demandait pas de préciser à quel intervalle les activités étaient pratiquées et il est impossible d'évaluer l'efficacité de ces activités puisque les résultats concrets en termes de bilan SST dans les entreprises concernées sont inconnus. Malgré tout, la pratique importante d'activités requises pour assurer l'efficacité de la production suggère l'hypothèse que l'intégration des activités de prévention aux activités de production pourrait constituer une stratégie qui permettrait d'augmenter la sensibilisation à l'utilité de la prévention dans les PE, comme le suggèrent également d'autres auteurs.

Les obstacles perçus à l'amélioration de la SST, en particulier les obstacles économiques, sont, pour leur part, moins importants qu'attendus. Ainsi, un tiers seulement des interviewés déclarent que les coûts de la prévention constituent pour eux un obstacle à l'amélioration de la SST dans leur entreprise et un sur dix seulement considère que la prévention n'est pas rentable. Le peu de relief des obstacles reconnus par les patrons peut sans doute s'expliquer par le fait qu'ils ont l'impression qu'il n'y a pas de problèmes de SST dans leur entreprise. D'autres auteurs ont observé que les perceptions erronées constituaient un plus important obstacle à l'amélioration des conditions de SST dans les petites entreprises que les facteurs économiques. Enfin, la majorité des patrons sont incapables de préciser quelles sont les difficultés qu'ils éprouvent à gérer la SST dans leur entreprise et de déterminer ce qui pourrait les aider à améliorer la SST dans leur entreprise. Seulement deux pistes se dessinent: certains patrons (un sur six) souhaiteraient obtenir de l'information ou de la formation, d'autres (un sur sept) de l'expertise technique ou de l'aide financière. Ces résultats, également décrits par Carpentier-Roy, 2001, rappellent l'isolement des patrons de PE, qui n'utilisent pas les ressources du système de SST (CSST, ASP, services de santé) ou des associations patronales, et soulignent la nécessité d'élaborer des approches adaptées à cette clientèle particulière.

Les résultats de l'analyse multidimensionnelle confirment qu'il y a des différences importantes en termes de prise en charge de la SST entre les petites entreprises de moins de 50 travailleurs. Plusieurs auteurs suggèrent qu'il est nécessaire d'élaborer des approches variées de manière à tenir compte de représentations et de contextes différents dans la clientèle des PE; plusieurs études soulignent également la nécessité pour les services publics en SST d'adapter leurs approches aux caractéristiques et aux conditions particulières des PE. Les dimensions significatives qui distinguent entre eux les quatre profils de petites entreprises sont: les activités de SST, le style de gestion et de prise en charge de la SST, la présence ou l'absence d'une structure de gestion de la SST dans l'entreprise et l'utilisation des réseaux d'affaires ou de SST.

On constate rapidement un clivage important. Les classes 1 et 2 décrivent des entreprises inactives du point de vue de la pratique d'activités en SST, qui par ailleurs pratiquent une gestion « traditionnelle », c'est-à-dire que le propriétaire y assume l'ensemble des activités de gestion et, surtout, ne donne pas de responsabilités de SST aux travailleurs. En contrepartie, un style de gestion participatif (« tous sont responsables ») est ce qui caractérise les toutes petites entreprises de moins de cinq travailleurs de la classe 3 et celles de 25 travailleurs et plus de la classe 4. Même en l'absence d'une structure formelle pour gérer la SST, on rapporte dans les entreprises de la classe 3 un meilleur degré d'activité et de prise en charge de la SST que dans les entreprises de même taille de la classe 2. Les plus grosses entreprises de la classe 4 sont les plus actives en termes d'activités de prévention, la prise en charge de la SST y est davantage structurée et la participation des travailleurs est plus importante. Le style de gestion pratiqué dans l'entreprise semble donc être associé à d'autres caractéristiques déterminantes en ce qui a trait à l'efficacité de la prise en charge de la SST. Enfin, le profil de la classe 4 fait ressortir une autre dimension intéressante : les entreprises plus importantes, plus actives et dotées d'une structure formelle de gestion de la SST, utilisent davantage les réseaux d'affaires et de SST et leurs ressources, ce qu'avaient également rapporté d'autres études.

Les résultats précisent certains effets de la taille des entreprises et du secteur industriel. Toutes les classes sont caractérisées quant au nombre d'employés des entreprises, et deux profils sur quatre, ceux des classes 1 et 3, sont associés à un secteur industriel particulier. Les deux secteurs étudiés se révèlent très différents en ce qui a trait à la prise en charge de la SST, et des facteurs liés à la fois à la taille des entreprises, à la structure industrielle et à la nature des activités de production semblent en cause. Si la faible prise en charge de la SST semble associée à l'isolement et au manque de ressources, la situation semble s'améliorer progressivement avec la croissance des entreprises et l'augmentation des ressources de toute nature, ce qui avait déjà été observé en ce qui a trait au taux de survie des entreprises. Il est possible qu'un autre facteur – externe aux entreprises celui-là mais aussi associé à la taille des entreprises – influence les propriétaires de PE. Dans les entreprises de plus de vingt travailleurs du secteur de la fabrication de produits en métal, considéré comme secteur prioritaire, le programme de prévention est obligatoire et le comité paritaire doit être mis sur pied si une des deux parties le demande. L'étude n'a pas permis d'aller vérifier si les comités sont réellement actifs et si les programmes de prévention déclarés à la CSST sont vraiment utiles à la gestion SST des entreprises. Cependant, les entreprises de taille plus importante pratiquent une gestion plus structurée et généralement plus efficace ; elles sont également plus visibles et davantage dans la mire de la CSST et des ASP qui peuvent exercer des pressions ou apporter du soutien à une meilleure prise en charge de la SST[12]. Une étude avait en fait constaté

12. L'affiliation de nombres croissants de PE à des mutuelles de prévention, dont l'effet n'était pas encore perceptible au moment de la collecte de données, permet d'ajouter l'incitatif économique à l'effet d'un encadrement adapté à la réalité des petites entreprises.

que le soutien des intervenants du système public en SST était nécessaire à la prise en charge de la SST dans les PME québécoises.

Le secteur industriel exerce manifestement lui aussi un effet important sur les variations observées en termes de représentations et de pratiques SST. Les analyses révèlent des différences entre les deux secteurs en termes de gestion de la SST et de pratique d'activités de prévention, qui sont probablement liées à la nature des activités de production et aux risques spécifiques, d'une part, et aux contraintes réglementaires différentes, d'autre part. Les profils différents des deux secteurs semblent confirmer l'importance de services-conseils sectoriels en SST, disposant d'une expertise pointue et d'une bonne connaissance des contraintes de production pour leur garantir une meilleure crédibilité auprès des milieux de travail.

5. CONCLUSION

Conformément aux objectifs de l'étude, un premier portrait de la prise en charge de la SST dans les petites entreprises a été réalisé. Les résultats obtenus sont largement en concordance avec les résultats des études recensées. Ces résultats confirment, d'une part, l'utilité de recueillir dans les milieux de travail une information descriptive des représentations et des pratiques de prévention, de manière à dépasser les limites des estimations statistiques disponibles pour orienter la recherche et l'intervention auprès des PE. Il était d'autre part nécessaire de recueillir cette information locale compte tenu de l'effet des particularités du contexte québécois en ce qui a trait aux contraintes réglementaires et aux services disponibles, notamment. Malgré le fait que les résultats de l'étude terrain datent d'une décennie, la situation dans les petites entreprises ne semble pas s'être améliorée énormément, ainsi que le laissaient entrevoir les résultats d'une étude québécoise plus récente.

On remarque une forte cohérence dans les réponses des patrons, qui vont dans le sens de ne pas voir, de nier ou de négliger les problèmes ou encore de les attribuer au comportement des travailleurs, ce qui a pour effet de ne pas remettre en cause la gestion ni l'organisation du travail. Les résultats indiquent que les patrons des PE sont vraiment isolés, qu'ils sont surchargés de travail, n'utilisent pas les services-conseils publics et privés en SST et ne font généralement pas partie de regroupements d'entreprises ; aussi les patrons des PE sont mal informés des risques à la santé et à la sécurité du travail dans leur entreprise. Ce résultat concorde avec ceux de la majorité des études recensées. Les représentations des patrons interviewés en ce qui a trait aux responsabilités relatives à la SST attirent en outre l'attention sur l'importance du style de gestion pratiqué dans les petites entreprises, en matière de SST tout particulièrement, et sur les conséquences pratiques en termes de prise en charge de la sécurité. Ce résultat souligne la nécessité de trouver des moyens pour favoriser et de mettre en relief les avantages d'une plus grande participation des travailleurs à la prise en charge de la sécurité dans les PE, notamment par l'information.

Certaines activités de prévention semblent être pratiquées régulièrement dans les PE. La pratique régulière d'activités requises pour assurer l'efficacité de la production (l'inspection des lieux et de l'équipement, l'entretien d'équipement) suggère de favoriser l'intégration des activités de prévention aux activités de production pour augmenter la sensibilisation à l'utilité de la prévention dans les PE. Le peu de relief des obstacles perçus à l'amélioration des conditions de travail et de sécurité et le fait que les obstacles économiques ne soient pas nécessairement au tout premier plan suggère également qu'une approche inspirée d'une démarche de qualité totale, où la sécurité serait intégrée à des efforts accrus pour augmenter l'efficacité de la production, pourrait constituer une avenue intéressante pour les patrons de petites entreprises. Par ailleurs, nos résultats confirment que les activités de prévention qui sont pratiquées peuvent aussi différer de façon significative en fonction du secteur industriel et des risques spécifiques qui lui sont associés. Il faut donc soutenir des approches et des ressources en gestion de la SST et au point de vue technique qui tiennent compte des caractéristiques industrielles des PE.

Enfin, nous avons présenté une répartition en quatre classes de petites entreprises décrivant chacune un profil caractéristique, ce qui permet de démontrer que, même à l'intérieur du groupe des PE, il existe des différences notables en termes de prise en charge de la SST. Ces résultats suggèrent d'élaborer, à l'intention des petites entreprises, une offre de services flexible pour tenir compte de contextes et de besoins multiples, différents de ceux de la grande entreprise.

BIBLIOGRAPHIE

Ainsworth, S. and Cox, J. W. (2003), « Families divided : culture and control in small family business », *Organization Studies*, vol. 24, n° 9, p. 1463-85.

Antonsson, A. B. (1997), *The Workplace, vol 2*, p. 466-477 in Small Companies edited by D.Brune et coll.

Benzécri, F. (1985), « Introduction à la classification ascendante hiérarchique d'après un exemple de données économiques », *Les cahiers de l'analyse des données*, vol. 10, n° 3, p. 279-302.

Bluff, L., Gunningham, N., and Johnstone, R. (2004), *OHS Regulation for a Changing World of Work,* edited by The Federation Press.

Borley, J. (1997), « A Health and Safety System Which Works for Small Firms », *Journal of the Royal Society for Health JRSH,* vol. 117, n° 4, p. 211-215.

BSQ, BSQ. (1998), *Profil du secteur manufacturier au Québec,* BSQ.

Carpentier-Roy, M. C., Simard, M., Marchand, A., and Ouellet, F. (2001), « Pour un modèle renouvelé d'intervention en santé au travail dans les petites entreprises », *Relations industrielles,* vol. 56, n° 1, p. 165-194.

Champoux, D. and Brun, J.P. (1999), *Prise en charge de la sécurité dans les petites entreprises des secteurs de l'habillement et de la fabrication de produits en métal,* Montréal, Institut de recherche en santé et en sécurité du travail du Québec.

Champoux, D. and Brun, J.P. (2000), « Prise en charge de la sécurité dans les petites entreprises manufacturières : état de la situation et pistes pour l'intervention et la recherche », *PISTES,* vol. 2, n° 2.

Champoux, D. and Cloutier, E. (1996), *Problématique de la santé et de la sécurité chez les pompiers : résultats de l'analyse de fichers d'accidents de deux municipalités du Québec,* R-144. Montréal, IRSST.

Chauméný, C. (1998), « Les mutuelles de prévention. Valent-elles leur pesant d'or ? », *Prévention au travail,* vol. 11, n° 2, p. 7-14.

CISIA. SPAD.N. (1993), Système portable pour l'analyse des données, version 2.5, France, CISIA. Ref Type : Computer Program

Cuiller, M. G. and Poirier, A. (1999), « Les pme gèrent sous la contrainte », *Revue de médecine du travail,* vol. 26, n° 4, p. 223-226.

Davillerd, C. and Favaro, M., Davillerd, C. and Favaro, M. (1995), *Prise en charge de la sécurité et représentation des risques,* N/EPI 95/04. France : INRS.

Desmarais, L. (2004), « Évaluation de l'implantation des comités de santé et de sécurité du travail : une étude de cas multiples réalisée dans les petites et moyennes entreprises au Québec », UQAM.

Dryson, E. (1995), « Preferred components of an occupational health service for small industry in New Zealand : health protection or health promotion ? », *Occupational Medecine,* vol. 45, n° 1, p. 31-34.

Eakin, J. (1989), « Small business thinks about safety », *Occupational Health and Safety,* p. 6-15.

Eakin, J. and MacEachen, E. (1998), « Health and the social relations of work : a study of the health-related experiences of employees in small workplaces », *Sociology of Health and Illness,* vol. 20, n° 6, p. 896-914.

Eakin, J. M. (1992), « Leaving it up to the workers : sociological perspective on the management of health and safety in small workplaces », *International journal of health services,* vol. 22, n° 4, p. 689-704.

Eakin, J. M., Lamm, F., and Limborg, H. J. (2000), « Systematic occupational health and safety management. Perspectives on an international development », p. 227-248, dans K.Frick, P.L.Jensen, M.Quinlan, and T.Wilthagen (dir.), *International perspective on the promotion of health and safety in small workplaces*, Amsterdam, Pergamon.

Edwards, P., Ram, M., Gupta, S. S., and Tsai, C. (2006), « The structuring of working relationships in small firms : towards a formal framework », *Organization*, vol. 13, n° 5, p. 701-724.

Fabiano, B., Curro, F., and Pastorino, R. (2004), « A study of the relationship between occupational injuries and firm size and type in the italian industry », *Safety Science* vol. 42, n° 7, p. 587-600.

Fonteyn, P. N., Olsberg, D., and Cross, J. A. (1997), « Small business owners' knowledge of their occupational health and safety (OHS) legislative responsabilities », *International journal of occupational safety and ergonomics*, p. 341-57.

Franklin, G. and Goodwin, J. S. 1983. « Problems of Small Business and Sources of Assistance : A Survey ». Journal of Small Business Management April 19835-12.

Frick, K. and Walters, D. (1998), « Les délégués des travailleurs à la santé et à la sécurité dans les petites entreprises : enseignements du système suédois », *Revue internationale du travail*, vol. 137, n° 3, p. 395-417.

Gardner, D., Corlopio, J., Fonteyn, P. N., and Cross, J. A. (1999), « Mechanical equipment injuries in small manufacturing businesses. Knowledge, behavioral and management issues », *International journal of occupational safety and ergonomics*, vol. 5, n° 1, p. 59-71.

Gates, E. (2004), « Home-grown safety is best », *Health and Safety at Work*, p. 17-18.

Gouvernement du Québec, MICST, gouvernement du Québec, MICST. (1998), *Les PME au Québec. État de la situation*, Québec : gouvernement du Québec, MICST, Direction de l'analyse des PME et des régions.

Hasle, P. and Limborg, H. J. (2006), « A review of the literature on preventive occupational health and safety activities in small enterprises », *Industrial health*, vol. 44, n° 1, p. 6-12.

Hébert, F., Hébert, F. (1999), *Évolution des indicateurs de lésions professionnelles indemnisées, par secteur d'activité, Québec, 1986-1996*, R-215. Montréal, Québec, Canada : IRSST.

Hinnen, U., Hotz, P., Gossweiler, B., Gutzwiller, F., and Meie, P. J. (1994), « Surveillance of occupational illness through a national poison control center : an approach to reach small-scale enterprises ? », *International archives of occupational and environmental health*, vol. 66, n° 2, p. 117-123.

Holmes, H., Triggs, T. J., Gifford, S. M., and Dawkins, A. W. (1997), « Occupational injury risk in a blue collar, small business industry : implications for prevention », *Safety Science,* vol. 25, n° 1, p. 67-78.

Industrie Canada, Industrie Canada (2007), *Principales statistiques relatives aux petites entreprises.* Industrie Canada.

James, P. (2006), « The changing world of work : an exploration of its implications for work-related harm », *Policy and Practice in Health and Safety,* vol. 4, n° 1, p. 3-15.

Johansson, J. and Johansson, B. (1992), « Work environment functions in small enterprises in sweden », *Applied Ergonomics,* vol. 23, n° 2, p. 91-94.

Kalleberg, A. L. (2003), « Flexible firms and labor market segmentation : effects of workplace restructuring on jobs and workers », *Work and Occupations,* vol. 30, n° 2, p. 154-175.

Kalleberg, A. L., Reskin, B. F., and Hudson, K. (2000), « Bad jobs in america : standard and non standard employment relations and job quality in the United States », *American Sociological Review,* vol. 65, n° 2, p. 256-278.

Lamm, F. (1997), « Small businesses and OH&S advisors », *Safety Science,* vol. 25, n° 1-3, p. 153-161.

Lansdown, T. C., Deighan, C., and Brotherton, C., Lansdown, T. C., Deighan, C., and Brotherton, C. (2007), *Health and safety in the small to medium-sized enterprise. Psychosocial opportunities for intervention,* Edinburgh, HSE.

Lavoie, A., Lavoie, A. (2007), *Prévenir ou guérir: Rapport de la FCEI sur la santé et la sécurité au travail dans les PME du Québec,* FCEI.

Leigh, J.P. (1989), « Firm size and occupational injury and illness incidence rates in manufacturing industries », *Journal of Community Health,* vol. 14. n° 1, p. 44-52.

Mayhew, C. (1997a), *Barriers to implementation of known occupational health and safety solutions in small businesses,* Sydney, Australia : Occupational Health and Safety Commission.

Mayhew, C. (1997b), « Small business occupational health and safety information provision », *Journal Occupational Health Safety Aus NZ,* vol. 13, n° 4, p. 361-373.

McVittie, D., Banikin, H., and Brocklebank, W. (1997), « The effects of firm size on injury frequency in construction », *Safety Science,* vol. 27, n° 1, p. 19-23.

Mélançon, S. and Alarie, M., Mélançon, S. and Alarie, M. (2001), *Taux de survie des entreprises au Québec et taux de passage,* Québec, ministère de l'Industrie et du Commerce, Direction générale de la planification, Direction de l'analyse économique.

Millet, P., Sandberg, K. W., Vindberg, S., and Geling, G. (2005), « Organizational and health performance in small enterprises in Norway and Sweden », *Work,* vol. 24, n° 3, p. 305.

Nytro, K., Saksvik, P. O., and Torvatn, H. (1998), « Organizational prerequisites for the implementation of systematic health, environment and safety work in entreprises », *Safety Science,* vol. 30, n° 3, p. 297-307.

Oleinick, A., Gluck, J. V., and Guire, K. E. (1995), « Establishment size and risk of occupational accidents », *American Journal of Industrial Medicine,* p. 281-321.

Ouellet, F. (2003), « La SST. Un système détourné de sa mission », edited by .

Péladeau, N. (1996), *SIMSTAT. User's Guide,* Montréal, Provalis Research. Ref Type : Computer Program

Quinlan, M. and Mayhew, C. (2000), « Systematic occupational health and safety management. Perspectives on an international development », dans K., Frick, P.L., Jensen, M., Quinlan and T., Wilthagen (dir.), *Precarious employment, work re-organisation and the fracturing of OHS management,* Amsterdam, Pergamon.

Quinlan, M., Mayhew, C., and Bohle, P. (2001), « The global expansion of precarious employment, work disorganization, and consequences for occupational health : a review of recent research », *International Journal of Health Services,* vol. 31, n° 2, p. 335-414.

Rainnie, A. (1985), « Is small beautiful ? Industrial relations in small clothing firms », *Sociology,* vol. 19, n° 2, p. 213-224.

Ram, M and Edwards, P. (2003), « Praising Caesar not burying him : what we know about employment relations in small firms », *Work, Employment and Society,* vol. 17, n° 4, p. 719-30.

Ram, M., Edwards, P., Gilman, M., and Arrowsmith, J. (2001), « The dynamics of informality : employment relations in small firms and the effects of regulatory change », *Work, Employment and Society,* vol. 15, n° 4, p. 845-861.

Salminen, S. (1998), « Why do small company owners think larger companies have fewer accidents ? », *Occupational Health Safety – Australia New Zealand,* vol. 14, n° 6, p. 607-14.

Salminen, S., Saari, J., Saarela, K. L., and Rasanen, T. (1993), « Organisational factors influencing serious occupational accidents », *Scandinavian Journal of Work Environment and Health,* 19352-19357.

Sellitz, C., Wrightsman, L. S., and Cook, S. W. (1977), *Les méthodes de recherche en sciences sociales,* Montréal, Éditions HRW.

Shannon, H. S. and Lowe, G. S. (2002), « How many injured workers do not file claims for workers' compensation benefits ? », *American Journal of Industrial Medicine,* vol. 42, n° 6, p. 467-473.

Shannon, H. S., Mayr, J., and Haines, T. (1997), « Overview of the relationship between organizational and workplace factors and injury rates », *Safety Science,* vol. 26, n° 3, p. 201-217.

Simard, M., Simard, M. (2000), *Étude des mécanismes de prévention et de participation en santé-sécurité du travail au Canada,* Rapport final déposé à la CSST, Montréal. Document non publié.

Simard, M. and Marchand, A. (1995), « A multilevel analysis of organisational factors related to the taking of safety initiatives by work groups », *Safety Science*, vol. 21, n° 2, p. 113-129.

Sørensen, O. H., Hasle, P., and Bach, E. (2006), « Working in small enterprises. is there a special risk ? », *Safety Science*, vol. 45, n° 3.

Statistique Canada (2007), *Emploi selon la taille de l'entreprise, par province et territoire*, Statistique Canada.

Stephens, P, Hickling, N, Gaskell, R. S. L., Burton, M., and Holland, D., Stephens, P, Hickling, N, Gaskell, R. S. L., Burton, M., and Holland, D. (2004), *Occupational Health and SME'S : Focused Intervention strategie*, 257p., London, HSE.

Walters, D. (2001), *Health and safety in small enterprises. European strategies for managing improvement*, Brussels, Éditions P.I.E.-Peter Lang.

Walters, D., Walters, D. (2002), *Working safely in small enterprises in Europe : Towards a sustainable system for worker participation and representation*, Confédération européenne des syndicats

Bureau technique syndical européen pour la santé et la sécurité

Agence européenne pour la sécurité et la santé au travail

Bruxelles : ETUC.

Section 2

Concilier le droit de retour au travail et l'obligation d'accommodement : un exercice nécessaire afin de favoriser la réintégration en emploi[1,2]

Anne-Marie Laflamme
Faculté de droit, Université Laval, Québec, Canada

1. INTRODUCTION

Au cours des vingt dernières années, les droits de la personne ont imprégné toutes les facettes de la relation d'emploi, ce qui a obligé les tribunaux à revoir l'interprétation traditionnelle des règles en cette matière. Toutefois, jusqu'à présent, le régime de réparation des lésions professionnelles est demeuré en marge de cette évolution jurisprudentielle. La situation s'explique, d'un côté, par le caractère « transactionnel » de ce régime dont l'autonomie a été affirmée par la Cour suprême du Canada[3], et, de l'autre côté, par des obstacles juridictionnels.

L'interaction entre l'obligation d'accommodement à l'égard de l'employé handicapé qui découle du droit à l'égalité et l'obligation de l'employeur relative au droit de retour au travail du travailleur victime d'une lésion professionnelle fournit un exemple de cette résistance à intégrer, dans le régime de réparation, les normes relatives aux droits de la personne. Malgré leurs

---

1. Cet article a été initialement publié dans *Les Cahiers de Droit*, vol. 48, n° 1-2, juin 2007. Reproduit avec l'autorisation de l'éditeur.
2. La recherche jurisprudentielle nécessaire pour la réalisation de cet article a été complétée le 31 janvier 2007.
3. *Béliveau St-Jacques* c. *Fédération des employés et employées de services publics inc.* [1996] 2 R.C.S. 345, par. 114 [ci-après citée : « arrêt *Béliveau St-Jacques* »].

objectifs convergents[4], ces obligations se distinguent de façon importante. En effet, si la première, qui tire sa source d'une loi quasi constitutionnelle, se définit comme un standard à l'imprécision nécessaire[5], la seconde est encadrée par un processus législatif précis qui en circonscrit la portée, la durée et les effets. *A priori*, il est facile d'affirmer que la première devrait transcender la seconde ; toutefois, en pratique, la cœxistence de ces normes entraîne des difficultés d'application importantes. Il en résulte une situation conflictuelle qui prive souvent le travailleur victime d'une lésion professionnelle de son droit à l'égalité.

Il est depuis longtemps reconnu que le régime de réparation des lésions professionnelles établit un système d'indemnisation fondé sur les principes d'assurance et de responsabilité collective sans égard à la faute et axé sur une forme de liquidation définitive des recours[6]. Il opère en quelque sorte un « marché » entre les travailleurs et les employeurs qui a un double effet : d'une part, il garantit aux travailleurs une compensation partielle et forfaitaire et, d'autre part, il accorde aux employeurs une immunité quant aux recours en responsabilité civile[7]. Ce contrat social est-il mis en péril si son contenu est modifié par des règles externes relevant d'une autre logique juridique ? En d'autres termes, la clause d'immunité civile prévue dans la Loi sur les accidents du travail et les maladies professionnelles[8] peut-elle être conciliée avec d'autres types de redressements découlant de la mise en œuvre du droit à l'égalité du travailleur, tout en préservant l'autonomie du régime de réparation des lésions professionnelles ? Nous sommes d'avis que cette conciliation est non seulement possible mais également nécessaire et souhaitable.

Compte tenu de l'objet de la présente étude, nous nous limiterons essentiellement à l'examen des dispositions de la Charte des droits et libertés de la personne[9] du Québec, qui s'appliquent indistinctement aux relations du citoyen avec l'État québécois de même qu'à l'ensemble des relations de travail

4. J.-F. Gilbert, « Les objectifs convergents des Chartes et de la Loi sur les accidents du travail et les maladies professionnelles (LATMP) », dans Barreau du Québec, Service de la formation permanente, *Développements récents en droit de la santé et de la sécurité au travail*, vol. 239, Cowansville, Yvon Blais, 2006, p. 265.
5. C. Brunelle, *Discrimination et obligation d'accommodement en milieu de travail syndiqué*, Cowansville, Yvon Blais, 2001, p. 239.
6. *Bell Canada* c. *Québec (Commission de la santé et de la sécurité du travail)* [1988] 1 R.C.S. 749, 851.
7. Arrêt *Béliveau St-Jacques*, précité, note, par. 30.
8. *Loi sur les accidents du travail et les maladies professionnelles*, L.R.Q., c. A-3.001 [ci-après citée : « LATMP »].
9. *Charte des droits et libertés de la personne*, L.R.Q., c. C-12 [ci-après citée : « *Charte québécoise* »].

du secteur privé qui relèvent de la compétence québécoise et, conséquemment, aux employeurs dont les travailleurs sont assujettis à la LATMP. Toutefois, il est important de souligner que les dispositions de la LATMP doivent également être interprétées en conformité avec la Charte canadienne des droits et libertés[10], véritable charte constitutionnelle qui s'applique à la législature provinciale et également, en contexte de rapports de travail, aux employés de la fonction publique et à un certain nombre d'autres employés plus ou moins associés à l'activité gouvernementale selon les critères établis par la jurisprudence[11].

Nous examinerons d'abord l'obligation d'accommodement découlant de la Charte québécoise ainsi que la compétence qui a été reconnue aux tribunaux administratifs pour en assurer l'application (1), puis le droit de retour au travail prévu dans la LATMP et l'interprétation jurisprudentielle de ses dispositions (2), avant de nous pencher sur la cohabitation nécessaire et souhaitable de ces deux normes (3).

2. L'OBLIGATION D'ACCOMMODEMENT DÉCOULANT DE LA CHARTE DES DROITS ET LIBERTÉS DE LA PERSONNE : UNE NORME PRÉÉMINENTE

Le législateur québécois n'a pas enchâssé explicitement l'obligation d'accommodement dans la Charte québécoise. Cette obligation, qui s'inscrit dans la recherche du droit à l'égalité, découle de la jurisprudence élaborée par la Cour suprême à compter du milieu des années 1980.

2.1 La notion d'accommodement à l'égard des employés handicapés

Il n'est pas dans notre intention de reprendre de façon approfondie l'historique ou les principes ayant donné naissance à l'obligation d'accommodement. Mentionnons toutefois que, dès 1985, la Cour suprême concluait que cette obligation était une conséquence naturelle du droit à la non-discrimination, et la définissait comme ceci :

---

10. *Charte canadienne des droits et libertés*, partie I de la *Loi constitutionnelle de 1982* [annexe B de la *Loi de 1982 sur le Canada* (1982, R.-U., c. 11)] [ci-après citée : « *Charte canadienne* »].

11. C. Beaulieu, « La *Charte canadienne* des droits et libertés : domaine d'application » (1992) 52 *R. du B.* 387 ; C. Brunelle, *op. cit.*, note, p. 114 et suiv. ; C. Brunelle, *L'application de la Charte canadienne des droits et libertés aux institutions gouvernementales*, Scarborough, Carswell, 1993. La *Charte canadienne* protège le droit à l'égalité à l'article 15 (1) et elle interdit la discrimination fondée, entre autres, sur les déficiences mentales et physiques, et ce, dans tous les domaines. Ce droit ne peut être restreint qu'en conformité avec l'article premier, qui exige la démonstration que telle restriction est raisonnable et justifiée dans une société libre et démocratique.

> [cette obligation] consiste à prendre des mesures raisonnables pour s'entendre avec le plaignant, à moins que cela ne cause une contrainte excessive : en d'autres mots, il s'agit de prendre les mesures qui peuvent être raisonnables pour s'entendre sans que cela n'entrave indûment l'exploitation de l'entreprise de l'employeur et ne lui impose des frais excessifs[12].

Or les lois sur les droits de la personne au Canada comportent toutes une protection contre la discrimination fondée sur le handicap, la déficience, l'incapacité ou l'invalidité[13]. Pour sa part, la Charte québécoise interdit expressément la discrimination fondée sur le handicap à l'article 10. L'article 16 précise que cette interdiction s'applique au domaine de l'emploi. L'employeur conserve toutefois la possibilité d'échapper à sa responsabilité s'il démontre, aux termes de l'article 20 de la Charte québécoise, que la mesure reprochée est fondée sur les aptitudes ou qualités requises par l'emploi[14]. À l'occasion de l'examen de ces dispositions (ou de dispositions analogues provenant d'autres lois canadiennes), la Cour suprême a reconnu le devoir de l'employeur de prendre des mesures raisonnables afin d'accommoder un employé handicapé, la seule limite à cette obligation étant la « contrainte excessive »[15].

Puis, dans un arrêt important rendu en 1999[16], la Cour suprême franchissait un pas de plus en adoptant une méthode en trois étapes à laquelle l'employeur doit se soumettre afin de démontrer que sa norme, discriminatoire à première vue, constitue néanmoins une exigence professionnelle justifiée. Aux termes de cet exercice, l'employeur doit démontrer que ses normes d'emploi prennent en considération, de façon intrinsèque, les besoins particuliers des personnes handicapées, dans la mesure où cela peut être fait sans qu'il subisse une contrainte excessive.

---

12. *Commission ontarienne des droits de la personne* c. *Simpsons-Sears* [1985] 2 R.C.S. 536, p. 555. Notons que cette décision a été rendue en contexte de discrimination fondée sur la religion.
13. Ces différences terminologiques ont peu d'importance parce que la Cour suprême a établi que les termes employés dans les différentes lois canadiennes devaient recevoir une interprétation commune puisque l'objectif était le même. Voir : *Québec (Commission des droits de la personne et des droits de la jeunesse)* c. *Montréal (Ville)*, [2000] 1 R.C.S. 665, par. 45 et 46.
14. Ce moyen de défense, qui apparaît aussi dans d'autres lois canadiennes, est généralement désigné sous le vocable suivant : « exigence professionnelle justifiée (EPJ) ».
15. Notons que même si la *Charte canadienne* ne prévoit pas de moyen de défense fondé sur l'EPJ, la Cour suprême a affirmé, dans l'arrêt *Eldridge* c. *Colombie-Britannique (Procureur général)* [1997] 3 R.C.S. 624, que le droit à l'égalité consacré par cette charte de nature constitutionnelle garantissait implicitement le droit à l'accommodement, lequel était limité par l'examen de la contrainte excessive conformément à l'article premier.
16. *Colombie-Britannique (Public Service Employee Relations Commission)* c. *B.C.G.S.E.U.* [1999] 3 R.C.S. 3 [ci-après cité : « arrêt *Meiorin* »].

Il existe, dans plusieurs jugements, des indices de ce qui peut constituer une « contrainte excessive ». La Cour suprême a d'abord affirmé que les mesures d'accommodement ne devaient pas entraver indûment l'exploitation de l'entreprise de l'employeur ou lui imposer des frais excessifs[17], puis elle a ajouté quelques critères permettant de mieux évaluer la contrainte excessive, notamment l'atteinte à la convention collective, le moral du personnel et l'interchangeabilité des effectifs et des installations[18]. Elle précisait toutefois, dans des jugements subséquents, que l'atteinte à la convention collective devait être importante et reformulait le critère du « moral » des employés en parlant plutôt d'« atteinte réelle aux droits des autres employés »[19]. Enfin, en ce qui concerne le risque d'atteinte à la santé et à la sécurité de l'employé ou de ses collègues, la Cour suprême a d'abord retenu qu'il s'agissait assurément d'une contrainte excessive[20], mais elle a nuancé sa position un peu plus tard en ajoutant que le risque léger était insuffisant et qu'il fallait tenir compte de l'ampleur du risque et de l'identité de ceux qui le supportent[21].

Dans l'arrêt *Meiorin*, la Cour suprême semble resserrer encore davantage la notion de « contrainte excessive » puisqu'elle emploie à plusieurs reprises le terme « possible » en parlant des mesures d'accommodement que l'employeur a le devoir d'adopter et qu'elle retient principalement trois critères représentant une contrainte excessive : l'impossibilité, le risque grave et le coût exorbitant[22]. Ce jugement vient donc confirmer que l'employeur se voit imposer un lourd fardeau de preuve lorsqu'il s'agit d'adapter ses normes d'emploi afin de favoriser la réintégration d'un employé handicapé.

17. *Commission ontarienne des droits de la personne* c. *Simpsons-Sears*, précité, note, p. 555.
18. *Central Alberta Dairy Pool* c. *Alberta (Commission des droits de la personne)* [1990] 2 R.C.S. 489, p. 521.
19. *Central Okanagan School District No. 23* c. *Renaud [*1992] 2 R.C.S. 970, 984-985.
20. *Bhinder* c. *Compagnie des chemins de fer nationaux du Canada [*1985] 2 R.C.S. 561, p. 588.
21. *Central Alberta Dairy Pool* c. *Alberta (Commission des droits de la personne)*, précité, note, p. 520-521. Cette approche a été critiquée par certains auteurs au motif de son incompatibilité avec les obligations de l'employeur relatives à la protection de la santé, de la sécurité et de l'intégrité physique de ses employés, qui découlent notamment de la Loi sur la santé et la sécurité du travail, L.R.Q., c. S-2.1. Voir : J.-P. Villaggi, *La protection des travailleurs : l'obligation générale de l'employeur*, Cowansville, Yvon Blais, 1996, 328, à la page 336 ; J.-Y. Brière et J.-P. Villaggi, « L'obligation d'accommodement de l'employeur : un nouveau paradigme », dans Barreau du Québec, Service de la formation permanente, *Développements récents en droit du travail*, vol. 134, Cowansville, Yvon Blais, 2000, 244, à la page 249.
22. Arrêt *Meiorin*, précité, note, p. 42-43. Les mêmes critères ont été repris, quelques mois plus tard, par la Cour suprême dans : *Colombie-Britannique (Superintendent of Motor Vehicules)* c. *Colombie-Britannique (Council of Human Rights)* [1999] 3 R.C.S. 868, p. 887.

De façon générale, les mesures d'accommodement en milieu de travail peuvent être de deux ordres. Les premières invitent à adapter ou à modifier certaines des conditions de travail applicables à l'ensemble des employés. Les secondes s'attaquent directement au travail lui-même puisqu'elles impliquent d'en modifier la nature pour répondre aux besoins particuliers d'un employé handicapé[23]. En cette matière, l'étendue de l'obligation d'accommodement et de sa limite, la contrainte excessive, suscite une jurisprudence mouvante. Aussi, certaines questions demeurent toujours non résolues, comme l'obligation pour l'employeur de remanier les tâches essentielles d'un poste, celle d'offrir un poste qui n'est pas compris à l'intérieur de l'unité de négociation à laquelle appartient un employé handicapé syndiqué, de même que les difficultés liées à l'application des règles de l'ancienneté. Nous pouvons cependant affirmer que les tribunaux chargés d'examiner ces questions considèrent généralement, aujourd'hui, que l'obligation d'accommodement de l'employeur s'étend au-delà du poste pour lequel l'employé a été engagé, et plusieurs n'hésitent pas à affirmer qu'elle transcende les limites de la convention collective, voire celles de l'unité d'accréditation[24].

En somme, l'obligation d'accommodement, dont les contours demeurent imprécis, mais tendent à un élargissement de plus en plus marqué, impose un fardeau très lourd à l'employeur à l'égard de l'employé handicapé qui revendique un emploi adapté à ses limitations. De plus, cette obligation, qui découle d'un instrument à caractère quasi constitutionnel, transcende la loi,

23. C. Brunelle, *op. cit.*, note, p. 270 et suiv.
24. Ici, nous ne ferons pas état de l'abondante jurisprudence qui porte sur ces questions et qui provient essentiellement des arbitres de griefs. Nous pouvons toutefois affirmer que même si les arbitres québécois se sont généralement montrés plus prudents que leurs homologues des autres provinces canadiennes, notamment les arbitres ontariens, plusieurs n'hésitent plus, aujourd'hui, à envisager de telles possibilités. Afin d'illustrer nos propos, nous référons le lecteur à la décision *Association professionnelle des technologistes médicaux du Québec* c. *CHUQ (CHUL)*, D.T.E. 2004T-455 (T.A.), dans laquelle l'arbitre Marcel Morin, s'appuyant sur la jurisprudence, envisage toutes ces possibilités. Voir également : C. Brunelle, « Droits d'ancienneté et droits à l'égalité : l'impossible raccommodement ? », dans Barreau du Québec, Service de la formation permanente, *Développements récents en droit du travail*, vol. 205, Cowansville, Yvon Blais, 2004, 101, où le professeur Brunelle suggère que la nature prépondérante des droits fondamentaux devrait exercer une influence grandissante dans l'arbitrage des conflits entre les droits d'ancienneté de la majorité et les droits à l'égalité des personnes handicapées. Dans une affaire récente, un arbitre a ainsi décidé que les droits d'ancienneté devaient céder le pas devant les dispositions prioritaires de la Charte québécoise : *Association internationale des machinistes et des travailleuses et travailleurs de l'aérospatiale, section locale 712* c. *Bombardier aéronautique (grief syndical)* [2006] R.J.D.T. 447 (T.A.).

le contrat de travail et la convention collective[25]. Ce caractère prépondérant fait en sorte que les tribunaux administratifs spécialisés sont de plus en plus appelés à traiter de cette obligation qui est invoquée dans le contexte de litiges opposant l'employeur et l'employé. Se pose alors la question de la compétence des tribunaux administratifs à interpréter les dispositions de la Charte québécoise lorsque cela est nécessaire à la résolution complète de l'affaire qui leur est confiée.

2.2 La compétence des tribunaux administratifs

La Cour suprême a reconnu depuis longtemps la suprématie de la Charte canadienne et l'importance pour les tribunaux administratifs d'en assurer le respect[26].Ainsi, s'il conclut que la loi qu'une partie lui demande d'appliquer est contraire à la Charte canadienne, le tribunal administratif devrait, en principe, la traiter comme si elle était inopérante. Les mêmes règles sont applicables en ce qui a trait à la compatibilité d'une loi adoptée par la législature provinciale avec les dispositions des chartes ou lois à caractère quasi constitutionnel auxquelles elle est soumise[27].

Toutefois, en pratique, ni la Charte canadienne ni les chartes ou lois provinciales ne donnent une compétence explicite aux tribunaux administratifs en cette matière. Il faut chaque fois scruter le mandat accordé au tribunal administratif pour déterminer les limites des pouvoirs qui lui sont confiés. Un tribunal qui a compétence sur les parties, sur l'objet du litige et sur la réparation demandée a compétence pour constater qu'un texte de loi, qu'il a pour

---

25. Dans l'arrêt *Parry Sound (District), Conseil d'administration des services sociaux* c. *Syndicat des employés et employées de la fonction publique de l'Ontario, section locale 324 (S.E.E.F.P.O.)*, [2003] 2 R.C.S. 157 [ci-après cité : « arrêt *Parry Sound* »], la Cour suprême du Canada a confirmé que les lois sur les droits de la personne font partie intégrante de toute convention collective et que l'arbitre de griefs a compétence afin d'en interpréter les dispositions, même en l'absence d'incorporation expresse.
26. Les arrêts *Douglas/Kwantlen Faculty Assn.* c. *Douglas College* [1990] 3 R.C.S. 570 ; *Cuddy Chicks Ltd.* c. *Ontario (Commission des relations de travail)* [1991] 2 R.C.S. 5 et *Tétreault-Gadoury* c. *Canada (Commission de l'emploi et de l'immigration)* [1991] 2 R.C.S. 22, ont posé les jalons de l'approche de la Cour suprême en ce qui a trait à l'application, par un tribunal administratif, du paragraphe 1 de l'article 52 de la Charte canadienne, qui se lit ainsi : « La Constitution du Canada est la loi suprême du Canada ; elle rend inopérantes les dispositions incompatibles de toute autre règle de droit ».
27. La Charte québécoise énonce en effet, à l'article 52, que le législateur doit assurer le respect des articles 1 à 38, à moins qu'il ne décide d'y déroger, auquel cas il doit l'énoncer expressément. Voir également : G. Hébert-Tétreault et J.-P. Villaggi, « Les tribunaux administratifs et la mise en œuvre des droits et libertés », dans Barreau du Québec, Service de la formation permanente, *Développements récents en droit de la santé et de la sécurité au travail*, vol. 220, Cowansville, Yvon Blais, 2005, p. 78 et suiv.

mission d'appliquer, est inopérant entre ces mêmes parties. La question de la compatibilité entre le texte de loi et l'instrument à valeur constitutionnelle est une question de droit : ainsi, un tribunal qui peut, en vertu de sa loi constitutive, trancher toute question de droit peut décider qu'un texte de loi est contraire à la Charte canadienne ou à une loi quasi constitutionnelle provinciale[28].

La compétence des arbitres de griefs en cette matière est dorénavant clairement établie. Dans l'arrêt *Parry Sound (District), Conseil d'administration des services sociaux* c. *S.E.E.F.P.O., section locale 324*[29], la Cour suprême affirmait que les droits et obligations substantiels prévus par les lois sur les droits de la personne sont incorporés dans toute convention collective à l'égard de laquelle l'arbitre de griefs a compétence. Elle affirmait ainsi clairement non seulement la compétence des arbitres de griefs en cette matière, mais leur responsabilité de s'assurer que les dispositions des conventions collectives et l'interprétation qui en est faite respectent en tous points ce seuil minimal[30].

En ce qui a trait aux autres tribunaux administratifs, leur compétence a d'abord été reconnue par la Cour suprême lorsque la loi à l'étude prévoyait que le tribunal visé pouvait trancher toute question de droit[31]. L'arrêt *Nouvelle-Écosse (Workers Compensation Board)* c. *Martin*[32] est venu réaffirmer cette interprétation en précisant dans quelle mesure le pouvoir du tribunal en cette matière pouvait également être implicite[33]. Dans cette affaire, la Cour suprême devait décider si le tribunal d'appel en matière de lésions professionnelles de la Nouvelle-Écosse avait la capacité d'appliquer l'article 52 (1) de la Charte canadienne afin de déclarer inopérante une politique *a priori* discriminatoire adoptée par la Commission des accidents du travail de cette province. En l'espèce, le tribunal d'appel avait compétence pour décider de toute question de droit ou de fait découlant de l'application de la loi. Il était donc explicite que la loi lui conférait le pouvoir de trancher les questions de droit. Cette affirmation suffisait à conclure que le tribunal d'appel avait compétence au sens de l'article 52 (1) de la Charte canadienne.

---

28. *Id.*, p. 52.
29. Arrêt *Parry Sound*, précité, note, par. 28.
30. *Id.*, par. 40.
31. Voir la jurisprudence précitée, note. Voir également : *Okwuobi* c. *Commission scolaire Lester-B.-Pearson* [2005] 1 R.C.S. 257.
32. *Nouvelle-Écosse (Workers' Compensation Board)* c. *Martin* [2003] 2 R.C.S. 504 [ci-après cité : « arrêt *Martin* »].
33. La Cour suprême venait ainsi expliciter ce concept de pouvoir implicite qui avait été invoqué dans l'arrêt *Cooper* c. *Canada (Commission des droits de la personne)* [1996] 3 R.C.S. 854.

Toutefois, compte tenu de la nature du litige, le juge Gonthier a également procédé à l'analyse du régime établi par la loi afin de justifier la compétence, même implicite, du tribunal. À cette fin, il souligne la nécessité d'examiner la loi dans son ensemble en prenant en considération les facteurs suivants : la mission confiée au tribunal, l'interaction du tribunal avec les autres composantes du régime administratif, son caractère juridictionnel et, finalement, les considérations pratiques[34]. Il conclut que, en l'espèce, ces critères favorisent la compétence du tribunal.

Récemment, la Cour suprême réaffirmait la compétence des tribunaux administratifs investis du pouvoir de trancher les questions de droit d'aller au-delà de leurs lois habilitantes afin d'appliquer l'ensemble du droit à l'affaire dont ils sont saisis[35]. Ce faisant, la Cour suprême distinguait le pouvoir d'invalider une disposition législative de celui d'appliquer les dispositions d'une loi quasi constitutionnelle pour interpréter un régime législatif. Elle précisait que, dans ce dernier cas, le tribunal donne tout simplement effet à la clause de primauté prévue par le législateur de manière à résoudre un conflit apparent entre deux lois[36].

La Cour suprême a donc établi clairement que l'organisme administratif qui dispose du pouvoir de trancher les questions de droit nécessaires à la résolution des litiges est présumé avoir le pouvoir de trancher les questions qui relèvent de l'application des chartes. Il appartient dès lors à la partie qui veut renverser cette présomption de démontrer que le législateur a retiré expressément à l'organisme administratif en question le pouvoir d'examiner les chartes ou, à tout le moins, que le régime législatif établi par la loi mène clairement à la conclusion que le législateur voulait exclure les chartes des questions de droit que l'organisme peut examiner. Dans l'arrêt *Martin*, la Cour suprême statuait aussi que les organismes pouvaient se faire attribuer de façon implicite la compétence pour se prononcer sur les questions liées aux chartes. Elle démontrait ainsi une ferme volonté d'élargir la compétence des tribunaux administratifs en cette matière.

---

34. Arrêt *Martin*, précité, note, par. 41. Une telle approche, qualifiée de « fonctionnelle et structurelle », a été appliquée non seulement pour déterminer si un tribunal a compétence pour examiner les questions relatives à la Charte canadienne mais aussi afin de statuer sur son pouvoir d'accorder les réparations qui y sont prévues : *R.* c. *974649 Ontario inc.* [2001] 3 R.C.S. 575, par. 42.
35. *Tranchemontagne* c. *Ontario (Directeur du Programme ontarien de soutien aux personnes handicapées)* [2006] 1 R.C.S. 513.
36. *Id.*, par. 36.

Jusqu'à présent, l'arrêt *Martin* n'a pas eu de retombées très importantes en droit québécois[37]. En effet, la plupart des tribunaux administratifs, y compris la Commission des lésions professionnelles (CLP), ont le pouvoir explicite de « décider de toute question de droit »[38]. Il est difficile de voir, à la lumière des principes décrits dans l'arrêt *Martin*, comment cette présomption pourrait être renversée. Quant à la Commission de la santé et de la sécurité du travail (CSST), elle possède une compétence exclusive pour examiner ou décider toute question visée par la LATMP, à moins qu'une disposition particulière ne donne compétence à une autre personne ou à un autre organisme[39]. Or, la LATMP ne contient aucune indication par laquelle le législateur aurait démontré son intention claire et non équivoque de soustraire certaines dispositions de l'application de la Charte québécoise[40]. Bien qu'il semble plus difficile de reconnaître à la CSST une compétence, même implicite, de se prononcer sur des questions liées à la Charte québécoise, nous verrons plus loin que rien ne s'oppose à ce qu'elle puisse exercer sa compétence exclusive en tenant compte du droit à l'égalité du travailleur et, par voie de conséquence, de l'obligation d'accommodement de l'employeur. La CLP, clairement habilitée à statuer sur la compatibilité des dispositions législatives avec la Charte québécoise, devrait lui fournir, par l'effet de sa jurisprudence, l'orientation nécessaire en cette matière. Cette interprétation s'avère essentielle pour donner plein effet à la Charte québécoise et elle ne met nullement en péril le régime autonome de la LATMP. De plus, la jurisprudence reconnaît qu'il est souhaitable de maintenir la compétence exclusive des organismes spécialisés pour statuer sur les questions liées aux régimes particuliers qu'ils sont chargés d'appliquer, et ce, même si des questions relatives aux droits fondamentaux sont soulevées.

---

37. G. Hébert-Tétreault et J.-P. Villaggi, *op. cit.*, note, p. 90.
38. Art. 377 de la LATMP. Dans l'arrêt *Québec (Procureur général)* c. *Québec (Tribunal des droits de la personne)* [2004] 2 R.C.S. 223, la Cour suprême confirme la compétence de la Commission des affaires sociales, habilitée à trancher « toute question de droit », à constater qu'une disposition réglementaire est inapplicable parce qu'elle est discriminatoire selon la Charte québécoise.
39. Art. 349 de la LATMP. L'article 252 de la LATMP lui confère par ailleurs compétence exclusive pour disposer de toute plainte soumise en vertu de l'article 32 et de toute demande d'intervention faite en vertu des articles 245, 246 et 251. Les articles 257 et 259 circonscrivent les ordonnances que la CSST peut rendre lorsqu'elle dispose d'une plainte selon l'article 32 (notamment la réintégration du travailleur dans son emploi) ou d'une demande d'intervention selon les articles 245, 246 ou 251 (notamment la réintégration dans son emploi, un emploi équivalent ou un emploi convenable).
40. Rappelons ici que la Charte québécoise, à l'article 52, prévoit la possibilité pour le législateur de déroger aux articles 1 à 38, lesquels incluent la protection contre la discrimination, par l'entremise d'une disposition expresse insérée dans le texte législatif.

Dans l'arrêt *Mueller Canada inc.* c. *Ouellette*[41], que nous examinerons dans la prochaine section, la Cour d'appel n'a pas semblé mettre en doute la compétence de la CSST ou de la CLP à appliquer les dispositions de la Charte québécoise. Pourtant, les instances de la CSST interprètent les dispositions de la LATMP de façon telle qu'elles privent souvent les travailleurs qui deviennent handicapés à la suite d'une lésion professionnelle de leur droit de bénéficier de mesures d'accommodement favorisant le maintien de leur lien d'emploi.

3. LE DROIT DE RETOUR AU TRAVAIL PRÉVU DANS LA LOI SUR LES ACCIDENTS DU TRAVAIL ET LES MALADIES PROFESSIONNELLES : UN COMPROMIS SOCIAL ?

Les origines du régime d'indemnisation des victimes des accidents du travail et des maladies professionnelles remontent au début du XXe siècle, à une époque où les interventions étatiques plutôt timides avaient essentiellement pour objet de réduire les tensions sociales créées par le déséquilibre dans la distribution des fruits du régime capitaliste[42]. Ce régime était qualifié de transactionnel puisqu'en échange d'une indemnisation sans égard à la faute, les accidentés du travail renonçaient à une partie importante des dommages-intérêts auxquels ils avaient droit[43]. Pour leur part, les employeurs payaient le coût du régime par l'entremise de cotisations versées au fonds d'accident[44].

En 1985, le législateur redéfinit ce contrat social en adoptant la LATMP. Les travailleurs obtiennent plusieurs de leurs revendications, notamment le droit de retour au travail chez l'employeur ainsi que le droit à la réadaptation, mais ils perdent en revanche le dernier relent du régime de responsabilité civile, c'est-à-dire l'indemnisation sous forme de rente viagère pour incapacité partielle permanente[45]. Avec le nouveau régime, le droit à l'autonomie des

---

41. *Mueller Canada inc.* c. *Ouellette* [2004] CLP 237 (C.A.), requête pour autorisation de pourvoi à la C.S.C. rejetée, 04-11-18, n° 30435, par. 45-46 [ci-après citée : « arrêt *Mueller* »].
42. K. Lippel, *Le droit des accidentés du travail à une indemnité : analyse historique et critique*, Montréal, Thémis, 1986, p. 3.
43. Aujourd'hui encore, ce régime consacre la prohibition de tout recours en responsabilité civile contre l'employeur de la victime (art. 438 de la LATMP) et contre le coemployé fautif (art. 442 de la LATMP).
44. K. Lippel, *op. cit.*, note, p. xv.
45. J.-P. Néron, « Y a-t-il une limite en matière de plan individualisé de réadaptation (PIR) dans la Loi sur les accidents du travail et les maladies professionnelles ? », dans Barreau du Québec, Service de la formation permanente, *Développements récents en droit de la santé et de la sécurité au travail*, vol. 183, Cowansville, Yvon Blais, 2003, p. 161-162.

travailleurs accidentés, qui bénéficiaient d'une rente à vie ne pouvant jamais être remise en question peu importe leurs revenus ultérieurs et leur comportement, disparaît au profit d'un contrôle plus étroit exercé par la CSST. Les employeurs ont dorénavant des obligations au sujet du retour au travail des travailleurs accidentés, l'étendue de leurs droits en cette matière n'étant jusqu'alors limitée que par la Loi sur les normes du travail[46] ou la convention collective, le cas échéant[47].

Le régime de la LATMP se voulait donc novateur et avant-gardiste en favorisant le maintien en emploi du travailleur accidenté au sein de l'entreprise. Il s'agissait de réparer l'ensemble des conséquences de la lésion professionnelle[48], tout en réduisant le fardeau financier en retirant le plus rapidement possible du système les travailleurs accidentés[49]. De façon parallèle, le législateur québécois adoptait un mode de cotisation de plus en plus sophistiqué qui bat en brèche le principe de la responsabilité collective en faisant payer aux employeurs une portion de plus en plus importante du coût qui est directement imputable aux lésions professionnelles survenues dans leur entreprise. Ces mesures devaient notamment inciter les employeurs à participer activement au processus de réadaptation des travailleurs[50].

3.1 Le cadre législatif entourant le droit de retour au travail

Essentiellement, le droit de retour au travail permet au travailleur victime d'une lésion professionnelle, une fois rétabli, de réintégrer son emploi ou un emploi équivalent sans perte de droit ou, si sa capacité résiduelle ne lui permet pas d'exercer un tel emploi, il facilite son retour dans un autre emploi dit « convenable ». Les dispositions relatives au droit de retour au travail se trouvent aux articles 234 à 246 de la LATMP et s'appliquent tant à l'égard du travailleur apte à réintégrer l'emploi qu'il occupait avant de subir une lésion qu'à celui qui demeure incapable de l'exercer en raison de limitations fonctionnelles liées à sa lésion. Les droits conférés par ces dispositions doivent cependant être exercés à l'intérieur de délais prédéterminés qui varient selon que le travailleur est lié contractuellement pour une durée déterminée (le droit de retour au travail pourra, dans ce cas, être exercé jusqu'à la date prévue

46. *Loi sur les normes du travail*, L.R.Q., c. N-1.1.
47. Y. Tardif, « Le droit au retour au travail en regard de la Loi sur les accidents du travail et les maladies professionnelles », dans Barreau du Québec, Service de la formation permanente, *Développements récents en droit du travail*, Cowansville, Yvon Blais, 1989, 91.
48. Art. 1 de la LATMP.
49. J.-P. Néron, *loc. cit.*, note, p. 162.
50. J.-F. Gilbert, *loc. cit.*, note, p. 264.

de terminaison du contrat) ou indéterminée (le délai d'exercice, d'une ou de deux années, est alors fonction du nombre de travailleurs dans l'établissement)[51].

La notion d'emploi convenable entre en jeu lorsque le travailleur demeure incapable d'exercer son emploi en raison de limitations fonctionnelles persistantes liées à sa lésion professionnelle. La LATMP prévoit en effet que ce travailleur, lorsqu'il devient capable d'exercer un emploi convenable, a le droit d'occuper le premier emploi convenable qui devient disponible dans un établissement de son employeur[52]. Ce droit doit cependant être exercé « sous réserve des règles relatives à l'ancienneté prévues par la convention collective applicable au travailleur »[53]. L'emploi convenable est défini précisément à l'article 2 de la LATMP. Il s'agit d'un emploi qui permet au travailleur d'utiliser sa capacité résiduelle et ses qualités professionnelles, qui présente une possibilité raisonnable d'embauche et dont les conditions d'exercice ne comportent pas de danger pour sa santé, sa sécurité ou son intégrité physique compte tenu de sa lésion.

Afin de favoriser le retour au travail, la LATMP permet également au travailleur de bénéficier de mesures de réadaptation professionnelle ayant pour objet, lorsque le travailleur ne peut réintégrer son emploi ou un emploi équivalent, de faciliter son accès à un emploi convenable[54]. Ainsi, l'article 170 LATMP prévoit que la CSST doit s'enquérir auprès de l'employeur de la disponibilité d'un emploi convenable dans l'établissement, auquel cas elle informe le travailleur et l'employeur de la possibilité, le cas échéant, qu'une mesure de réadaptation rende le travailleur capable d'exercer cet emploi avant l'expiration du délai maximal prévu pour l'exercice de son droit de retour au travail. Dans ce cas, la CSST met en œuvre le programme de réadaptation approprié. Lorsque l'employeur n'a aucun emploi convenable disponible, le travailleur peut bénéficier de services d'évaluation de ses possibilités professionnelles en vue de l'aider à déterminer un emploi convenable qu'il pourrait exercer[55].

51. Selon l'article 240 de la LATMP, ce droit peut être exercé : 1) durant l'année suivant le début de la période d'absence continue du travailleur en raison de sa lésion professionnelle, s'il occupait un emploi dans un établissement comptant vingt travailleurs ou moins au début de cette période ; ou 2) dans un délai de deux ans suivant le début de cette période, s'il occupait un emploi dans un établissement comptant plus de vingt travailleurs au début de cette période.
52. Art. 239, al. 1 de la LATMP.
53. Art. 239, al. 2 de la LATMP.
54. Art. 166 de la LATMP.
55. Art. 171 de la LATMP.

L'analyse de ces dispositions législatives suscite les commentaires suivants : d'une part, l'employeur a l'obligation de participer à l'effort de réintégration de l'employé dans un emploi à l'intérieur de l'entreprise. Cet exercice se fait de concert avec un conseiller en réadaptation de la CSST qui vérifie la compatibilité entre les limitations fonctionnelles du travailleur et les emplois proposés. De plus, en vertu des dispositions relatives au droit au retour au travail, le travailleur a le droit d'occuper « le premier emploi convenable qui devient disponible dans un établissement de son employeur ». Ce droit entraîne une obligation corrélative de l'employeur. Il doit cependant être exercé sous réserve des règles relatives à l'ancienneté et à l'intérieur d'un délai d'un ou de deux ans, selon que l'établissement de l'employeur comptait vingt travailleurs ou plus au début de la période d'incapacité. C'est donc à l'intérieur de ces paramètres législatifs bien précis que l'employeur est tenu à une obligation d'offrir un emploi convenable à un travailleur victime d'une lésion professionnelle. Il n'existe, dans la loi, aucune assise juridique qui fonderait une obligation de l'employeur de modifier un emploi existant pour le rendre « convenable » au sens de la LATMP (la loi parle d'ailleurs d'un emploi « disponible »). De plus, l'agent de réadaptation de la CSST n'a pas le pouvoir de contraindre un employeur à réintégrer le travailleur à l'intérieur de l'entreprise. Le travailleur lui-même peut cependant revendiquer ce droit en se fondant sur deux types de recours distincts prévus dans la LATMP.

En premier lieu, le travailleur bénéficie du recours prévu à l'article 32 LATMP s'il croit avoir été victime d'une mesure discriminatoire en raison de l'exercice d'un droit conféré par la loi. Il peut alors recourir soit à la procédure de griefs prévue par la convention collective qui lui est applicable, soit soumettre une plainte à la CSST. Dans ce dernier cas, il peut bénéficier d'une présomption favorable s'il est établi que la mesure lui a été imposée par l'employeur dans un délai de six mois à compter de la date où il a exercé un droit conféré par la loi[56]. La CSST, lorsqu'elle dispose d'une telle plainte, peut ordonner la réintégration du travailleur dans son emploi[57].

En second lieu, le travailleur peut également intenter les recours prévus aux articles 244 à 246 de la LATMP s'il s'estime lésé dans l'exercice de son droit de retour au travail. Ce recours est intenté devant l'arbitre de griefs si la convention collective contient des dispositions relatives au droit au retour

56. Art. 255 de la LATMP.
57. Art. 257 de la LATMP. Notons ici que cette disposition fait référence à la réintégration dans son emploi, sans traiter expressément de la possibilité d'ordonner la réintégration du travailleur dans un emploi convenable.

au travail après un accident ou une maladie[58]. En l'absence de convention collective, les modalités de retour au travail sont déterminées par le comité de santé et de sécurité, s'il y en a un, ou encore par le travailleur et l'employeur. À défaut d'entente, l'intervention de la CSST peut être requise[59]. Lorsqu'elle dispose d'une telle demande, la CSST peut notamment ordonner la réintégration du travailleur dans son emploi, dans un emploi équivalent ou dans un emploi convenable[60]. La décision de la CSST peut être contestée directement auprès de la CLP[61].

3.2 L'interprétation jurisprudentielle

Jusqu'à tout récemment, la jurisprudence n'avait jamais reconnu l'existence de l'obligation d'accommodement de l'employeur dans le contexte du régime de réparation de la LATMP. Certains auteurs expliquent cette situation par le fait que le nouveau régime législatif était tellement progressiste qu'il atteignait, en quelque sorte, les objectifs de ce devoir[62]. De plus, comme la plupart des décisions avaient été rendues en réponse à une plainte déposée en vertu de l'article 32, les instances de la CSST estimaient que leur compétence se limitait à vérifier la légalité de la mesure imposée par l'employeur et non sa rigueur ou son opportunité[63]. La Cour supérieure avait également suivi

58. Art. 244 de la LATMP. Bien que le texte de cet article porte à croire que le recours à l'arbitre serait facultatif, la jurisprudence a établi que l'intention du législateur était d'exclure le recours à la CSST lorsque la convention collective prévoit des dispositions à ce sujet. Voir: *Larue* c. *Sidbec-Feruni inc.* [1992] C.A.L.P. 309; *Vachon* c. *Ministère du Revenu du Québec* [1997] C.A.L.P. 722; *Frigidaire Canada* c. *Bernier*, CLP nº 92672-63-9711, 19 février 1999 (décision sur requête en révision).

59. Art. 245 et 246 de la LATMP.

60. Art. 259 de la LATMP. Notons que la notion d'« emploi équivalent » entre en jeu lorsque le travailleur est apte à exercer l'emploi qu'il occupait avant de subir une lésion. Cette notion est ainsi définie à l'article 2 de la LATMP: un emploi qui possède des caractéristiques semblables à celles de l'emploi qu'occupait le travailleur au moment de sa lésion professionnelle relativement aux qualifications professionnelles requises, au salaire, aux avantages sociaux, à la durée et aux conditions d'exercice.

61. Art. 359.1 de la LATMP.

62. J.-F. Gilbert, *loc. cit.*, note, p. 265.

63. Le recours prévu dans l'article 32 de la LATMP est semblable à celui qui est prévu par d'autres lois du travail, notamment l'article 15 du Code du travail, L.R.Q., c. C-27, assurant la protection de l'employé qui se livre à des activités syndicales. En cette matière, la Cour suprême a décidé, au début des années 80, que le fardeau de la preuve de l'employeur se limitait à démontrer l'existence d'une « autre cause juste et suffisante » justifiant la mesure imposée à l'employé, par opposition à un prétexte. Le tribunal, selon cet enseignement, ne doit pas jauger le mérite ou l'opportunité de la sanction prise par l'employeur. Voir: *Lafrance* c. *Commercial Photo Service inc.* [1980] 1 R.C.S. 536 et *Hilton Québec ltée* c. *Québec (Tribunal du travail)* [1980] 1 R.C.S. 548.

cette règle et considéré que l'obligation d'accommodement ne pouvait s'imposer à l'employeur dans un tel contexte[64].

En 2001, la Cour supérieure remettait en question cette approche dans l'affaire *Ouellette* c. *CLP*[65]. Selon elle, la cause de congédiement ne pouvait être « juste et suffisante » si elle était illicite au sens de la Charte québécoise. Aussi, dans un contexte où l'employeur avait mis fin à l'emploi du travailleur en raison de ses limitations fonctionnelles sans envisager quelque autre forme d'accommodement, elle acceptait d'intervenir et retournait le dossier à la CLP, tout en exigeant que celle-ci exerce sa compétence en tenant compte des obligations découlant de la Charte québécoise. Cette décision ouvrait toute grande la voie à l'imposition d'une obligation d'accommodement découlant de la Charte québécoise dans le contexte du régime de réparation des lésions professionnelles prévu dans la LATMP. On invoqua alors que la CSST avait l'obligation, lorsqu'il s'agissait d'envisager le retour au travail de l'employé dans l'emploi qu'il occupait avant de subir une lésion ou dans un emploi convenable, de tenir compte de l'obligation d'accommodement de l'employeur découlant de la Charte québécoise et de rendre ses décisions en conséquence[66].

En mai 2004, la Cour d'appel cassait ce jugement et affirmait que ni la CSST ni la CLP n'avaient compétence en l'espèce pour imposer, recommander ou suggérer quelque forme d'accommodement que ce soit[67]. Sans nier l'atteinte *prima facie* portée aux droits du travailleur au regard de la Charte québécoise, la Cour rappelait les limites du recours prévu à l'article 32 de la LATMP et précisait que, de toute façon, la CSST et la CLP n'avaient pas le pouvoir, en vertu de l'article 257 de la LATMP d'ordonner la réintégration dans un emploi autre que celui que le travailleur occupait initialement[68]. Elle ajoutait que ces instances se distinguent en cela d'autres tribunaux dont les pouvoirs sont plus étendus à l'égard de l'application et de l'interprétation de la Charte québécoise et elle déplore à plusieurs reprises le désistement du

---

64. Voir, à titre d'exemple, *Larouche* c. *C.L.P.*, C.S. 655-05-000351-981, 8 mars 1999, 9.
65. *Ouellette* c. *CLP* [2001] R.J.Q. 2953 (C.S.).
66. J.-P. Néron, *loc. cit.*, note, p. 177 et J. Rancourt, « L'obligation d'accommodement en matière de santé et de sécurité au travail : une nouvelle problématique », dans Barreau du Québec, Service de la formation permanente, *Développements récents en droit de la santé et de la sécurité au travail*, vol. 201, Cowansville, Yvon Blais, 2004, p. 139-140.
67. Arrêt *Mueller*, précité, note, par. 60.
68. L'article 257 de la LATMP se lit ainsi : « Lorsque la Commission dispose d'une plainte soumise en vertu de l'article 32, elle peut ordonner à l'employeur de réintégrer le travailleur dans son emploi avec tous ses droits et privilèges, d'annuler une sanction ou de cesser d'exercer des mesures discriminatoires ou de représailles à l'endroit du travailleur et de verser à celui-ci l'équivalent du salaire et des avantages dont il a été privé. »

grief initialement soumis par le travailleur ainsi que la fermeture de son dossier auprès de la Commission des droits de la personne et des droits de la jeunesse[69]. Il faut dire que, en l'espèce, les limitations fonctionnelles du travailleur découlaient uniquement d'une condition personnelle mise en évidence au moment de l'investigation relative à la lésion professionnelle, de telle sorte que ces autres tribunaux étaient susceptibles d'être compétents pour disposer d'un tel litige ne relevant pas de la compétence exclusive de la CSST. D'ailleurs, pour ce seul motif, la Cour d'appel aurait pu se limiter à déclarer que le congédiement du travailleur en l'espèce n'était pas lié à l'exercice d'un droit en vertu de la LATMP, mais qu'il découlait plutôt d'un handicap de nature personnelle, sans pour autant interdire le recours à l'article 32 de la LATMP lorsque le travailleur demande un accommodement lié aux limitations fonctionnelles découlant directement d'une lésion professionnelle[70].

De façon concomitante, un litige mettant en cause l'application de l'obligation d'accommodement dans le cadre du processus de retour au travail d'un travailleur victime d'une lésion professionnelle a été porté devant les tribunaux supérieurs. En janvier 2005, la Cour supérieure a cassé une décision de la CLP au motif qu'elle avait omis de tenir compte de l'obligation d'accommodement de l'employeur dans le cadre de la détermination de la capacité du travailleur à exercer son emploi[71]. Saisie de l'affaire, la Cour d'appel rejeta le pourvoi à l'encontre de cette décision, en prenant soin toutefois d'exclure de ses motifs la question de l'accommodement raisonnable[72].

Jusqu'à présent, la CSST et la CLP ont considéré que les mesures de réadaptation et le droit de retour au travail prévus dans la LATMP constituaient en quelque sorte une procédure d'« accommodement légal » dont les paramètres sont circonscrits par le législateur et ne laissent aucune place à une interprétation fondée sur la Charte québécoise[73]. De plus, la CLP souligne que la détermination d'un emploi convenable et des mesures de réadaptation nécessaires, le cas échéant, relève de la CSST et non de l'employeur, ce qui

69. Arrêt *Mueller*, précité, note, par. 40.

70. À cet égard, l'interprétation par la Cour d'appel des pouvoirs d'ordonnance de la CSST et de la CLP en vertu de l'art. 257 de la LATMP nous apparaît trop restrictive.

71. *Lachapelle* c. *CLP*, C.S. 500-17-021075-042, 13 janvier 2005.

72. *Provigo inc.* c. *Lachapelle*, D.T.E. 2006T-766 (C.A.).

73. Cette position, qui reflète une tendance lourde, a été suivie dans les cas suivants : *Lizotte* c. *R.S.S.S. MRC Maskinongé*, CLP, 192445-04-0210, 18 juillet 2003 ; *Labreche* c. *Provigo (division Montréal Détail)* [2003] C.L.P. 1708 ; *Robert* c. *Emballages Consumers inc. (fermée)*, CLP, 208448-71-0305-R, 10 mai 2004 et *Ministère des Ressources naturelles, de la Faune et des Parcs* c. *Gagnon*, CLP 210674-01A-0306, 13 avril 2005.

rend d'autant plus difficile l'application de la méthode en trois étapes imposée par la Cour suprême et à laquelle doit dorénavant se soumettre l'employeur afin de justifier sa norme d'emploi. Ainsi, dans l'affaire *Lizotte* c. *R.S.S.S. MRC Maskinongé*[74], la commissaire Sophie Sénéchal écrit ceci :

> Le tribunal est d'avis que l'obligation d'accommodement fut instaurée et appliquée dans des contextes bien différents de celui de la Loi sur les accidents du travail et les maladies professionnelles, laquelle, rappelons-le, a justement comme objet principal de pallier les conséquences d'une lésion professionnelle selon un processus légal bien structuré. Et l'une des pièces d'assises de ce processus légal structuré est la réadaptation dont l'application se fait par l'entremise de décisions rendues par la CSST et non en vertu de normes adoptées par l'employeur. C'est donc en raison de ce contexte particulier que le tribunal estime difficile, voire impossible, d'intégrer l'obligation d'accommodement[75].

Selon certains auteurs, prétendre que l'obligation d'accommodement trouve application dans le cas d'une lésion professionnelle équivaut à remettre en question toutes les limites au droit au retour au travail que le législateur a définies dans la LATMP, voire à ignorer les balises du droit à la réadaptation[76]. À cet égard, il est vrai que la Cour suprême du Canada a affirmé que le régime de la LATMP constituait un compromis social en marge du droit commun[77]. Toutefois, à notre avis, ces arguments ne doivent pas poser obstacle à l'application par les instances de la CSST de la norme quasi constitutionnelle que constitue l'obligation d'accommodement de l'employeur, qui s'avère nécessaire et souhaitable.

74. *Lizotte* c. *R.S.S.S. MRC Maskinongé*, précité, note.
75. *Id.*, par. 134.
76. R. Lafond, « Le droit au retour au travail : examen pratique de ses paramètres d'exercice », dans Barreau du Québec, Service de la formation permanente, *Développements récents en droit de la santé et de la sécurité au travail*, vol. 183, Cowansville, Yvon Blais, 2003, p. 95-96.
77. Dans l'arrêt *Béliveau St-Jacques*, précité, note, la Cour suprême a considéré que la victime d'une lésion professionnelle ne pouvait recouvrer des dommages-intérêts de son employeur, et ce, même en cas d'atteinte à ses droits en vertu de la Charte québécoise. Dans l'affaire *Genest* c. *Québec (Commission des droits de la personne et des droits de la jeunesse)*, D.T.E. 2001T-99 (C.A.), autorisation de pourvoi à la C.S.C. refusée, nº 28436, la Cour d'appel du Québec confirmait par ailleurs que le compromis de la LATMP était de grande portée et était applicable même si la victime d'une lésion professionnelle n'avait pas produit de réclamation auprès de la CSST.

4. LE DROIT DE RETOUR AU TRAVAIL ET L'OBLIGATION D'ACCOMMODEMENT : UNE COHABITATION NÉCESSAIRE ET SOUHAITABLE

La difficile cohabitation entre les règles relatives au droit de retour au travail prévues dans la LATMP et celles qui découlent du droit à l'égalité est bien mise en évidence par l'analyse de l'abondant corpus jurisprudentiel provenant des arbitres de griefs. L'étude de cette jurisprudence témoigne de la nécessité d'harmoniser ces normes qui relèvent de logiques juridiques différentes, et ce, de manière à respecter le droit du travailleur à un accommodement raisonnable tout en préservant l'autonomie du régime de réparation de la LATMP.

Au cours des dernières années, les arbitres de griefs se sont vu reconnaître une compétence de plus en plus étendue à l'égard de la mise en œuvre du droit à l'égalité en milieu de travail, ce qui a facilité les recours des travailleurs syndiqués en cette matière[78]. Pourtant, en présence d'un travailleur qui revendique le droit de réintégrer le travail chez son employeur à la suite d'une absence pour lésion professionnelle, leur marge de manœuvre demeure considérablement réduite. En effet, les tribunaux supérieurs ont maintes fois reconnu, à juste titre, la compétence exclusive de la CSST à l'égard des questions visées par la LATMP[79], notamment en ce qui a trait à la détermination de la capacité du travailleur victime d'une lésion professionnelle à exercer son emploi, un emploi équivalent ou un emploi convenable, compte tenu de ses limitations fonctionnelles[80]. Cette compétence restreint d'autant celle des autres tribunaux en cette matière, notamment celle des arbitres de griefs, sauf en ce qui a trait aux modalités de retour au travail lorsque celles-ci sont prévues,

---

78. Arrêt *Parry Sound*, précité, note.
79. Art. 349 de la LATMP.
80. *Hull* c. *Syndicat des employés municipaux de la Ville de Hull inc.*, D.T.E. 90T-414 (C.A.) ; *Mack Montréal inc.* c. *Brody*, D.T.E. 90T-1256 (C.S.) ; *Union des employés (es) de service, local 298-FTQ* c. *Manoir de la Pointe bleue*, D.T.E. 94T-425 (C.S.) ; *Syndicat des employés de métiers d'Hydro-Québec, section locale 1500* c. *Corbeil*, D.T.E. 99T-276 (C.S.) et *Syndicat des travailleurs (euses) de la Station Mont-Tremblant (CSN)* c. *Viau* [2005] R.J.D.T. 764 (C.S.), requête pour permission d'appeler rejetée le 13 septembre 2005, C.A. 500-099-015739-055. La Cour d'appel a également réaffirmé cette compétence exclusive : *Fraternité nationale des forestiers et travailleurs d'usines, section locale 299* c. *Industries Caron (meubles) inc.* [2004] R.J.D.T.443 (C.A.), par. 33. Dans cette dernière affaire, la Cour d'appel a cependant décidé que l'expiration du délai de deux ans prévu dans la LATMP pour le droit au retour au travail n'autorisait pas, à elle seule, la rupture, par l'employeur, de son lien d'emploi avec le travailleur puisqu'une telle mesure est prohibée par l'article 32 de la LATMP. Elle a réitéré cette position dans l'affaire *Syndicat de la fonction publique du Québec* c. *Société de l'assurance automobile du Québec*, D.T.E. 2005T-782 (C.A.). Malheureusement, la Cour d'appel n'a pas examiné ces questions à la lumière de la Charte québécoise.

le cas échéant, dans une convention collective de travail[81]. Or, ces modalités n'entrent en jeu, selon l'interprétation dominante en jurisprudence, qu'après une décision d'aptitude à retourner au travail[82].

Cette situation a été à l'origine de nombreux conflits lorsque des travailleurs victimes de lésion professionnelle revendiquent auprès de leur employeur, par voie de grief, leur droit à l'accommodement dans le contexte d'une demande de réintégration au travail. S'il est impossible de nier la compétence des arbitres lorsqu'il s'agit de mettre en œuvre le droit à l'égalité, il faut reconnaître que ceux-ci ne peuvent pour autant remettre en question les décisions rendues par les instances de la CSST sur les matières qui relèvent de sa compétence exclusive. L'arbitre de griefs serait donc lié par la décision sans appel portant, par exemple, sur l'incapacité de l'employé à exercer l'emploi qu'il occupait avant de subir une lésion, et ce, même s'il appert que cet emploi aurait pu être modifié pour respecter la capacité résiduelle du plaignant. La question est encore plus complexe si le grief est déposé alors que la CSST n'a pas encore statué sur la capacité du travailleur, ou encore si elle a déterminé que l'employeur n'avait aucun emploi convenable disponible respectant les limitations fonctionnelles du travailleur, auquel cas elle s'est prononcée sur sa capacité à exercer un emploi convenable ailleurs sur le marché du travail et elle a alors établi son plan de réadaptation en conséquence.

L'analyse de la jurisprudence arbitrale portant sur ces questions révèle que les arbitres adoptent des positions fluctuantes. Dans plusieurs décisions, les arbitres de griefs ont considéré qu'ils n'avaient aucune compétence *rationae materiae*, dès lors que les questions soumises devant eux les obligeaient à statuer sur la capacité d'un travailleur victime d'une lésion professionnelle à exercer son emploi, un emploi équivalent ou un emploi convenable puisque ces questions relèvent de la compétence exclusive de la CSST[83]. Selon cette interprétation, la CSST est seule compétente pour déterminer les « accommodements » dont doivent bénéficier les personnes handicapées à la suite d'une lésion

81. Art. 244-246 de la LATMP.

82. *Corporation Urgences-Santé* c. *RETAQ (CSN)* [1997] T.A. 136 ; *Centre jeunesse de l'Outaouais* c. *Syndicat québécois des employées et employés de service, section locale 298 (FTQ)*, D.T.E. 98T-140 (T.A.) et *Centre hospitalier de St. Mary* c. *Fédération des infirmières et infirmiers du Québec*, A.A.S. 98A-259 (T.A.).

83. *Fruit of the Loom inc.* c. *Syndicat canadien des communications, de l'énergie et du papier*, D.T.E. 2003T-289 (T.A.) ; *Centre hospitalier de St. Mary* c. *Fédération des infirmières et infirmiers du Québec*, *id.* ; *Corporation Urgences-Santé* c. *RETAQ (CSN)*, *id.* ; *Centre jeunesse de l'Outaouais* c. *Syndicat des employées et employés de service, section locale 298 (FTQ)*, *id.* ; *Syndicat des travailleurs et travailleuses du Provigo Sept-Îles (CSN)* c. *Provigo Distribution inc.*, D.T.E. 2005T-898 (T.A.).

professionnelle, de telle sorte que l'employeur qui se conforme aux décisions de la CSST en cette matière se trouve à remplir du coup son obligation d'accommodement[84].

Dans une sentence arbitrale récente qui a été confirmée par les tribunaux supérieurs, l'arbitre Louise Viau distingue les règles applicables selon qu'un travailleur s'est absenté en raison d'une maladie non liée à son travail ou d'une lésion professionnelle. Elle écrit ceci au sujet de la compétence de l'arbitre dans ce dernier cas :

> Dans un tel cas [lésion professionnelle], pour les raisons invoquées plus haut, toute la question du droit de retour au travail échappe à la compétence de l'arbitre de grief. Dès lors, il ne lui appartient donc pas de se pencher sur la compatibilité des règles concernant le droit de retour au travail du travailleur accidenté qu'édicte la Loi sur les accidents du travail et les maladies professionnelles avec le devoir d'accommodement prévu à la Charte des droits et libertés de la personne.
>
> Il appert que l'employeur n'a fait que se conformer à la Loi sur les accidents du travail et les maladies professionnelles comme il en a l'obligation. Telle qu'elle existe actuellement, la loi prévoit le régime décrit ci-dessus et le retour au travail d'un salarié accidenté chez son employeur se fonde sur l'existence d'un emploi qui soit à la fois convenable et disponible (art. 236 et 239 LATMP). Si ce régime devait être jugé incompatible avec la Charte des droits et libertés de la personne, il n'appartient pas à un arbitre de grief d'en décider. Il lui appartient encore moins de s'immiscer dans la recherche de ce qui constituerait un emploi convenable comportant des accommodements raisonnables si, en tenant compte des exigences normales des fonctions, aucun emploi convenable n'existe chez l'employeur[85].

Cependant, d'autres arbitres, sans nier la compétence exclusive de la CSST pour se prononcer sur la capacité du travailleur, ont considéré qu'ils avaient compétence pour déterminer si l'employeur s'était conformé à son obligation d'accommodement, et ce, même dans le contexte d'un accident du travail[86]. Dans une affaire récente, la Cour d'appel confirmait la décision

---

84. *Syndicat des employés (ées) du Centre d'accueil de Gatineau* c. *CLSC/CHSLD de Gatineau* [2003] R.J.D.T.1513 (T.A.) ; *Olymel Magog société en commandite* c. *Travailleuses et travailleurs unis de l'alimentation et du commerce, section locale 500,* D.T.E. 2003T-793 (T.A.) et *Syndicat de la fonction publique du Québec inc.* c. *Société des établissements de plein air du Québec (SEPAQ)*, D.T.E. 2006T-496 (T.A.), requête en révision, C.S. 200-17-007039-068.

85. *Syndicat des travailleurs (euses) de la Station Mont-Tremblant (CSN)* c. *Station Mont-Tremblant* [2005] R.J.D.T. 360 (T.A.), par. 79-80, requête en révision rejetée : [2005] R.J.D.T. 764 (C.S.), requête pour permission d'appeler rejetée le 13 septembre 2005 : C.A. 500-09-015739-005.

86. Voir notamment : *Syndicat de la fonction publique du Québec (SFPQ-Unité ouvriers)* c. *gouvernement du Québec (ministère des Transports)*, D.T.E. 2006T-497 (T.A.).

d'un arbitre enjoignant à l'employeur de procéder à un véritable effort d'accommodement, dans le contexte d'une demande de réintégration à la suite d'une lésion professionnelle. Il faut dire que, en l'espèce, la convention collective prévoyait des modalités de retour au travail favorisant le maintien du lien d'emploi. De plus, selon l'interprétation de l'arbitre, la CSST n'avait pas clairement déclaré l'employé inapte au travail qu'il accomplissait avant de subir une lésion, mais elle soulignait plutôt la nécessité d'une réorganisation des tâches afin de respecter les limitations fonctionnelles[87].

Enfin, certains arbitres s'autorisent à traiter de l'obligation d'accommodement de l'employeur dès lors que cette question ne les oblige pas à contredire les décisions rendues par la CSST dans le contexte du processus de retour au travail. À titre d'exemple, dans *Qualum* c. *Vitriers et travailleurs du verre, section locale 1135 (FTQ)*[88], l'arbitre refuse d'envisager la réintégration de la salariée victime d'une lésion à son poste, ce dernier étant jugé incompatible avec ses limitations fonctionnelles par la CSST. Par contre, il se déclare compétent pour évaluer si l'employeur a rempli son obligation d'accommodement à l'égard d'autres postes susceptibles de respecter les limitations fonctionnelles établies par la CSST. Les arbitres seront généralement plus portés à intervenir lorsque le délai d'exercice du droit au retour au travail est expiré, car ils estiment que le travailleur peut alors exercer son droit au grief afin de revendiquer un emploi adapté à ses limitations[89].

Dans une affaire récente[90], l'arbitre Denis Tremblay adopte, pour sa part, une approche pour le moins originale selon laquelle l'arbitre serait compétent pour entendre un grief déposé entre le moment où l'employé est déclaré incapable d'exercer l'emploi qu'il occupait avant de subir une lésion en raison de ses limitations fonctionnelles et celui où la CSST se prononce sur sa capacité

---

87. *Commission scolaire des Découvreurs* c. *Syndicat du personnel de soutien scolaire des Découvreurs (CSN)*, Mᵉ Francine Beaulieu, T.A. 2003-03-31, requête en révision rejetée : D.T.E. 2004T-58 (C.S.), appel rejeté : D.T.E. 2005T-544 (C.A.).

88. *Qualum* c. *Vitriers et travailleurs du verre, section locale 1135 (FTQ)*, D.T.E. 2004T-1085 (T.A.). Voir également : *Guindon* c. *Banque Nationale du Canada*, D.T.E. 2002T-86 (T.A.) ; *Syndicat québécois des employées et employés de service, section locale 298 (FTQ)* c. *Hôpital Douglas* [2005] R.J.D.T. 988 (T.A.) et *Centre de santé et de services sociaux Québec-Nord (Centre d'hébergement St-Augustin)* c. *Syndicat des employées du Centre d'hébergement St-Augustin*, D.T.E. 2007T-268 (T.A.).

89. *Métallurgistes unis d'Amérique, section locale 12655* c. *Industries Moody inc.*, D.T.E. 2003T-700, 4 juin 2003 (J.-G. Clément, arbitre) (T.A.) et *Syndicat canadien de l'énergie et du papier, section locale 160-Q* c. *Duchesne et Fils ltée* [2001] R.J.D.T. 2059 (T.A.).

90. *Association des musiciens et musiciennes de l'Orchestre symphonique de Québec* c. *Orchestre symphonique de Québec*, Mᵉ Denis Tremblay, T.A. 2006-03-27, requête en révision judiciaire : C.S. 200-17-006948-061.

à réintégrer cet emploi, moyennant la mise en place d'une mesure de réadaptation :

> Pour conclure, je crois opportun d'écrire que la présente affaire représente un cas parfait qui montre que l'application de la loi comporte une étape à l'article 169, soit au moment où le salarié est déclaré incapable d'occuper son emploi prélésionnel, qui donne ouverture à l'intervention de la CSST, mais sur laquelle cette dernière n'a pas une emprise totale puisque « réadaptation » et « accommodement » ne sont pas synonymes. C'est là que l'arbitre peut jouer son rôle et faire en sorte que, avant de confirmer à la CSST qu'il lui est impossible de réintégrer son employé sur son poste prélésionnel même adapté, l'employeur assume son devoir d'accommodement[91].

Évidemment, une telle compétence « morcelée » présente des inconvénients pratiques importants, sinon insurmontables, notamment par la multiplicité des instances auxquelles le travailleur devrait s'adresser afin de faire valoir ses droits. Par contre, cette insistance des arbitres à chercher prise à l'égard de l'obligation d'accommodement dans le contexte d'une lésion professionnelle témoigne certainement de leur réticence à cautionner un régime qui confère aux travailleurs handicapés à la suite d'un accident du travail ou d'une maladie professionnelle des droits moins avantageux qu'aux travailleurs handicapés en raison d'une condition personnelle.

Or il apparaît difficile de voir, dans cette dichotomie, une conséquence du régime transactionnel de la LATMP. D'abord, le législateur n'a donné aucune indication selon laquelle il entendait soustraire le régime de réparation de l'application des dispositions de la Charte québécoise, notamment en ce qui concerne le droit à l'égalité. En conséquence, même si le droit relatif à la LATMP apparaît aujourd'hui autonome, libéré des principes de responsabilité émanant du droit commun[92], rien ne justifie pour autant que l'interprétation de ce régime s'effectue dans un vide juridique. À cet égard, la mise en œuvre de la Charte québécoise peut parfois exiger des interventions qui ne relèvent nullement de la responsabilité civile et qui, par conséquent, ne sont pas incompatibles avec la prohibition des recours prévus dans le régime de la LATMP. Dans l'arrêt *Québec (Commission des droits de la personne et des droits de la jeunesse)* c. *Communauté urbaine de Montréal*[93], la Cour suprême a bien mis en évidence la distinction qu'il fallait apporter à ces diverses formes de réparation. Tenant compte des principes bien établis de droit public qui excluent

91. *Id.*, par. 196.
92. B. Cliche, S. Lafontaine et R. Mailhot, *Traité de droit de la santé et de la sécurité au travail*, Cowansville, Yvon Blais, 1993, p. 36 et l'arrêt *Béliveau St-Jacques*, précité, note, par. 114.
93. *Québec (Commission des droits de la personne et des droits de la jeunesse)* c. *Communauté urbaine de Montréal* [2004] 1 R.C.S. 789.

la possibilité de tout recours en dommages-intérêts à l'encontre de l'administration publique lorsque des lois sont déclarées constitutionnellement invalides, la Cour suprême a en effet affirmé que cette exclusion ne prohibait aucunement l'imposition d'obligations de faire ou de ne pas faire, destinées à corriger ou à empêcher la perpétuation de situations incompatibles avec la Charte québécoise[94]. En l'espèce, afin de réparer une situation jugée discriminatoire, elle ordonnait à l'employeur de réexaminer la candidature d'un employé sans tenir compte de son handicap. Ce même raisonnement pourrait fort bien fonder la compétence de la CLP à ordonner à un employeur d'examiner la possibilité d'offrir un emploi convenable à un travailleur victime d'une lésion professionnelle en tenant compte de son obligation d'accommodement.

Ensuite, il serait également périlleux de prétendre que le désavantage subi par les travailleurs victimes d'une lésion professionnelle à l'égard du maintien de leur lien d'emploi résulte du compromis social maintenu et actualisé par le législateur, en 1985, compte tenu non seulement que le droit à l'accommodement n'existait pas à cette époque mais que le législateur avait clairement exprimé sa volonté de conférer aux travailleurs accidentés un droit au retour au travail exorbitant du droit commun. À cet égard, dans le contexte d'une clause prévue dans une convention collective de travail accordant aux employés absents pour raison de santé (à l'exclusion de ceux qui sont victimes d'une lésion professionnelle) un droit au maintien de leur lien d'emploi pendant une durée maximale prédéterminée, la Cour suprême rappelait récemment que des dispositions, même négociées dans l'intérêt mutuel des parties, n'exonéraient pas l'employeur de procéder à une démarche individualisée afin de satisfaire à son obligation d'accommodement[95]. Aussi, et même si le libellé de certaines dispositions législatives prévues dans le régime de réparation des lésions professionnelles s'harmonise plus ou moins bien avec l'obligation d'accommodement, il nous semble que l'interprétation de cet ensemble législatif devrait, de la même manière, favoriser le droit à l'égalité.

Dans cette perspective, le droit au retour au travail du travailleur victime d'une lésion professionnelle devrait imposer à l'employeur la réalisation d'un exercice complet qui impliquerait une analyse sérieuse des limitations fonctionnelles du travailleur et des postes existants à l'intérieur de l'entreprise et

---

94. *Id.*, par. 26.
95. Il s'agit là de l'opinion émise par la majorité dans l'arrêt *Centre universitaire de santé McGill (Hôpital général de Montréal)* c. *Syndicat des employés de l'Hôpital général de Montréal*, 2007 CSC 4. Notons toutefois que trois juges ont plutôt émis l'opinion que la clause n'était pas discriminatoire en soi, de sorte que l'employeur n'avait pas à justifier sa décision de l'appliquer d'une manière automatique.

compatibles avec ces limitations. Cette analyse devrait tenir compte de la possibilité de modifier un poste de travail pour l'adapter à la capacité résiduelle du travailleur, sous réserve d'une contrainte excessive[96]. La CSST possède les ressources et l'expertise nécessaires afin de faciliter cette démarche et elle dispose d'instruments financiers susceptibles de permettre l'adoption de mesures qui seraient autrement irréalisables. Il s'agit donc certainement de l'instance la plus appropriée pour statuer sur l'ensemble des questions entourant le retour au travail d'un travailleur victime d'une lésion professionnelle, d'autant plus que ses décisions conditionneront la mise en œuvre des programmes de réadaptation qu'elle administre. La multiplicité des instances compétentes risque au contraire d'entraîner des décisions contradictoires, sans compter le versement d'indemnités et la mise en place de mesures de réadaptation qui peuvent se révéler inappropriées. De plus, la compétence de la CSST afin d'examiner les mesures d'accommodement s'avère essentielle pour les travailleurs non syndiqués qui disposent de recours plus limités pour revendiquer leurs droits en cette matière.

Dans la mesure où il est admis que le droit au retour au travail selon la LATMP doit être exercé dans le respect du droit à l'égalité, toute la dynamique de la mise en œuvre des recours s'en trouverait modifiée. En effet, la CSST devrait répondre davantage de ses actions lorsqu'elle rend une décision portant sur la capacité du travailleur d'exercer son emploi ou un emploi convenable. De son côté, l'employeur qui omet de participer à l'effort d'accommodement pourrait être sanctionné par l'entremise de l'article 32 de la LATMP. En effet, dans la mesure où les obligations découlant de la Charte québécoise en matière d'accommodement sont intégrées dans la LATMP, nous croyons qu'un manquement à ces obligations doit être considéré comme une « mesure discriminatoire » prohibée par cette disposition. À cet égard, la position de la Cour d'appel dans l'affaire *Mueller* devrait être limitée au cas d'espèce qui lui était soumis, sinon carrément répudiée. Enfin, les mêmes considérations devraient susciter une interprétation libérale, plutôt que restrictive, des pouvoirs d'ordonnance de la CLP en vertu de l'article 257 de la LATMP.

96. Il est intéressant de remarquer que plusieurs provinces canadiennes ont intégré l'obligation d'accommodement dans leur législation en matière de réparation des accidents du travail et des maladies professionnelles. Voir : K.D. MacNeill, *The Duty to Accommodate in Employment*, Aurora, Ontario, Canada Law Book, 2006, p. 8-1 – 8-5.

5. CONCLUSION

Le droit à l'égalité est un droit fondamental qui transcende dorénavant les conventions collectives, mais aussi l'ensemble de la législation du travail. La LATMP constitue le dernier bastion de résistance puisque les instances de la CSST, que la Cour d'appel refuse de désavouer, résistent à ce qu'elles perçoivent comme un envahisseur.

Cette réticence, fondée sur le principe de l'autonomie de cet ensemble législatif, nous apparaît injustifiée et contraire à l'objet même de ce régime, qui veut favoriser le retour au travail du travailleur handicapé chez son employeur. L'intégration de l'obligation d'accommodement dans le régime de la LATMP apparaît non seulement nécessaire pour donner effet au droit à l'égalité, mais elle est également souhaitable puisque les instances de la CSST possèdent l'expertise et les ressources permettant de faire cheminer l'employeur dans la recherche de solutions fructueuses. De plus, à l'ère où le coût des régimes sociaux devient de plus en plus difficile à soutenir et, partant, à justifier, il nous semble difficile de reconnaître que les employeurs pourraient être autorisés, par l'effet de la LATMP, à échapper à leurs responsabilités à l'égard de la réintégration de leurs employés en contrepartie d'un « dédommagement » monétaire. Nous estimons plus logique de considérer qu'il faut favoriser les efforts d'accommodement des employeurs et que ces efforts doivent être au moins aussi grands envers les employés qui sont handicapés en raison d'une lésion professionnelle survenue au sein de leur entreprise qu'à l'égard de ceux dont le handicap résulte d'une maladie personnelle.

Il va de soi qu'une intervention législative serait souhaitable en vue de clarifier la situation, d'harmoniser la LATMP avec les obligations de la Charte québécoise et de bien indiquer aux employeurs l'étendue de leurs responsabilités en matière d'accommodement. Toutefois, en attendant une nouvelle actualisation du régime, nous croyons que la CSST et la CLP, à l'instar des autres organismes et tribunaux spécialisés, devraient interpréter les dispositions qu'elles sont chargées d'appliquer de façon à donner plein effet au droit quasi constitutionnel à l'égalité.

Soutenir le perfectionnement de compétences par la conception d'aides à l'apprentissage sur le cours de vie professionnelle[1]

PIERRE-SÉBASTIEN FOURNIER
Chaire en gestion de la santé et de la sécurité du travail
Département de management, Faculté des sciences de l'administration, Université Laval

1. INTRODUCTION

Dans un contexte de profondes transformations du travail et des modes de production (Giles et coll. 1999), la formation de la main-d'œuvre joue un rôle stratégique dans la gestion des ressources humaines et des organisations. Les mutations économiques, politiques et sociales auxquelles sont confrontés les milieux de travail obligent les organisations et la main-d'œuvre qui les anime à constamment faire preuve de flexibilité, c'est-à-dire être capables de s'adapter aux variations de la demande et du marché (Dubé et Mercure 1999). La formation, qu'elle soit initiale ou continue, représente alors un outil essentiel au perfectionnement des compétences de la main-d'œuvre et, par le fait même, de la compétitivité des organisations (Bernier 1999; Blanchard et Thacker 1999). Dans cette perspective, elle joue un rôle d'accompagnement et d'adaptation aux fluctuations qui affectent les milieux de travail.

Par contre, un des défis importants qui se pose aux intervenants en formation et aux spécialistes en ressources humaines consiste à aménager des formations qui répondent adéquatement à la réalité du travail. Trop souvent, la formation est dominée par un enseignement livresque et magistral où il y

1. Cet article a été initialement publié dans *Relations industrielles / Industrial Relations*, vol. 69, nº 4, 2004, p. 744-768. Reproduit avec l'autorisation de l'éditeur.

a acquisition de connaissances scientifiques au détriment de connaissances opérationnelles liées à la pratique (Bourassa, Serre et Ross 1999). Cet écart entre la formation et la pratique de travail se traduit par des problèmes d'application des connaissances et de retombées concrètes de la formation sur les milieux de travail. On assiste alors à l'apparition d'une main-d'œuvre possédant des connaissances techniques sur le système, mais peu sur l'activité de travail (Duarte et Moreth 1998). Un tel constat ne signifie évidemment pas qu'il faut éliminer tout contenu scientifique et technique des formations. Il s'agit plutôt de cibler de nouveaux moyens qui favorisent un rapprochement entre formation et pratique (Resnick 1987).

Cet article explore justement de tels moyens de manière à contribuer à la réalisation sécuritaire et efficace du travail. Il présente une réflexion entourant l'élaboration d'un modèle de conception de la formation visant à enrichir un programme de formation initiale de camionneurs par une plus grande prise en compte de la réalité du travail (Fournier 2003).

Dans un premier temps, nous présenterons trois grandes approches de conception utilisées par les intervenants en formation et les spécialistes en ressources humaines. L'approche de conception retenue exige d'aménager un ensemble de situations d'action qui aide à l'apprentissage sur le cours de vie. Cette approche de conception repose préalablement sur une compréhension de la réalité dans laquelle on désire intervenir. C'est pourquoi la seconde partie décrira la démarche méthodologique utilisée pour documenter la réalité professionnelle des camionneurs. La troisième partie présentera quelques résultats de l'analyse de la formation initiale et du travail des camionneurs. Ces résultats nous amèneront à exposer quelques recommandations de conception émergeant de ces analyses. Finalement, nous présenterons le modèle de conception des situations d'action sur le cours de vie professionnelle résultant de cette réflexion.

2. LES APPROCHES DE CONCEPTION DE LA FORMATION

Nous avons ciblé trois approches qui posent le problème de la conception de la formation : une approche par les compétences des ressources humaines, une approche par le transfert des connaissances de la formation vers la pratique et une approche par la conception de situations d'action sur le cours de vie. L'étude de ces approches permet de préciser la nature et les modalités d'intervention d'une formation en lien avec la réalité du travail.

2.1 L'approche par les compétences des ressources humaines

De façon générale, nous pouvons associer cette première approche aux pratiques de gestion qui tentent, par la formation, d'agir sur les comportements de travailleurs afin de répondre aux contraintes vécues par les organisations. Cette approche répond à un besoin grandissant des organisations pour lequel l'avantage concurrentiel repose sur la capacité à repérer les savoirs, à les transformer et à les intégrer au processus d'affaires de manière à répondre aux contraintes du marché (Jacob 1999). La formation est alors vue comme un outil au service de l'organisation pour canaliser les compétences vers les buts et les stratégies de l'entreprise.

Comment améliorer les organisations par la formation ? Voilà la question à laquelle cherchent à répondre les intervenants en formation et les spécialistes des ressources humaines. Cette démarche a comme point de départ la prise en compte des besoins de l'organisation de manière à déterminer les comportements souhaités dans la pratique. Le processus de conception se présente sous différentes formes (Benabou 1993 ; Sekiou et coll. 1992 ; Archambault et Boutin 1989 ; Laflamme 1999 ; Sims 1998), mais il se base préalablement sur une analyse des besoins. Celle-ci consiste à établir un diagnostic des problèmes de fonctionnement de l'organisation pour les traduire en compétences à acquérir ou à modifier. Ce diagnostic s'établit notamment par l'analyse des données de production, par l'établissement des besoins des gestionnaires, par l'analyse des tâches, mais néglige la réalité des travailleurs visés.

L'approche par les compétences comporte certes des apports non négligeables lorsqu'on s'intéresse à la conception d'une formation. Tout d'abord, en basant spécifiquement son analyse des besoins sur les contraintes et attentes des organisations, elle démontre l'intérêt d'orienter la formation vers ces besoins concrets comme aspects déterminants de la réalité du travail. On pense par exemple à l'importance de former les travailleurs aux procédures prescrites et aux responsabilités légales inhérentes à la tâche. Une telle démarche s'avère également utile à l'occasion de l'introduction de nouvelles technologies ou de nouvelles lois qui nécessitent une adaptation de la main-d'œuvre au contexte environnemental dynamique.

Cependant, cette approche accentue l'écart entre formation et réalité du travail. En effet, en concentrant ses efforts sur les besoins des organisations, elle néglige l'aspect de la pratique vécue par les travailleurs qui font l'objet de cette formation. Par le fait même, elle ignore de façon concrète le savoir ouvrier qui contribue déjà à l'efficacité et à la compétitivité de l'organisation (Jobert 1993). Ce choix repose sur un modèle tayloriste de compétence valorisant une parcellisation et un contrôle du savoir-faire (Le Boterf 2002) dans une tradition d'adaptation et d'intégration des ressources aux besoins de l'organisation (Lacomblez 2001). Il n'est donc pas surprenant que la conception de formations dans cette perspective s'effectue souvent aux dépens des compétences réelles des travailleurs et de la réalité du travail (Dugué 1994). Par le fait même, le potentiel de valeur ajoutée qu'offre l'amélioration des compétences humaines pour l'efficacité et la compétitivité des entreprises s'en retrouve affecté. La solution semble alors se trouver par un rapprochement entre les compétences et la pratique du travail.

2.2 L'approche par le transfert des connaissances de la formation vers la pratique

Cette seconde approche de conception de la formation s'inspire davantage de la psychopédagogie. Contrairement à l'approche précédente, le transfert des connaissances ne se pose pas tant la question des besoins à combler et des compétences à enseigner que celle des conditions favorables à aménager dans la formation pour assurer un rapprochement de la formation et de la pratique. Selon Baldwin et Ford (1988), le « transfert de connaissances » se définit comme la généralisation à la situation de travail, pendant une longue période de temps, de comportements appris dans la formation. Selon ces auteurs, seulement 10 % des compétences enseignées se retrouvent effectivement transférées dans la situation de travail.

Face à cette problématique, les efforts de conception d'une formation visent à établir des conditions et des moyens pour assurer l'application, dans la situation de travail, des connaissances apprises. La formation cherche alors à transformer la situation de travail à travers l'application de compétences jugées optimales. Les conditions et les moyens pour assurer le transfert se regroupent autour de trois niveaux d'intervention : les modalités de réalisation de la formation, les caractéristiques individuelles des apprenants et les conditions environnementales d'application des compétences dans la pratique (Baldwin et Ford 1988). Les modalités de réalisation de la formation concernent l'aménagement de conditions pédagogiques favorables au transfert de connaissances. Par exemple, on peut penser à l'application de principes de continuité et de similarité entre la situation de formation et la situation de travail (Buckley et Caple 1990), à l'accompagnement (Boutinet 2003) ou à l'application de formules d'alternance entre l'école et le milieu de travail (Charlot 1993 ; Pineau 1993). Les caractéristiques individuelles des apprenants réfèrent aux habiletés et compétences préalables de l'apprenant, sa motivation à apprendre et les caractéristiques de sa personnalité comme facteurs de réussite du transfert de connaissances (Baldwin et Ford 1988). Finalement, les conditions environnementales d'application des compétences dans la pratique reposent sur le postulat qu'un contexte organisationnel de travail valorisant la formation est plus susceptible de favoriser le transfert des connaissances. Concevoir une formation implique donc de valoriser la formation dans les entreprises et de favoriser l'application dans la pratique des connaissances acquises (Broad et Newstrom 1992).

L'approche du transfert des connaissances soulève plusieurs aspects intéressants lorsqu'on désire réduire l'écart entre la formation et la pratique de travail. Tout d'abord, elle montre l'importance des conditions dans lesquelles se déroule la formation comme élément essentiel à l'apprentissage. Il ne suffit pas de revoir le contenu de la formation, il faut aussi aménager des conditions pédagogiques optimales qui permettent un apprentissage des compétences et un transfert dans la pratique. Elle implique donc une reconnaissance de problèmes propres à l'activité de formation comme élément déterminant dans le rapport à la pratique de travail. Cette approche montre également l'importance de valoriser la formation dans l'entreprise comme condition essentielle à l'apprentissage. Par le fait même, elle pointe vers l'acquisition de connaissances hors formation.

Par contre, bien que cette approche accorde une importance à la pratique, elle s'intéresse peu à la réalité quotidienne du travail. Les tenants de cette approche se posent peu la question du contenu des compétences à transférer et celle de la fonctionnalité de ces compétences. Les moyens de formation proposés visent surtout à modifier des façons d'être ou d'agir dans la situation de travail sans en considérer les impératifs. En plus des conditions de réalisation de la formation, il faut alors se poser la question du contenu du travail à intégrer dans la formation. La troisième approche se pose la question de l'aide à agir et à apprendre dans les différentes situations de la vie.

2.3 L'approche par la conception de situations d'action sur le cours de vie

Comment aider l'individu à agir et à apprendre en cours de vie? Cette question est abordée par la troisième approche qui s'inspire notamment des méthodes de l'ethnographie. Elle postule que, derrière le problème de la formation et de la pratique, se pose le problème des connaissances pour affronter les situations de la vie. Elle propose d'aménager des outils pour aider les individus à agir et à apprendre sur le cours de vie (Lave 1988; Van Onna 1992). La notion d'aide engendre une transformation dans l'approche de conception. Il ne s'agit plus uniquement de concevoir une formation qui procure un bagage de connaissances à appliquer dans la pratique. Elle vise plutôt à aménager un ensemble cohérent de conditions propices pour aider l'acteur à comprendre les situations vécues et à construire des connaissances sur le cours de sa vie professionnelle. Ainsi, cette approche ne se positionne pas d'un point de vue des besoins de l'organisation, mais plutôt d'un point de vue des besoins de la réalité du travailleur. Elle se situe alors résolument dans un modèle de compétences reconnaissant l'apport de la flexibilité et de la diversité des conduites humaines (Le Boterf 2002).

Le cours de vie se définit comme le processus continu de construction de connaissances à travers les situations d'action pendant la vie. Il signifie que, à moins de maladies particulières, il débute avec la vie et se poursuit jusqu'à la mort (Dewey 1963). Les connaissances ainsi construites composent le savoir d'un individu et sont indissociables de son expérience de vie. Toute action humaine est manifestation d'expériences de vie précédentes et transformation de cette expérience dans la situation vécue (Dewey 1963; Lave et Wenger 1991; Lave 1996). L'apprentissage n'est donc pas exclusif aux situations de formation. Au contraire, il se produit préalablement, pendant et après la formation (De Corte 1992). Dans cette perspective, la notion de cours de vie se distingue de celle de l'apprentissage tout au long de la vie (*life long learning*). Cette dernière renvoie à l'utilisation de la formation tout au long de la vie comme moyen d'aider à l'apprentissage (Dubar 2003). Or, pour la notion de cours de vie, la formation n'est qu'une aide à l'apprentissage parmi d'autres.

D'une part, cette approche de conception signifie de repenser le rôle de la formation initiale sur le processus d'apprentissage dans la vie professionnelle. En effet, l'apprentissage d'une profession ne se limite pas seulement à l'acquisition de connaissances techniques et de connaissances d'une tâche à reproduire; il exige plutôt de s'intégrer à une culture ainsi que d'y participer et de la transformer (Lave et Wenger 1991; Hutchins 1994; Lave 1996). Ce constat entraîne deux types d'aides à l'apprenti. Une aide au plan des conditions de participation de l'apprenant à la formation qui, comme l'indique l'approche du transfert des connaissances, sont garantes de l'apprentissage. Deuxièmement, au plan du contenu de la formation afin d'aider l'apprenti à mieux se préparer à affronter efficacement la réalité complexe de la culture de travail à court terme mais aussi à l'aider « à apprendre à apprendre » à plus long terme à travers sa vie professionnelle.

D'autre part, cette approche signifie de repenser l'ensemble des outils d'aide à l'apprentissage qui ne sont pas du ressort de la formation initiale. À travers ses situations quotidiennes de travail, difficiles ou efficaces, l'individu poursuit son apprentissage. Il s'agit alors de proposer des moyens d'aider le travailleur à réaliser efficacement ces situations de travail. Les moyens de soutenir le travailleur dans ce processus peuvent être des outils techniques, des aménagements organisationnels ainsi que des périodes de formation en cours de vie professionnelle.

Notre réflexion se situe dans cette approche de conception de situations d'action. Pour intervenir efficacement, notre démarche de conception exige, au préalable, de documenter les caractéristiques de l'activité de formation et de l'activité de travail. Une telle analyse assure une conception d'aides adaptées à ces réalités du cours de vie professionnelle.

3. UNE DÉMARCHE POUR DOCUMENTER DES SITUATIONS DU COURS DE VIE

Pour documenter des situations du cours de vie, nous avons ciblé trois courants qui s'intéressent à l'activité humaine comme processus d'apprentissage : le courant de l'apprentissage situé, le courant de la praxéologie et le courant de l'analyse de l'activité. Ces courants partagent trois postulats communs relatifs à l'activité humaine : 1) le savoir qui découle de la pratique est intégré au processus d'action et pose un problème lorsqu'on désire le mettre en mots (Lamonde 1995) ; 2) pour accéder au contenu de la pratique, il faut la mise en place de conditions particulières qui placent le processus d'action du praticien au centre de l'analyse (Bourassa, Serre et Ross 1999) ; 3) l'analyse de la pratique doit être conduite par une personne extérieure qui assiste l'acteur dans son processus de réflexion (Vermersch 1994).

Pour l'apprentissage situé, l'activité humaine est une histoire de production, de transformation et de changement de l'acteur à travers son processus évolutif de participation et d'engagement dans une situation ou un groupe social particulier (Lave et Wenger 1991). Il signifie donc que l'action et l'apprentissage n'ont de sens qu'à travers un processus d'action et une situation donnée. L'analyse de l'activité humaine consiste alors à retracer, en situation réelle, le processus d'action et d'interaction d'un acteur à l'intérieur d'une activité située dans son contexte culturel et historique spécifique (*setting*) (Lave 1988). Cette analyse s'effectue par observation en situation naturelle et par recueil de verbalisations.

De son côté, le courant de la praxéologie propose d'accéder à l'activité par des entretiens conduits par un praticien expérimenté sur des récits passés réels et personnels d'épisodes professionnels qu'il juge inefficaces (Bourassa, Serre et Ross 1999; Serre et Viens 1993). Par cette méthode, le praticien explicite et prend conscience de son activité (*theory in use*) comme outil d'aide à agir plus efficacement, mais également à « apprendre à apprendre » à partir de connaissances mobilisées dans la pratique plutôt qu'en fonction de « théories professées » (St-Arnaud 1995).

Le troisième courant, celui de l'analyse de l'activité en ergonomie, s'intéresse à la formation de deux façons. Tout d'abord, en formant les acteurs de l'entreprise aux principes ergonomiques de manière à favoriser l'amélioration individuelle des conditions de travail (Rabardel *et coll.*1991 ; Teiger et Montreuil 1995 ; Teiger, Lacomblez et Montreuil 1998). Deuxièmement, en documentant finement l'activité d'un opérateur en situation réelle de travail afin d'enrichir la formation et les situations de travail (Lacomblez *et coll.* 1994, Teiger, Lacomblez et Montreuil 1998). Considérant notre problématique, notre intérêt se limite à l'utilisation de l'analyse de l'activité pour enrichir la formation et les situations de travail.

L'analyse de l'activité en ergonomie peut prendre plusieurs formes. Celle retenue consiste à observer et à documenter finement le processus d'action d'un opérateur en situation réelle de travail. Ce processus est à la fois manifestation et construction de savoirs en action (Vion 1993). Plus particulièrement, nous nous sommes inspirés de deux études s'étant intéressées aux modalités de manifestation, mais également de construction des connaissances en action (Vion 1993 ; Châtigny 2001). Ces deux démarches d'analyse de l'activité ont permis de montrer, d'une part, que l'opérateur construit son activité à la fois pour agir et pour apprendre en action. D'autre part, qu'apprendre en action, c'est à la fois manifester des connaissances qui permettent de se donner les moyens d'agir et d'apprendre ainsi que construire de nouvelles connaissances en soi !

Parmi ces trois courants, l'ergonomie et l'apprentissage situé campent leur analyse sur l'observation de l'activité comme un processus continuel de transformation en situation réelle. Cependant, la démarche ergonomique repose habituellement sur des outils d'analyse systématique et rigoureuse. À l'inverse, le courant de l'apprentissage situé propose généralement une démarche plus intuitive et plus flexible. Dans notre analyse, nous avons tenté de tirer profit de ces deux courants afin de respecter les spécificités de la situation de formation et de la situation de travail.

3.1 Documenter la situation de formation

Pour aider l'apprenant tant sur le plan du contenu de la formation que sur le plan des conditions de l'activité de formation, notre analyse visait surtout à comprendre l'activité de l'apprenti (y compris avec les autres acteurs), mais également les éléments du contenu de la formation. Pour ce faire, nous avons opté pour une méthode permettant à la fois l'observation et la participation à l'activité d'apprentis en formation. Il existe plusieurs moyens de combiner observation et participation, le rôle adopté dépend alors du but poursuivi et de la nature du milieu (Hammersley et Atkinson 1983). Nous avons utilisé une méthode « d'observation participante » où le rôle d'observation est connu de tous et ouvert (Junker 1960). Cette méthode permet alors de bien ressentir l'expérience d'apprentissage du métier et ses difficultés tout en permettant une plus grande liberté d'observation des autres acteurs que sont le personnel enseignant et les apprentis. Un tel rôle dans la participation à la formation se veut évidemment dynamique puisque, selon les situations, l'importance de la participation et de l'observation varie.

Cette observation participante s'est effectuée dans le cadre d'un programme de 615 heures (dix-sept semaines) de formation initiale de camionneur dans un centre de formation en transport routier reconnu pour la qualité de son enseignement. La clientèle de ce centre avait peu ou pas d'expérience avec le métier de camionneur. Le programme se déroulait selon cinq grands types d'activités de formation : l'apprentissage de contenu théorique en classe, la réalisation d'ateliers techniques, l'utilisation de camion en circuits internes, la conduite de camion sur routes et, finalement, la réalisation d'un stage de deux semaines en entreprise.

Les informations colligées pour retracer l'activité de formation sont de quatre types : des éléments du contenu de la formation, des épisodes d'interactions d'apprentis avec leurs situations d'action, des épisodes d'interactions entre apprentis et des épisodes d'autoréflexion sur le processus d'observateur participant. Ce dernier élément permet à l'observateur de prendre conscience de ses propres limites émotives et de les documenter afin d'éviter des biais dans l'interprétation de phénomènes (Malinowski 1989).

3.2 Documenter la situation de travail

Documenter l'activité de camionneur visait à la fois à déterminer le contenu du travail à intégrer dans la formation et à cibler les situations de travail à transformer. Pour cela, nous avons opté pour une analyse de l'activité selon une approche ergonomique. Celle-ci consiste à observer un camionneur en action et à recueillir, à partir de conditions particulières, ses verbalisations « ici et maintenant » afin de documenter l'activité d'un point de vue de l'individu engagé dans sa situation et possédant des connaissances (Theureau et Jeffroy 1994).

Au total, 27 embarquements, d'une durée variant de huit heures à dix-neuf heures, ont été réalisés dans quatre grandes entreprises de transport routier des marchandises. Par embarquement, on entend l'accompagnement et l'observation d'un camionneur en situation réelle de travail (conduite et autres activités liées) où celui-ci est encouragé à verbaliser les éléments significatifs de son activité « ici et maintenant ». En plus de ces embarquements, d'autres démarches ont été menées afin de bien saisir l'activité dans son ensemble culturel et organisationnel : 1) des rencontres auprès des représentants syndicaux et patronaux des entreprises concernées ; 2) des rencontres avec des camionneurs autour d'aspects spécifiques de l'activité et de la culture de métier ; 3) l'accompagnement d'un expert en sinistre sur les lieux d'un accident à l'occasion d'une tragédie routière. Finalement, parmi les 27 embarquements, dix ont fait l'objet d'un enregistrement vidéo du camionneur en action. Après chacun de ces embarquements, le camionneur observé était rencontré en entrevue d'*autoconfrontation* (Theureau et Jeffroy 1994).

L'ensemble de cette démarche méthodologique nous a permis d'acquérir une compréhension très fine de l'activité de l'apprenti en formation et de l'activité du camionneur au travail. Cette connaissance détaillée nous a ensuite permis de reconnaître des caractéristiques de ces activités et de déterminer des situations de formation et des situations de travail nécessitant des transformations susceptibles d'aider le cours de vie du camionneur.

4. ANALYSE DE L'ACTIVITÉ D'APPRENTIS EN FORMATION ET DE CAMIONNEURS AU TRAVAIL : QUELQUES RÉSULTATS

Notre analyse de l'activité d'apprentis nous a d'abord permis de constater que le programme de formation s'articule principalement autour de l'apprentissage et de l'utilisation de connaissances liées aux aspects techniques, aux éléments de règles et de procédures ainsi qu'à la réalisation d'opérations de travail. Les aspects techniques concernent des éléments et des principes relatifs aux composantes mécaniques d'un camion, aux principes de dépannage, au fonctionnement et à l'utilisation d'outils électroniques, et bien d'autres. Les aspects de règles et procédures concernent les différentes obligations et procédures prescrites par les lois et règlements qui touchent de près ou de loin le travail du camionneur. La réalisation d'opérations de travail touche diverses tâches associées au travail de camionneur telles la réalisation de l'inspection avant départ (ou ronde de sécurité), de la synchronisation de changements de vitesses et bien d'autres.

En ce qui concerne le travail de camionneur, l'analyse de l'activité révèle de nombreuses contraintes nécessitant des compétences particulières essentielles à la réalisation sécuritaire et efficace du travail. Ces compétences sont liées à la planification du travail, au suivi de l'état psychophysiologique, à la culture du métier, à l'interaction avec les autres usagers, à l'utilisation du territoire et à la gestion de l'état mécanique.

Dans le cadre de cet article, nous limiterons notre présentation des résultats aux caractéristiques associées à la gestion de l'état mécanique des véhicules et à la prévention de leur détérioration mécanique. Dans un premier temps, nous présenterons des caractéristiques de la réalisation et de l'apprentissage de la vérification avant départ (ou ronde de sécurité) par des apprentis en activité de formation. Par la suite, nous exposerons des modalités de suivi de l'évolution mécanique des véhicules documentées auprès de camionneurs dans des situations réelles de travail. Ces résultats permettront ainsi d'illustrer le rôle de l'analyse empirique dans la construction du modèle de conception.

4.1 Activité de l'apprenti en formation

Par son aspect réglementaire et son rôle d'amélioration de la sécurité des véhicules, la vérification avant départ représente un élément important du processus d'apprentissage du métier de camionneur. Comme son nom l'indique, celle-ci consiste à réaliser quotidiennement une routine de vérification de composantes mécaniques jugées essentielles au bon fonctionnement du véhicule. Par l'apprentissage et la réalisation de cette routine, l'apprenti doit s'assurer du bon fonctionnement des composantes et doit déceler les détériorations mécaniques mineures ou majeures afin de prendre les mesures appropriées face à un problème détecté.

L'accent est alors mis sur l'apprentissage et l'intégration d'une démarche standardisée de vérifications des composantes visées par la réglementation. Dans ce contexte, l'apprenti se préoccupait surtout de suivre le plus fidèlement possible la procédure apprise sans en oublier les diverses étapes. Le raisonnement des apprentis consistait principalement à se demander : 1) quelle composante faut-il vérifier après celle-ci ? 2) en ai-je oublié une ? Ainsi, réaliser la vérification, c'est d'abord et avant tout appliquer la procédure en suivant l'ordre logique établi dans la réalisation de la routine. Par exemple, vérifier l'état des roues, des boulons, des pneus et ensuite vérifier l'état de la suspension.

Au-delà des étapes de cette routine, la réalisation d'une démarche de vérification mobilise chez l'apprenti un ensemble de compétences essentielles à son application. Ces compétences sont notamment issues d'expériences antérieures acquises à l'occasion d'activités précédentes en classe, en atelier ou lors d'activités pratiques. Parmi les compétences ciblées, on note des connaissances sur le fonctionnement mécanique du moteur, des freins, des pneus, de la suspension et du camion en général, mais également sur les procédures dictées par la vérification d'avant départ, les problèmes à surveiller et la perception de l'importance de la vérification sur la réussite du travail. Par exemple, une des étapes de la procédure consiste à vérifier la suspension du camion. À travers la réalisation de cette étape, nous avons pu documenter des manifestations de connaissances relatives à la reconnaissance du système de suspension (lattes ou système à air) et de son emplacement. De plus, selon le type de suspension en cause, l'apprenti oriente sa vérification en fonction de détériorations potentielles à détecter. Ainsi, sur une suspension à lattes, une détérioration se manifestera par une fissure lorsqu'on observe la suspension de façon latérale. Finalement, l'apprentissage de cette procédure s'accompagne d'une perception de la vérification avant départ comme d'un élément essentiel à la réussite du travail.

En plus de ces compétences issues de la formation, nous avons observé des différences interindividuelles importantes à travers l'activité du groupe d'apprentis. Ainsi, certains individus étaient très familiers avec la mécanique du camion, notamment un mécanicien, alors que d'autres en étaient à leurs premières armes. Ce constat met en évidence des performances très différentes dans la réalisation d'une activité de vérification avant départ. Il confirme également le rôle des expériences hors formation dans la réalisation d'une activité de formation et, par le fait même, de l'apprentissage qui en découle.

La réalisation de l'activité de vérification opère également une transformation de l'expérience. Tout d'abord, l'apprenti améliore l'efficacité de son application de la procédure notamment sur le plan de sa capacité à cibler les éléments et les problèmes potentiels. Au début, par exemple, pour vérifier les roues, il regardait si les boulons étaient présents et si la roue n'était pas endommagée sans trop savoir, concrètement, comment faire. La réalisation de l'activité l'a amené à élaborer une façon de procéder qui détermine ses actions futures. Il transforme également sa perception du fonctionnement mécanique d'un camion. En cours de formation, l'apprenti fait l'apprentissage d'un ensemble d'éléments indirectement liés à la vérification. Ses premiers contacts réels avec le fonctionnement du camion l'ont alors amené à construire de nouveaux savoirs. Par exemple, en utilisant ses connaissances sur la vérification et sur les composantes mécaniques, l'apprenti peut voir comment tout cela s'articule ensemble. Finalement, par la réalisation de cette activité pratique, l'apprenti élabore une nouvelle perception de la vérification, mais également de la réalité du travail du camionneur.

À travers la description de cette activité de formation, on constate l'apport appréciable de celle-ci dans l'acquisition de compétences pour l'application de la procédure de vérification avant départ. D'autres compétences tout aussi importantes sont acquises à travers cette activité. Parmi celles-ci, notons des connaissances générales sur les principes de fonctionnement des principales composantes mécaniques du véhicule ainsi que sur les modalités d'utilisation et de conduite du camion.

Malgré ces apports indéniables pour l'apprentissage, l'activité de vérification comporte des difficultés éprouvées par les apprentis. Tout d'abord, bien que notre analyse ait permis de mettre en évidence le lien étroit entre la réalisation de cette activité et l'utilisation d'expériences antérieures, l'activité de formation exploite peu cette ressource. Ainsi, les apprentis ne voyaient pas nécessairement de liens clairs entre l'exercice en cours et les apprentissages précédents. Par exemple, les apprentis portaient leur attention à l'application fidèle de la procédure prévue de vérification sans réellement prendre conscience des connaissances sur les principes de fonctionnement mécanique du camion. Ainsi, lorsque la procédure dicte de vérifier la présence d'une fuite d'air dans le système pneumatique des freins, les apprentis étaient amenés à exécuter cette procédure. Pourtant, au cours de séances précédentes, les apprentis avaient acquis des connaissances relativement détaillées de ce système qui, grâce à des liens plus explicites, auraient permis à plusieurs de surmonter leurs difficultés de réalisation de la vérification.

Une seconde difficulté relative à l'activité de vérification avant départ est apparue aux apprentis au cours de leur stage. Alors que, en cours de formation, ils avaient acquis une très bonne capacité à réaliser la procédure, les apprentis ont été frappés par la différence observée avec la procédure apprise. Les apprentis subissaient notamment une pression pour agir plus vite dans un contexte de contraintes temporelles et d'impératifs de livraison. Cet écart en a amené plusieurs à mettre en doute la pertinence de leur formation pour la réussite du travail. De plus, certains apprentis ont progressivement délaissé la procédure apprise au profit d'une démarche plus superficielle et moins efficace.

4.3 Activité du camionneur au travail

Les résultats de l'analyse de l'activité du camionneur et de sa gestion de l'état mécanique du camion nous révèlent une réalité fort différente de celle apprise en formation. La gestion de l'état mécanique du véhicule se caractérise par trois grandes catégories d'actions du camionneur dans la réalisation de son travail : 1) caractériser les diverses composantes mécaniques et déterminer les conditions d'utilisation en fonction du travail à réaliser ; 2) suivre l'évolution dynamique des composantes du camion, et 3) agir sur le processus de transformation de l'évolution dynamique du camion.

4.3.1 Caractériser les diverses composantes mécaniques et déterminer les conditions d'utilisation en fonction du travail à réaliser.

En réalisant cette gestion, le camionneur sait que l'état mécanique de son véhicule va constamment évoluer en cours de journée selon les conditions vécues. Par exemple, dans une longue descente avec une lourde charge par une journée chaude, le camionneur portera une attention particulière au réchauffement des freins. Ainsi, la vérification d'avant départ ne lui suffit pas puisque l'état statique du véhicule au départ d'un parcours se transforme de façon continue dans l'activité. Par la vérification avant départ, le camionneur ne recherche pas uniquement les défaillances majeures ou mineures, mais veut surtout évaluer le fonctionnement des composantes mécaniques et leurs conditions d'utilisation en fonction des situations d'action attendues. Par exemple, en prenant possession d'un véhicule ou d'une nouvelle charge, le camionneur détermine le type de marchandise transportée et son état, la stabilité et la répartition de la charge, l'état du camion et de sa semi-remorque, le comportement du camion ou de ses composantes en prévision de l'utilisation attendue. Ainsi, selon les caractéristiques observées, il se préoccupera davantage de certaines composantes plutôt que d'autres jugées moins déterminantes pour l'activité à réaliser.

4.3.2 Suivre l'évolution dynamique des composantes du camion.

En se transformant, les différentes composantes du camion manifestent des signes particuliers qui permettent au camionneur de suivre cette évolution dynamique. Par exemple, en se réchauffant, les freins émettent un crissement et plus ils se réchauffent plus l'intensité du bruit augmente. Effectuer une gestion de l'état mécanique, c'est donc demeurer attentif tout au long du parcours à la manifestation de signes qui témoignent de transformations. Cette action se traduit par une disposition sensorielle du camionneur à percevoir des signes de transformation. Dans la majorité des cas, la recherche de signes demeure diffuse puisque tout se passe normalement, mais, à travers cet état de préparation à percevoir des signes, le camionneur suit l'évolution de son camion et de ses composantes. En fonction des signes constatés et de la situation vécue, il se construit une compréhension de l'état dynamique de son véhicule et de sa charge pour agir avec son camion avant qu'il ne soit trop tard.

4.3.3 Agir sur le processus de transformation de l'évolution dynamique du camion.

Le camionneur n'est pas seulement passif par rapport aux transformations de son véhicule, il intervient fréquemment sur son utilisation soit pour protéger des composantes ou pour influencer une transformation en cours. La façon dont le camionneur utilisera son camion et ses composantes aura un impact sur l'évolution dynamique du véhicule. Plus la sollicitation sera importante, plus le camion et sa charge se transformeront rapidement. Intervenir sur l'utilisation du camion, c'est d'abord minimiser la sollicitation du véhicule et éviter des sollicitations susceptibles de créer des conditions potentiellement détériorées. Par exemple, à l'approche d'une longue descente avec une lourde charge, il réduit progressivement sa vitesse de manière à aborder la descente en minimisant l'utilisation des freins. Ainsi, en cas de besoin, les freins sont en condition optimale et le camionneur peut facilement immobiliser son véhicule sans trop solliciter les composantes mécaniques.

La réalisation de ce processus de gestion de l'état mécanique du camion mobilise un ensemble de compétences essentielles à l'accomplissement efficace du travail. Parmi celles-ci, notons la capacité à voir l'état mécanique du véhicule comme un continuum de transformation en fonction de l'utilisation, la compréhension du fonctionnement mécanique de différentes composantes du camion et leurs manifestations de transformation, la disposition sensorielle à percevoir les signes manifestés par les composantes en transformation et les impacts de ses différentes actions ou manœuvres sur l'évolution des composantes mécaniques. D'autres compétences concernent également la connaissance du territoire et de ses caractéristiques, la compréhension des situations conditions vécues et de leur impact sur l'utilisation du véhicule ainsi que la connaissance des caractéristiques du travail à réaliser.

À travers la réalisation de la gestion de l'état mécanique, les camionneurs, même très expérimentés, transforment leur expérience. Ces nouvelles expériences influencent les connaissances sur le fonctionnement des composantes du véhicule, sur les manifestations de transformation, sur les caractéristiques du territoire et sur les façons d'accomplir le travail.

5. INTERVENIR SUR LE COURS DE VIE PROFESSIONNELLE

Les caractéristiques du cours de vie professionnelle reconnues dans l'activité de formation et dans l'activité de travail nous ont permis de repérer des situations efficaces, mais également des situations difficiles inhérentes à ces activités. La compréhension de ces caractéristiques facilite l'établissement des besoins dans une perspective d'aide à l'action et à l'apprentissage du camionneur. Ces besoins se sont matérialisés autour de trois types d'aide et d'intervention: 1) sur les conditions de réalisation de l'activité de formation des apprentis; 2) sur le contenu de la formation; et, finalement 3) sur les conditions de réalisation du travail des camionneurs.

5.1 Les conditions de réalisation de l'activité de formation des apprentis

L'analyse de l'activité en situation de formation nous montre que, à travers la réalisation d'une vérification avant départ, l'apprenti met à profit un ensemble de compétences issues de ses expériences antérieures de formation. Notre analyse signale également que, en étant concentré sur l'application de la procédure, l'apprenti éprouve de la difficulté à voir l'utilité de ses connaissances plus générales (p. ex. sa compréhension des principes de fonctionnement mécanique du camion) pour cette activité. Cette difficulté se répercute alors sur l'efficacité de sa vérification avant départ et, par le fait même, sur l'apprentissage qui découle de son activité.

Dans cette perspective, nous constatons que l'ajout d'activités spécifiquement orientées vers une conscientisation accrue des liens entre les connaissances générales mobilisées dans l'activité et les connaissances plus techniques liées à la procédure aiderait à la réalisation de l'activité. D'une part, l'apprenti réalise mieux l'apport de son expérience dans l'application de la procédure, améliorant ainsi l'efficacité de son action. D'autre part, il reconnaît davantage la cohérence globale entre des éléments plus théoriques et des aspects de la pratique.

5.2 Le contenu de la formation

L'analyse de la formation révèle également des difficultés dans la préparation à affronter la réalité du travail de camionneur. Ainsi, au moment d'effectuer leur stage en entreprise, les apprentis éprouvent des difficultés à appliquer la procédure apprise dans un contexte de fortes contraintes temporelles. Face à ces contraintes, des apprentis ont délaissé la procédure apprise au profit d'une vérification plus superficielle.

Pour surmonter cette difficulté, l'analyse de l'activité de travail apporte un éclairage intéressant. En effet, en formation, la vérification avant départ est perçue comme une activité en soi qui nécessite une démarche normalisée. En situation de travail, cette vérification s'inscrit plutôt dans un processus continu de suivi de l'évolution mécanique du véhicule. La manière de réaliser celle-ci dépendra alors des situations conditions vécues et attendues.

Améliorer le contenu de la formation pour aider l'apprenti ne signifie pas délaisser la procédure. La procédure de vérification avant départ demeure une obligation réglementaire que l'apprenti doit respecter. Cependant, le processus de suivi continu de l'évolution mis en œuvre dans le travail représente une démarche efficace qui mérite d'être intégrée au contenu de la formation. D'une part, cet ajout permet de réduire l'écart entre l'activité de formation et l'activité de travail en préparant mieux l'apprenti à s'intégrer à la réalité du travail. D'autre part, étant sensibilisée à cette réalité, la formation pourra contribuer à améliorer cette pratique de travail en mettant au point des outils de formation utiles à la poursuite des apprentissages en cours de vie.

5.3 Les conditions de réalisation du travail des camionneurs

Finalement, l'analyse de l'activité du camionneur nous révèle un suivi de l'évolution mécanique basé sur la surveillance de composantes bien précises en fonction des situations vécues. Pour l'instant, cette surveillance s'effectue principalement à travers une disposition sensorielle selon les situations vécues. Une façon d'aider le camionneur dans ce suivi de l'évolution consiste à concevoir des outils techniques destinés à fournir des informations plus précises sur l'évolution dynamique du camion et de sa charge en cours de travail, par exemple, l'installation de senseurs permettant le suivi plus précis du réchauffement des freins. Cependant, l'analyse de l'activité révèle également une grande variabilité des décisions d'action selon les situations vécues, par exemple, un réchauffement partiel des freins en région montagneuse est normal alors qu'il ne l'est pas pour d'autres situations. Dans cette perspective, un tel outil ne devrait pas imposer de décisions de conduites aux camionneurs.

6. MODÈLE DE CONCEPTION DE SITUATIONS D'ACTION SUR LE COURS DE VIE PROFESSIONNELLE

À la lumière de ces résultats et compte tenu de l'approche de conception des situations d'action sur le cours de vie dans laquelle nous nous situons, un modèle de conception de formation a été élaboré. Conformément à cette approche, ce modèle propose d'aménager des outils pour aider les individus à agir et à apprendre dans les situations de vie. Il cherche alors à intervenir tant sur le plan de la formation que sur le plan de la situation de travail comme situations du cours de vie professionnelle.

Intervenir sur la situation de formation implique d'agir de deux façons. Premièrement, l'intervention propose des améliorations au plan des conditions de réalisation de la formation comme aide à l'action et à l'apprentissage en situation de formation. Cela supposait, au préalable, de documenter l'activité des apprentis en formation et d'en déterminer les situations efficaces et les situations difficiles. Deuxièmement, elle propose des améliorations au plan du contenu de la formation comme moyen d'aider l'apprenti à affronter la réalité du travail. Cette seconde façon supposait également une connaissance de l'activité de l'apprenti en formation, mais aussi de l'activité de travail du camionneur. L'analyse du travail permet notamment de déterminer les aspects du savoir-faire utilisés par les camionneurs pour surmonter les difficultés du travail et d'enrichir la préparation des apprentis à affronter la réalité du travail.

Intervenir sur la situation de travail signifie d'aider, par différents moyens, le travailleur à agir de façon sécuritaire et efficace à travers ses situations d'action. Tels qu'ils avaient déjà été mentionnés, ces moyens peuvent se matérialiser par de l'assistance technique, des améliorations organisationnelles et de la formation continue tout au long de la vie professionnelle. Ces interventions sont subordonnées aux besoins du cours de vie et supposent une connaissance préalable de la réalité du travail.

Peu importe le type d'intervention, le modèle de conception repose sur une connaissance des caractéristiques du cours de vie. Pour la situation de formation, l'objectif est de connaître la formation actuelle pour la conception et de cibler les stratégies efficaces et celles qui posent problème pour agir et apprendre. En ce qui concerne la situation de travail, l'objectif est de déterminer les aspects de l'activité à intégrer dans la formation et de cibler tant les situations efficaces que celles plus problématiques pour assister l'opérateur dans son travail.

La figure 1 illustre le modèle de conception des situations d'action sur le cours de vie. La flèche horizontale représente le cours de vie professionnelle. La partie supérieure à cette flèche représente les situations du cours de vie à documenter, en l'occurrence l'activité de l'apprenti en situation de formation et l'activité du camionneur en situation de travail. Les descriptions qui découlent de ces analyses sont ensuite utilisées pour proposer des interventions auprès de la situation de formation et de la situation de travail. Les niveaux d'intervention sont présentés sous la flèche du cours de vie professionnelle. Les flèches verticales précisent le type d'aide que permettra une connaissance des caractéristiques de l'activité concernée. Ainsi, l'analyse de la situation de formation permettra d'intervenir sur la situation de formation en termes d'aide à l'apprenti en formation et d'aide à se préparer à la réalité du travail. L'analyse de la situation de travail permettra d'intervenir à la fois sur le contenu de la formation et du travail comme moyens d'aider l'activité en situation de travail.

FIGURE 1

MODÈLE DE CONCEPTION DE SITUATIONS D'ACTION SUR LE COURS DE VIE PROFESSIONNELLE

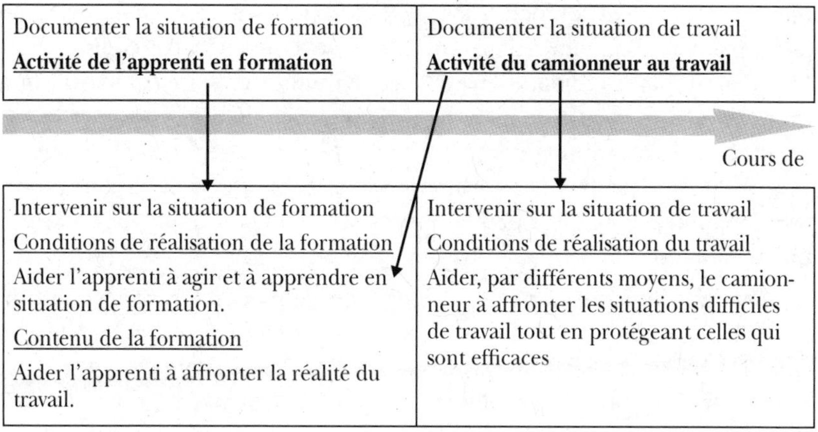

Documenter la situation de formation **Activité de l'apprenti en formation**	Documenter la situation de travail **Activité du camionneur au travail**
Intervenir sur la situation de formation Conditions de réalisation de la formation Aider l'apprenti à agir et à apprendre en situation de formation. Contenu de la formation Aider l'apprenti à affronter la réalité du travail.	Intervenir sur la situation de travail Conditions de réalisation du travail Aider, par différents moyens, le camionneur à affronter les situations difficiles de travail tout en protégeant celles qui sont efficaces

Cours de

7. CONCLUSION

La construction du modèle de conception des situations d'action sur le cours de vie du camionneur montre la pertinence de dépasser le problème de formation pour proposer une approche d'aide à l'apprentissage sur le cours de vie. En effet, derrière un problème de formation se cache un problème beaucoup plus large de conditions de travail et de conditions de formation qui rendent plus difficiles l'action et l'apprentissage. La formation, à elle seule, ne permettant pas de résoudre le problème, la solution se situe alors dans une approche favorisant un ensemble cohérent de moyens dont la formation n'est qu'une solution parmi d'autres. Cet ensemble de moyens vise à intervenir autant sur les situations de formation que sur celles du travail de manière à éliminer, à la source, les obstacles à l'efficacité et à l'apprentissage. Dans cette perspective, la seule prise en compte des contraintes de l'organisation, telles que prônées par l'approche par les compétences, est nettement insuffisante pour l'acquisition de compétences. Par exemple, l'apprentissage de procédures qui ne tiennent pas compte des situations vécues risque, comme nous l'avons observé, d'être abandonné par l'apprenti lorsque l'écart entre la procédure et les contraintes réelles devient trop important. Un tel abandon de la procédure peut alors entraîner des conséquences néfastes tant sur le plan de l'efficacité que de la sécurité du travail.

En plus de la formation de la main-d'œuvre, le modèle de conception de situations d'action sur le cours de vie permet d'entrevoir des retombées sur plusieurs autres fonctions de la gestion des ressources humaines. Ainsi, une meilleure connaissance de la réalité du cours de vie professionnelle peut contribuer à la définition des critères spécifiques de sélection qui reflètent plus précisément les compétences inhérentes à un poste de travail. Nos résultats présentent, notamment, un ensemble de compétences à rechercher et à favoriser chez les candidats. Une telle connaissance procure également une nouvelle perspective sur le plan des mesures disciplinaires à adopter face à des écarts aux procédures prescrites. Nos données sur l'activité du camionneur et la vérification avant départ illustrent bien cette réalité où l'écart aux procédures répond à un besoin opérationnel qu'il ne faut pas éliminer, mais plutôt mieux soutenir.

Au-delà de ces apports de la démarche, le modèle de conception de situations d'action sur le cours de vie professionnelle comporte des limites à considérer. Tout d'abord, le modèle élaboré s'attarde à la situation de formation et à la situation de travail négligent, par le fait même, les situations hors de la vie professionnelle. Pourtant, Châtigny (2001) montre la présence d'apprentissage en situation hors travail qui, par la suite, influence l'activité de travail. Dans cette perspective, la vie privée ou sociale représente un champ d'intervention à intégrer dans un modèle d'aide à l'apprentissage sur le cours de vie professionnelle. De plus, dans le cadre de cette réflexion, nos travaux se sont limités à quelques considérations techniques, d'organisation du travail et de formation. Toutefois, la notion de cours de vie ouvre sur une multitude d'autres possibilités pour aider à l'apprentissage. Mentionnons, à titre d'exemple, des formules tels le « mentorat » (Houde 1995) ou encore des formations offertes à l'occasion de périodes de transition sur le marché du travail jusqu'à la préparation à la retraite.

Finalement, une limite importante de notre modèle de conception concerne la lourdeur de sa démarche qui exige de documenter les différentes situations du cours de vie. En effet, l'utilisation de l'analyse de l'activité présente une démarche systématique et rigoureuse pour documenter les situations d'action. Toutefois, elle s'avère lourde à réaliser dans un contexte pratique de conception de formation. Le côté « sur mesure » de cette démarche suppose à chaque nouvelle formation de documenter l'apprentissage, ce qui, à notre avis, peut difficilement être utilisé à grande échelle. Dans cette optique, notre réflexion s'est déjà portée sur les approches compatibles de l'apprentissage situé et de la praxéologie, mais d'autres efforts sont nécessaires afin d'élaborer un compromis acceptable entre, d'une part, l'aspect systématique de l'analyse et des données qui en découlent et, d'autre part, l'opérationalisation de la démarche avec des impératifs pratiques de perfectionnement des compétences de la main-d'œuvre.

BIBLIOGRAPHIE

ARCHAMBAULT, L. et BOUTIN N. (1989), *Le transfert des apprentissages dans une démarche de formation sur mesure.* Direction générale de l'enseignement collégial, gouvernement du Québec.

BALDWIN, T., Ford, T. et Kevin, J. (1988), « Transfer of Training : A Review and Directions for Future Research ». *Personnel Psychology*, vol. 41, p. 63-105.

BENABOU, C. (1993), « La formation et le perfectionnement des ressources humaines ». *Gestion stratégique et opérationnelle des ressources humaines*, A. Petit et coll. (dir). Montréal, Gaëtan Morin.

BERNIER, C. (1999), « Vers une formation continue de la main-d'œuvre au Québec ? » *Relations industrielles/Industrial Relations*, vol. 54, n° 3, p. 489-502.

BLANCHARD, P.N. et Thacker, J. (1999), *Effective Training Systems, Strategies and Practices.* New Jersey, Prentice Hall.

BOURASSA, B., Serre, F. et Ross, D. (1999), *Apprendre de son expérience.* Sainte-Foy, Presses de l'Université du Québec.

BOUTINET, J.-P. (2003), « Les pratiques d'accompagnement individuel : entre symbole et symptôme ». *Carriérologie*, vol. 9, n° 1, p. 67-78.

BROAD, M.L. et Newstrom, J.W. (1992), *Transfer of Training : Action-Packed Strategies to Ensure High Payoff from Training Investments.* Reading, Mass. : Addison-Wesley Pub. Co.

BUCKLEY, R. et Caple, J. (1990), *The Theory and Practice of Training*, San Diego, Calif., University Associates.

CHARLOT, B. (1993), « L'alternance : formes traditionnelles et logiques nouvelles ». *Éducation Permanente*, vol. 115, n° 2, p. 7-18.

CHÂTIGNY, C. (2001), « La contribution des ressources opératoires, contribution à la conception des conditions de formation en situation de travail ». Thèse de doctorat en ergonomie, Conservatoire national des arts et métiers, 283 p.

DE CORTE, E. (1992), « Fostering the Acquisition and Transfer of Intellectual Skills », *Learning Across the Lifespan : Theory, Research, Policies.* A. Tuijnman et M. Van der Kamp (dir), Oxford, New York, Pergamon Press.

DEWEY, John (1963), *Experience and Education*, New York, Collier Books.

DUARTE, F. et Moreth, B. (1998), « L'analyse ergonomique du travail dans l'industrie de l'habillement : un outil pour la formation des opérateurs de C.A.O. ». *Performances humaines et techniques*, numéro hors série, décembre, p. 126-129.

DUBAR, C. (2003), « Les trois matrices de la formation des adultes en France », Texte de la conférence donnée le 13 juin à l'Université Laval, 12 p.

DUBÉ, A. et Mercure, D. (1999), « Les nouveaux modèles de qualification fondés sur la flexibilité : entre la professionnalisation et la taylorisation ». *Relations industrielles/Industrial Relations*, vol. 54, n° 1, 26-50.

DUGUÉ, E. (1994), « La gestion des compétences : les savoirs dévalués, le pouvoir occulté », *Sociologie du travail*, vol. 3, p. 273-292.

FOURNIER, P.S. (2003), « L'aménagement de situations d'action sur le cours de vie professionnelle du camionneur : un apport à la démarche de conception d'une formation initiale en lien avec l'activité de travail », Thèse de doctorat en relations industrielles, Université Laval, 393 p.

GILES, A., Lapointe, P.A., Murray, G. et Bélanger, J. (1999), « Relations industrielles et nouveaux systèmes productifs : recherche, politiques et pratiques ». *Relations industrielles/Industrial Relations*, vol. 54, n° 1, p. 3-14.

HAMMERSLEY, M. et Atkinson, P. (1983), *Ethnography Principles in Practice*, New York, Tavistock Publications.

HOUDE, R. (1995), *Des mentors pour la relève : essai*, Montréal, Méridien.

HUTCHINS, E. (1994), *Cognition in the Wild*, Cambridge, MIT Press.

JACOB, R. (1999), « La fonction formation et développement de la main-d'œuvre et l'innovation diffuse : quelques pistes de réflexion et d'action », *Relations industrielles/Industrial Relations*, vol. 54, n° 3, p. 472-488.

JOBERT, G. (1993), « Les formateurs et le travail, chronique d'une relation malheureuse », *Éducation Permanente*, vol. 116, n° 3, p. 7-18.

JUNKER, B.H. (1960), *Field Work : An Introduction to the Social Sciences*, Chicago, University of Chicago Press.

LACOMBLEZ, M. (2001), « Analyse du travail et élaboration des programmes de formation professionnelle », *Relations industrielles/Industrial Relations*, vol. 56, n° 3, p. 543-578.

LACOMBLEZ, M., Freitas, T., Ribeiro, A. et Silva, A. (1994), « L'analyse de l'activité lors de la conception de programmes de formation », *Compte rendu du XIIe congrès triennal de l'IEA*. Toronto, 15-19 août, vol. 5, p. 114-116.

LAFLAMME, R. (1999), *La formation en entreprise : nécessité ou contrainte ?* Sainte-Foy, Les Presses de l'Université Laval.

LAMONDE, F. (1995), « L'ergonomie et la participation des travailleurs », *La réorganisation du travail : efficacité et implication*. R. Blouin et coll. dir. Québec, Les Presses de l'Université Laval.

LAVE, J. (1988), *Cognition in Practice : Mind, Mathematics and Culture in Everyday Life*. Cambridge, Cambridge University Press.

LAVE, J. (1996), « The Practice of Learning ». *Understanding Practice Perspectives on Activity and Context*. C. Seth et J. Lave (dir), Cambridge, Cambridge University Press, p. 3-32.

LAVE, J. et Wenger, É. (1991), *Situated Learning : Legitimate Peripheral Participation*, Cambridge, Cambridge University Press.

LE BOTERF, G. (2002), *Développer la compétence des professionnels*, Paris, Éditions d'Organisation.

MALINOWSKI, B. (1989), *Les argonautes du Pacifique Occidental*, Paris, Gallimard.

PINEAU, G. (1993), « Alternance et recherche d'alternatives : histoire de temps et de contretemps », *Éducation Permanente,* vol. 115, nº 2, p. 89-97.

RABARDEL, P., Teiger, C., Laville, A., Rey, P., et Desnoyers, L. (1991), « Ergonomic Work Analysis and Training », *Designing for Everyone : Proceedings of the XIth Congress of International Ergonomics Association, dans* Y. Quéinnec et F. Daniellou (dir.), London, Taylor and Francis, p. 1738-1740.

RESNICK, L.B. (1987), « Learning in School and Out », *Educational Researcher,* vol. 16, nº 9, p. 13-20.

SEKIOU, L., Blondin, L., Fabi, B., Chevalier, F. et Bresseyre Des Horts, C.H. (1992), « Formation et développement », *Gestion des ressources humaines,* Montréal, Éditions 4L, p. 359-404.

SERRE, F. et Viens, C. (1993), « La praxis, une source importante de savoirs pour la recherche et la formation », *Recherche, formation et pratique en éducation des adultes.* F. Serre, dir. Sherbrooke, Éditions du CRP, Université de Sherbrooke, p. 283-338.

SIMS, R.R. (1998), *Reinventing Training and Development,* Westport, Conn., Quorum Books.

ST-ARNAUD, Y. (1995), *L'interaction professionnelle : efficacité et coopération,* Montréal, Presses de l'Université de Montréal.

TEIGER, C., et MONTREUIL, S. (1995), « Les principaux fondements et apports de l'analyse ergonomique du travail en formation », *Éducation permanente,* p. 13-29.

TEIGER, C., LACOMBLEZ, M.et MONTREUIL, S. (1998), « Apport de l'ergonomie à la formation des opérateurs concernés par les transformations des activités et du travail », M.-F. Dessaigne et I. Gaillard (dir), *Des évolutions en ergonomie...* Toulouse, Éditions Octarès.

THEUREAU, J., et JEFFROY, F., coord. (1994), *Ergonomie des situations informatisées : la conception centrée sur le cours d'action des utilisateurs.* Toulouse, Éditions Octarès.

VAN ONNA, B. (1992), « Informal Learning on the Job ». *Learning Across the Lifespan : Theory, Research, Policies,* A. Tuijnman et M. Van der Kamp (dir.), Oxford, New York, Pergamon Press.

VERMERSCH, P. (1994), *L'entretien d'explicitation,* Paris, ESF Éditeur.

VION, M. (1993), « Analyse de l'apprentissage médié « sur le tas » : le cas du travail de guichet à l'hôpital », Thèse de doctorat en ergonomie, Université Paris XIII.

Les conditions favorisant l'élimination de contraintes posturales à la suite d'une formation en ergonomie offerte à des employées de bureau travaillant avec ordinateur[1]

SYLVIE MONTREUIL
Département des relations industrielles, Faculté des sciences sociales, Université Laval, Québec, Canada

LUCIE LAFLAMME
Department of Public Health Sciences, Social Medicine, Karolinska Institute, Stockholm, Suède

CHANTAL BRISSON
Département de médecine sociale et préventive, Faculté de médecine, Université Laval, Québec, Canada

CATHERINE TEIGER
CNRS – Laboratoire G. Friedman ; CNAM – Laboratoire d'ergonomie, Paris, France

1. INTRODUCTION

Plusieurs types d'interventions peuvent concourir à la prévention de problèmes musculo-squelettiques associés au travail avec écran de visualisation. L'amélioration ergonomique des situations de travail, le redesign des postes ainsi que la formation favorisent la prévention des troubles musculo-squelettiques (TMS) (Moon et Sauter, 1996 ; Westgaard et Winkel, 1997). Les symptômes musculo-squelettiques s'avèrent souvent l'indicateur retenu pour

1. Cet article a été initialement publié dans *Work*, vol. 26, nº 2, 2006, p. 157-166. Reproduit avec l'autorisation de l'éditeur.

mesurer l'impact d'action préventive, mais les contraintes posturales sont aussi révélatrices de sources d'inconfort et leur réduction représente un indicateur d'action préventive dans ce domaine (Brisson et coll. 1999 ; Ketola et coll. 2002).

Les réglages optimaux, le choix d'équipements ajustables et des conditions d'utilisation adéquates peuvent avoir un impact majeur dans la prévention des TMS associés au travail avec ordinateur et la formation peut être un moyen efficace pour les déterminer et les mettre en application. Seul l'équipement ne suffit pas : Green et Briggs (1989) ont évalué auprès de 514 utilisateurs d'ordinateur dans quelle mesure ces derniers utilisaient les réglages au poste de travail. Ces auteurs concluent que la présence d'équipements ajustables ne garantit pas, à elle seule, que les utilisateurs vont ajuster leur poste de travail, et ce, même s'ils disposent de documentation écrite à cet effet ; selon ces auteurs, la formation serait l'un des moyens les plus appropriés pour atteindre cet objectif. Mais encore faut-il ajouter que les postes de travail doivent être équipés de composantes ajustables. L'autodiagnostic proposé dans les formations de ce type peut aussi conduire à améliorer les équipements utilisés.

2. LA FORMATION POUR FAVORISER L'ACTION SUR LES CARACTÉRISTIQUES DE L'AMÉNAGEMENT DU POSTE DE TRAVAIL AVEC ORDINATEUR

En ergonomie, l'objectif est d'améliorer les situations de travail en se basant sur des critères de santé, de sécurité et d'efficacité. Deux principaux moyens permettent d'y arriver : 1) l'expert qui analyse et recommande des changements et le milieu de travail applique des recommandations ; 2) des non-experts travailleurs reçoivent une formation pour être en mesure d'analyser eux-mêmes leur poste de travail et, lorsque le contexte le permet, ils peuvent entreprendre des actions pour transformer leur situation de travail (Teiger et Montreuil 1996).

Green et Kreuter (1991) proposent un modèle pour étudier les effets des interventions menées en prévention dans divers milieux. Ils distinguent les effets immédiats, les effets intermédiaires et les effets finaux des interventions. Pour une formation en ergonomie donnée aux utilisatrices d'ordinateur, les effets immédiats correspondent par exemple à l'acquisition de connaissances de la part des participants. Les actions d'aménagement amorcées par les personnes formées et la modification de leur posture de travail qui peut s'ensuivre constituent des exemples d'effets intermédiaires et la diminution de la prévalence des symptômes musculo-squelettiques représente un exemple d'effets finaux d'un tel programme. Cet article s'intéresse aux effets intermédiaires d'une formation donnée à des utilisatrices d'ordinateur en vue d'une meilleure compréhension de ce qui peut conduire à la réduction des contraintes posturales à partir d'actions entreprises par des personnes formées à des principes d'ergonomie associés au travail à l'ordinateur.

Pour faire suite à une demande exprimée par une grande université canadienne souhaitant agir pour prévenir des problèmes musculo-squelettiques auprès de ses employés de bureau (facultés et services) Montreuil et coll. (1997) ont défini et conduit un programme de formation en ergonomie qui a été donné auprès de plusieurs centaines de personnes occupant des emplois de bureau d'institutions d'enseignement et en ont évalué les effets en se référant au modèle de Green et Kreuter. Le programme de formation vise notamment à rendre les personnes formées capables de reconnaître des contraintes posturales présentes à leur poste de travail et d'entreprendre des actions pour corriger la situation (par exemple sur les réglages, le mobilier, le déroulement des tâches). Montreuil, Brisson et Trudel (1998) présentent des résultats des effets intermédiaires du programme concernant l'amélioration des postures de travail. Brisson, Montreuil et Punnett (1999) présentent les résultats des effets intermédiaires et finaux du programme en explicitant les types d'actions entreprises par les personnes formées ainsi que la réduction des symptômes musculo-squelettiques qui a été observée chez la population des 283 personnes formées par rapport aux 342 personnes du groupe témoin n'ayant pas reçu la formation. Au cours d'entretiens postobservation, quelques personnes ont dit ne pas avoir agi pour réduire des contraintes posturales, car elles ne ressentaient aucune douleur malgré le fait que le contenu de la formation insistait pour rappeler l'aspect préventif des actions permettant de diminuer les contraintes posturales (Trudel et Montreuil, 1999). Cet article vise aussi à documenter ce phénomène.

2.1 Objectifs

Cet article se réfère spécifiquement aux employées de bureau ayant reçu la formation et comporte trois objectifs :

2.2.1 Estimer si l'élimination de contraintes posturales à la suite de la formation est liée à la présence, avant la formation, de douleurs musculo-squelettiques.

2.2.2 Mettre en évidence les principaux profils des caractéristiques d'aménagement des postes de travail et du contenu de leur travail, avant la formation et selon que des (ou une) contraintes posturales aient été observées à leur poste de travail.

2.2.3 Apprécier le lien entre cette typologie, la réduction de contraintes posturales et le type de changement effectué à la suite de la formation.

Ainsi, cet article permettra de caractériser les conditions observées qui peuvent être mises en relation avec la réduction de contraintes posturales à la suite d'une formation donnée à des employées utilisant un TEV.

3. MÉTHODOLOGIE

3.1 La formation offerte en ergonomie

La formation en ergonomie a été instaurée selon le modèle PRECEDE (*predisposing, reinforcing and enabling causes in educational diagnosis evaluation*) (Green et Kreuter, 1991). L'objectif de la formation était d'intervenir sur les facteurs prédisposants, facilitants et de renforcement pour amener les individus à améliorer les situations de travail en agissant sur les caractéristiques de l'environnement de travail. Les facteurs prédisposant réfèrent aux connaissances, attitudes, croyances et valeurs qui facilitent ou entravent la motivation à adopter un comportement (s'occuper de sa santé, c'est important). Les facteurs facilitants réfèrent aux habiletés des personnes (faire un réglage) et aux ressources matérielles (avoir un équipement ajustable). Les facteurs de renforcement réfèrent aux réactions de l'entourage (positif ou négatif)

Le programme implanté visait trois comportements : 1) ajuster correctement les éléments du poste relatifs aux aspects posturaux ; 2) modifier les caractéristiques de l'ambiance lumineuse 3) organiser ses activités de travail de façon préventive. (Montreuil et Bélanger, 1998).

La formation, d'une durée de six heures, s'est tenue sur deux sessions de trois heures données à deux semaines d'intervalle. Un guide de formation était offert à chaque participant (Montreuil et Bélanger, 1995). La formation contenait des démonstrations, des simulations, des discussions ainsi que des exposés. Chaque personne formée devait réaliser un autodiagnostic de l'aménagement de son poste de travail en utilisant une photographie prise par le formateur avant la formation. Pour ce qui est du groupe, il est habituellement formé de douze à quinze personnes incluant le ou les superviseurs de celles-ci.

La présence de ce supérieur immédiat vise à le sensibiliser à l'ergonomie et à fournir aux employées un environnement favorable à des actions de prévention. Les deux semaines d'intervalle entre les deux séances de formation permettent aux employées d'appliquer les connaissances et les habiletés apprises à la première séance et de retourner à la deuxième séance avec des questions et des expériences à partager. Quatre des cinq formateurs sont des professionnels œuvrant en prévention de la santé et de la sécurité du travail pour l'employeur. Un formateur est un représentant à la prévention (syndical) tel que défini par la Loi sur la santé et la sécurité du travail du Québec. Tous les formateurs ont reçu une formation spéciale donnée par l'une des auteures (SM) qui les a, par la suite, rencontrés régulièrement afin d'assurer la qualité et l'homogénéité de la formation pendant toute la durée du programme (deux ans).

3.2 Devis de l'étude évaluant les effets de la formation

Un devis prétest/posttest a été utilisé pour mesurer les effets de la formation. L'assignation au groupe expérimental (et témoin) a été faite en début d'étude sur la base de l'unité géographique (bâtiment distinct entre les deux groupes) et administrative (répartition égale entre le personnel des facultés et des services). Les résultats présentés ici concernent les 207 femmes du groupe bureau qui ont reçu la formation qui a été donnée sur une période de 30 mois. La prévalence des contraintes posturales, des conditions d'exécution du travail et les autres variables retenues ont été mesurées à l'aide d'un questionnaire autoadministré et d'une grille d'observation remplie par un professionnel en ergonomie deux semaines avant la formation et six mois après.

3.3 Population étudiée

Les résultats présentés portent sur toutes les femmes employées de bureau (excluant les emplois de techniciens) d'un établissement d'enseignement supérieur (Canada), utilisant un ordinateur cinq heures et plus par semaine et qui ont reçu la formation en ergonomie portant sur l'aménagement du poste de travail avec écran. La liste des employés a été fournie par l'employeur et, au total, 207 femmes répondent à ces critères. Cent vingt et une d'entre elles sont affectées dans les facultés qui dispensent principalement du soutien aux activités académiques alors que 86 travailleuses le sont aux services tels que la bibliothèque, les finances. La durée effective du travail est de sept heures par jour, cinq jours par semaine et les employés sont rémunérés selon un taux horaire.

3.4 Tâches et analyse ergonomique de l'activité

Une analyse ergonomique des activités réelles de onze travailleuses avec écran a été réalisée pour mieux connaître le contexte et les exigences du travail qui peuvent entraver ou faciliter l'application des principes vus en formation (Trudel et Montreuil 1999). En voici quelques faits saillants: ces femmes ont une moyenne d'âge de 49,2 ans et travaillent à leur poste en moyenne depuis 7,4 ans (min: deux ans; max: dix-huit ans). Les observations et entretiens auprès de ces travailleuses et leurs superviseurs se sont déroulés durant trois jours à chaque poste et, dans dix cas sur onze, les employées et leurs superviseurs estiment que ces observations se sont déroulées au cours d'une période représentative d'une journée habituelle de travail.

L'analyse des résultats a révélé qu'en moyenne 40,3 % du temps de travail a été passé à l'écran. Les activités à l'ordinateur se distinguent en trois types: la saisie-correction, la consultation de fichiers par questionnement ou vérification et d'autres tâches, notamment celles effectuées en réseau. La plupart des postes impliquent d'avoir à répondre à une clientèle étudiante (faculté) ou d'employés (service) soit directement à leur poste, à un comptoir situé à proximité ou au téléphone. Trois principaux constats se dégagent des observations, entretiens et analyses réalisés.

3.4.1 *Variation de l'intensité du travail*

Qu'il s'agisse de travail dans les facultés ou les services, l'intensité du travail varie selon le calendrier des activités scolaires trimestrielles ou les butées administratives dans les services. Des périodes plus intenses et plus calmes au cours de l'année ont été clairement ciblées par toutes les travailleuses observées.

3.4.2 *Diversité du travail*

Plusieurs aspects du travail (60 % du temps) ne sont pas associés au travail à l'écran de l'ordinateur: classement de papiers, mise à jour de dossiers, travail devant le photocopieur… ce qui diversifie le travail, mais permet aussi, dans bien des cas, des «pauses visuelles et posturales» par rapport aux exigences du travail à l'écran. Les employées ont une certaine marge de manœuvre pour déterminer le moment où elles doivent exécuter ces diverses tâches.

3.4.3 *Interruptions au cours du travail au TEV*

Il s'agit ici d'une constante observée dans tous les postes. L'observation du travail et l'enregistrement temporel des actions à l'écran auprès de ces onze travailleuses ont permis d'établir que la durée moyenne de travail en continu à l'écran est de 4 minutes 30 secondes (écart type: 2 minutes 40 secondes avec un minimum de 2 minutes 20 secondes et un maximum de 28 minutes). On retrouve en moyenne huit interruptions du travail à l'écran par heure: répondre à des demandes de clients ou de collègues, consulter d'autres données que celles présentées à l'écran. Ces interruptions impliquent souvent des déplacements.

3.5 Collecte des données

Les données ont été recueillies sur une période de 30 mois. Pour les 207 employées retenues dans cette étude, les mesures ont été prises deux semaines avant et six mois après que la participante eut assisté à la formation en ergonomie. Les mesures rapportées ici avant et après ont été colligées par l'observation directe de divers éléments du poste de travail et des contraintes posturales auprès de chaque participante et la présentation d'un questionnaire autoadministré portant sur les symptômes musculo-squelettiques et d'autres variables.

3.6 La grille d'observation et le questionnaire utilisés

Des observations directes au poste de travail ont été réalisées en utilisant une grille standardisée. La grille évalue les éléments du poste de travail pouvant être associés avec des problèmes musculo-squelettiques, notamment les caractéristiques des équipements utilisés, le dimensionnement des diverses composantes du poste et les trois contraintes posturales suivantes: cou en torsion, hauteur des yeux inadéquate par rapport à la hauteur de l'écran et liaison avant-bras/poignet qui ne sont pas en ligne droite. La grille a d'abord été prétestée à 30 postes de travail par quatre observateurs qui ont reçu une formation pour l'utiliser. Des modifications y ont été apportées pour assurer la validité et la fidélité interobservatrice qui a été mesurée auprès de 150 postes (Demers et coll. 1995).

Le questionnaire contient des variables de nature socioprofessionnelles telles que l'âge, l'ancienneté au poste et il mesure les symptômes musculo-squelettiques aux régions suivantes: cou-épaule, bras-poignets et bas du dos. La prévalence des symptômes a été définie par un symptôme présent trois jours ou plus au cours des sept derniers jours précédant l'administration du questionnaire sur une échelle où le pire épisode de douleur ressentie était supérieur à la moitié de l'échelle d'intensité (visual analogue scale). Le questionnaire mesure aussi plusieurs variables relatives à la réalisation des activités de travail : le nombre d'heures de travail à l'écran, la possibilité par la travailleuse d'entrecouper, à chaque heure, son travail à l'écran avec d'autres tâches, l'obligation de laisser le travail à l'écran pour effectuer d'autres tâches (sur une base de deux heures), un avis sur le type de travail à l'ordinateur (traitement de texte, conversationnel ou autre) et le port de lunettes à double foyer.

3.7 Traitement des données

L'information recueillie par questionnaire et grille d'observation révèle que 35,44 % des participantes sont exposées à une contrainte posturale, 35,44 % à deux contraintes et 14,08 % à trois contraintes. Dans les résultats présentés ici, nous ne retiendrons que deux catégories, soit la présence ou l'absence de contraintes. Ainsi, un total de 84,5 % des employées participantes sont exposées à au moins une contrainte et 15 % à aucune (0,05 % données manquantes).

Douze variables ont été sélectionnées à partir des renseignements obtenus par questionnaire (Q) ou par observation (O) : ajustement hauteur clavier (O) ; appui-poignet (O) ; possibilité d'entrecouper volontairement son travail (Q) ; l'obligation de laisser l'écran (Q) ; contraintes posturales (O) ; lunettes à double foyer (Q) ; espace pour les genoux (O) ; type de travail (Q) ; réduction d'une, deux ou trois contraintes posturales (O) ; groupe d'âge (Q) ; changement effectué (O) ; et l'appartenance administrative (Q). Les caractéristiques de l'aménagement et des conditions de réalisation du travail ont été ciblées à partir de l'analyse simultanée des valeurs codifiées de ces variables (voir le tableau 2) en employant une méthode de classification fondée sur l'utilisation de deux techniques d'analyse multivariées en séquence : l'analyse factorielle des correspondances (AFC) et la classification ascendante hiérarchique (CAH) (Fénélon, 1981 ; Greenacre, 1984 ; Benzécri, 1985). Il s'agit de techniques de réduction de données qui peuvent être appliquées à des données qualitatives ou quantitatives. Ces techniques se centrent davantage sur des attributs (catégories) de variables que sur des variables en tant que telles. Elles ont déjà rendu possible l'identification de p*atterns* portant notamment sur les accidents du travail desquels on peut faire ressortir des caractéristiques et les quantifier en regard de leur fréquence. L'AFC et la CAH ont été appliquées dans le domaine des accidents du travail et ont été décrites en détail dans des études antérieures (Laflamme et coll. 1991 ; 1993 ; Montreuil et coll. 1996).

3.7.1 *La classification ascendante hiérarchique (CAH)*

La CAH est une technique de classification qui divise des individus (ou des événements) d'un groupe étudié en un certain nombre de « classes » (non vides) de façon telle que chaque individu appartient à une et une seule classe. Elle maximise la variance entre les classes (interclasses) et minimise la variance à l'intérieur d'une classe (intraclasse). L'inertie interclasses est une mesure qui distingue les classes les unes des autres (Fénélon, 1981 ; Greenacre, 1984 ; Benzécri, 1985). Plus la variance interclasses est élevée, plus les différences sont grandes entre les classes. L'inertie intraclasse est une mesure d'homogénéité à l'intérieur d'une classe donnant un indice du degré de similarité entre les individus la formant. Plus la variance intraclasse est faible, plus l'homogénéité des individus qui la composent est grande. La somme de l'inertie interclasses et intraclasse est de 1 (soit 100 %).

Cette organisation en classes construite avec la CAH est basée sur les coordonnées de chaque individu du groupe étudié ayant obtenu les facteurs les plus significatifs obtenus par l'AFC dans lesquels on retrouve les valeurs codées des variables retenues. Cette procédure a l'avantage méthodologique de s'assurer que la classification sera faite sur des données « nettoyées » et sera structurée sur la base des interrelations les plus significatives entre les catégories des variables d'intérêt.

3.7.2 *L'AFC*

Cette analyse apparaît sous la forme d'un tableau où les lignes représentent les individus étudiés et les colonnes présentent les attributs pour chacune des variables. Dans ce tableau, chaque individu obtient la valeur « 1 » pour l'attribut qui le concerne et la valeur « 0 » pour les autres dans lesquelles il ne figure pas. L'AFC calcule la variation interne du tableau. Elle s'intéresse aux contrastes entre les « profils » des individus et en fait ressortir les attributs communs. Les contributions de ces facteurs à la variance totale (inertie) décroissent pendant que les axes factoriels se construisent. Le premier axe factoriel contribue à la plus grande variance des données. On peut dire qu'il explique la plus grande partie de la variance des données sans transformer la forme originale de celles-ci. Le deuxième axe explique la majeure partie de la variance résiduelle.

Une variable (et ses attributs) peut contribuer ou non à la configuration du plan factoriel. Si oui, elle est considérée comme « active », sinon, elle est considérée comme « passive » (Fénélon, 1981 ; Greenacre, 1984 ; Benzécri, 1985). Une variable active contribue donc à la variance (inertie) rencontrée dans les données et à la configuration du plan factoriel alors que la variable illustrative n'entre pas dans le calcul de la variance et ne contribue pas à la formation du plan factoriel. La contribution des variables ne peut être estimée qu'une fois les axes dessinés. Ce statut « actif ou passif » accordé à une variable dépend de la question posée aux données.

3.7.3 *L'AFC et la CAH appliquées en séquence*

Dans cette étude, les variables définies comme étant actives clarifient les principaux *patterns* des caractéristiques d'aménagement et du contenu du travail des employées (applicables aux trois objectifs). Elles ont aussi aidé à déterminer si les contraintes posturales sont associées ou non à ces modèles (2e objectif). Les variables passives ont été utilisées pour trouver s'il y avait des différences entre le temps 1 et le temps 2 dans l'élimination de la contrainte posturale et le type de changement effectué ainsi que pour l'âge et l'appartenance administrative des employées (3e objectif). Aux fins de cette étude, les résultats de l'AFC ont été utilisés pour produire la CAH (pour de plus amples renseignements, voir Fénelon, 1981 ; Benzécri, 1985 ; ou voir des exemples dans Laflamme et coll.1993 ; Laflamme et coll.1991 ; Montreuil et coll. 1996). Ces données forment les deux premiers facteurs et totalisent 36,1 % de l'inertie (variance).

4. RÉSULTATS

4.1 Caractéristiques des participants

Les 206 participantes à l'étude ont toutes reçu la formation, occupent des tâches de bureau et ont 43,4 ans en moyenne (écart type : 7,85) et près des deux tiers (65,55 %) ont 40 ans et plus. L'ancienneté moyenne à leur poste de travail est de 6,78 (écart type : 6.30). Seules les employées travaillant cinq heures et plus par semaine ont été retenues. La moyenne du nombre d'heures travaillées devant l'écran par semaine est de 20,35 et un peu plus du tiers des employées (34,95 %) accomplissent 25 heures ou plus de travail à l'écran par semaine. Au total, 70,91 % des participantes ressentent des douleurs importantes (27,04 %) ou moyennes (43,87 %) au système musculo-squelettique avant la formation.

4.2 Douleurs ressenties avant la formation et élimination des contraintes posturales

Le tableau 1 présente la répartition des employées ayant éliminé ou non une ou des contraintes posturales selon le niveau de douleurs qu'elles ressentaient avant la formation. Avant la formation, une proportion de 27,04 % ressent des douleurs importantes, 43,87 % des douleurs moindres et 29,08 % aucune douleur musculo-squelettique. Au total, 92,35 % des personnes sont soumises à une ou des contraintes posturales et 7,65 % n'y sont pas. Le lien entre le fait de ressentir des douleurs ou non, et l'élimination de contraintes posturales n'a montré aucune différence statistiquement significative.

En ce qui concerne la catégorie de personnes qui ont conservé, à leur poste de travail, les contraintes posturales présentes avant la formation, on remarque environ la même proportion entre les personnes ressentant les douleurs les plus importantes (24,51 %) et celles ne ressentant aucune douleur (26.,47 %). Les personnes ressentant des douleurs moindres sont fortement représentées dans cette catégorie qui n'a pas éliminé de contraintes.

TABLEAU 1

RÉPARTITION DES EMPLOYÉES AYANT ÉLIMINÉ OU NON DES CONTRAINTES POSTURALES APRÈS LA FORMATION SELON LE NIVEAU DES DOULEURS RESSENTIES AVANT LA FORMATION.

	Douleurs trois jours ou + dans les sept derniers jours avec intensité	Douleurs de moindre intensité au cours des sept derniers jours	Aucune douleur	Total
Élimination de contrainte(s) posturale(s)	24 (30,38)	28 (35,44)	27 (34,18)	79 (100) (40,31)
Situation inchangée avec contrainte(s)	25 (24,51)	50 (49,02)	27 (26,47)	102 (100) (52,04)
Situation inchangée, aucune contrainte	4 (26,66)	8 (53,33)	3 (20,00)	15 (100) (7,65)
Total	53 (27,04)	86 (43,87)	57 (29,08)	196 (100)
Non spécififé				11

4.3 Résultats de l'analyse multivariée

La CAH a fourni une partition en quatre classes (inertie totale = 1,14; inertie interclasses = 0,74). Elles ont été obtenues à la suite de la détermination, par l'AFC, des deux premiers facteurs cumulant 36,1 % de la variance totale. La répartition des employées dans chacune des classes, une variable à la fois, est présentée au tableau 2. Les variables traitées comme actives avec l'AFC sont présentées en ordre d'importance de leur contribution à la formation des classes.

La première colonne du tableau dresse la liste des variables considérées et la seconde établit les catégories de chacune d'elles. Les quatre colonnes d'ensuite présentent la répartition de ces catégories à l'intérieur de chacune des classes. Les chiffres du tableau sont des pourcentages (%) et ils réfèrent à la fréquence d'apparition d'une caractéristique particulière à l'intérieur d'une classe. Ainsi, le dénominateur est le nombre de cas formant la classe. La description des classes qui suit est basée sur les catégories de variables. Les noms attribués à chacune des classes reflètent le plus possible ce qui caractérise la classe.

TABLEAU 2

PRINCIPALES CARACTÉRISTIQUES DES QUATRE CLASSES OBTENUES PAR L'AFC ET LA CAH – LES VARIABLES SONT PRÉSENTÉES EN ORDRE DÉCROISSANT D'IMPORTANCE DANS LEUR RÔLE POUR LA FORMATION DES CLASSES. LES CHIFFRES SONT DES POURCENTAGES (%).

Variables	Modalités	Classe 1 n=54	Classe 2 n=33	Classe 3 n=43	Classe 4 n=77	Total n=207
Actives Ajustement Hauteur clavier	Présence	83,3*	93,9*	16,3	5,2	42,0
	Absence	16,7	6,1	83,7*	94,8*	58,0
Appui-poignet	Présence	66,7*	93,9*	2,3	2,6	33,8
	Absence	31,5	3,0	93,0*	96,1*	63,8
	Non spécifié	1,8	3,0	4,7	1,3	2,4
Entrecoupe volontairement le travail à l'écran	Peut décider	81,5*	21,2	2,3	81,8*	55,0
	Ne peut décider	16,7	78,8*	97,7*	18,2	44,0
	Non spécifié	1,8	0,0	0,0	0,0	0,5
Obligation de laisser l'écran	Souvent/presque tjrs	100,0*	63,6	23,3	88,3*	73,9
	Parfois/jamais	0,0	36,4	76,7*	11,7	26,1
Contrainte(s) posturales (s)	Présence	92,6	51,5	76,7	97,4*	84,5
	Absence	5,6	48,5*	23,3	2,6	15,0
	Non spécifié	1,8	0,0	0,0	0,0	0,5
Lunette double foyer	Port	18,5	51,5*	46,5*	15,6	28,5
	Non port	81,5	48,5	53,5	84,4*	71,5
Espace genoux	Suffisant	74,1	90,9	86,1	83,1	82,6
	Insuffisant	25,9	9,1	11,6	16,9	16,9
	Non spécifié	0,0	0,0	2,3	0,0	0,5
Type de travail	Conversationnel	27,8	15,2	11,6	15,6	17,9
	Traitement de texte	29,6	33,3*	39,5	45,4	38,1
	Autre	42,6	51,5	48,9	39,0	44,0
Illustratives Réduction de contrainte(s)	Oui	38,9	27,3	46,5	53,2	44,0
	Non	55,6	39,4	44,2	44,2	46,4
	Non justifié	3,7	33,3	9,3	0,0	8,2
	Non spécifié	1,8	0,0	0,0	2,6	1,4
Groupe d'âge	35 ans et moins	25,9	18,2	14,0	6,5	15,0
	36-39 ans	25,9	6,0	11,6	23,4	18,8
	30 ans et plus	48,2	75,8	74,4	70,1	66,2
Changement effectué	Achat de mobilier	24,1	18,2	11,6	24,7	20,8
	Achat d'équipements	18,5	18,2	41,9	37,7	30,4
	Réglages, ajustement	31,5*	15,1	13,9	13,0	18,4
	Aucun	25,9	48,5	32,6	24,7	30,4
Appartenance administrative	Faculté	44,4	51,5	72,1	63,6	58,4
	Service	55,6	48,5	27,9	36,4	41,6

* Les catégories de variables qui contribuent significativement ($p < 0,05$) à la formation de chacune des classes sont marquées par un astérisque.

4.3.1 *La classe 1: marge de manœuvre, équipement ajustable et contraintes posturales (54 employées; inertie intraclasse: 0,03)*

Cette première classe est composée d'employées dont la plupart des postes sont munis d'une table avec ajustement vertical possible de la hauteur du clavier (83,3 %), d'un appui-poignet (66,7 %), dont le travail est interrompu (dans 100 % des cas, on retrouve l'obligation de laisser l'écran souvent ou presque toujours) et varié, car 81,5 % décident d'elles-mêmes d'entrecouper le travail à l'écran. Plus de neuf personnes sur dix (92,6 %) subissent des contraintes posturales au travail à l'ordinateur. Seulement 18,5 % d'entre elles portent des verres correcteurs à double foyer.

En ce qui concerne les effets de la formation, 38,9 % des personnes de la classe 1 éliminent une ou plusieurs contraintes et 55,6 % n'y parviennent pas. La moitié (51,8 %) des personnes de ce groupe ont moins de 40 ans, ce qui en fait la classe où on retrouve le plus de personnes d'âge moindre. C'est dans cette classe qu'on trouve une proportion plus forte qu'attendu de changements prenant la forme de réglages à la suite de la formation (31,5 % réglage-ajustement).

4.3.2 *La classe 2: moins de marge de manœuvre, moins de contraintes posturales, mais disposant d'équipement ajustable (33 travailleuses; inertie intraclasse = 0,02)*

Cette classe s'avère celle où on retrouve les plus fortes proportions de travailleuses bénéficiant d'ajustement de la hauteur du clavier (93,9 %) et de l'appui-poignet (93,9 %). Contrairement à la classe 1, une forte proportion d'entre elles (78,8 %) ne peuvent décider d'elles-mêmes d'entrecouper leur travail à l'écran et 63,6 % des employées de ce groupe sont obligées de laisser souvent ou presque toujours l'écran chaque heure. Comparativement aux autres classes, on retrouve une surreprésentation d'employées qui ne sont pas exposées à des contraintes posturales (48,5 %) et qui portent des lunettes avec foyer (51,5 %).

C'est dans cette classe qu'on retrouve la plus forte proportion de 40 ans et plus (75,8 %). Le type de changement effectué se répartit à peu près également (15,1 % à 18,2 %) entre des réglages, de l'achat d'équipement ou des pièces de mobilier.

4.3.3 *La classe 3: moins de marge de manœuvre, moins d'équipement ajustable et plutôt avec contraintes posturales (43 travailleuses; inertie intraclasse: 0,02)*

Cette classe inclut une grande majorité de travailleuses qui ne disposent pas d'ajustement de la hauteur du clavier (83,7 %) ni d'appui-poignet (93,0 %).

La presque totalité du groupe (97,7 %) n'entrecoupe pas volontairement le travail à l'écran avec d'autres tâches, ce qui s'avère des proportions significativement plus importantes que pour l'ensemble des employées prises globalement, et pour les trois quarts d'entre elles (76,7 %), il est rare qu'elles soient obligées de laisser l'écran pour faire d'autres tâches. Les trois quarts (76,7 %) d'entre elles travaillent avec une ou des contraintes posturales et 46,5 % portent des verres correcteurs avec double foyer.

L'élimination d'une ou de plusieurs contraintes posturales à la suite de la formation a été observée chez 46,5 % des personnes de cette classe. Près des trois quarts (74,4 %) de ce groupe ont 40 ans et plus et la modification la plus souvent signalée dans ce groupe s'avère l'achat d'équipement mineur (41,9 %).

4.3.4 La classe 4 : marge de manœuvre, peu d'équipement ajustable avec contraintes posturales (77 travailleuses ; inertie intraclasse : 0,03)

Cette classe regroupe des personnes disposant de poste de travail sans possibilité d'ajustement en hauteur (94,8 %) ni d'appui-poignet (96,1 %). Cependant, plus de quatre travailleuses sur cinq (81,8 %) décident d'entrecouper le travail à l'écran et elles doivent souvent ou presque toujours laisser le travail à l'écran au cours d'une période de deux heures (88,3 %) pour réaliser d'autres tâches. Chez presque toutes les travailleuses (97,4 %), on observe une ou plusieurs contraintes posturales. La grande majorité (84,4 %) ne porte pas de lunettes ou de lentilles à double foyer.

Plus de la moitié des personnes de ce groupe (53,2 %) ont éliminé une ou des contraintes posturales et toutes les travailleuses ont 36 ans et plus. L'achat de mobilier (24,7 %) et d'équipement mineur (37,7 %) a été effectué à la suite de la formation alors que 13 % ont ajusté des éléments du poste.

Soulignons enfin que ni l'espace pour les genoux ni le type de travail ne distinguent significativement l'une de ces classes par rapport aux autres.

5. DISCUSSION

La présence de douleurs importantes, moindres ou l'absence de douleurs n'a pas d'influence statistiquement significative sur le fait d'éliminer ou non une contrainte posturale. Étant donné que la formation misait sur l'action des participantes pour éliminer de telles contraintes et que le contenu insistait qu'il ne fallait pas attendre de ressentir une douleur pour agir, ces résultats peuvent être interprétés de façon positive, à savoir que les personnes participant à de telles formations peuvent être enclines à agir même si elles ne ressentent pas de douleurs. Cependant, le contenu de la formation doit demeurer explicite quant à la valeur préventive d'agir pour diminuer les risques d'apparition de symptômes.

Du côté de l'analyse multivariée, les classes 1 et 4 sont celles où on retrouve plus de 90 % du groupe ayant des contraintes posturales. Après la formation, la diminution des contraintes posturales y est respectivement de 38,9 % et 53,2 %. Plusieurs conditions d'exécution du travail sont comparables entre ces deux classes, mais elles se distinguent par la présence ou l'absence de l'ajustement de la hauteur de la table soutenant le clavier et de l'appui-poignet, par la répartition des groupes d'âge ainsi que par les types de changement entrepris. Il appert que la classe 4 regroupe 70 % d'employées de 40 ans et plus et que 63,4 % des changements effectués concernent l'acquisition de nouvel équipement alors que, dans la classe 1, la majorité des personnes ont moins de 40 ans et que c'est dans cette classe qu'on retrouve la plus forte proportion de changements faisant suite à des réglages. Il se peut, comme l'a signalé Villatte (Travail Humain 1983-1984) que les personnes de 40 ans et plus aient été aux prises avec de l'équipement moins récent que les moins de 40 ans et, de ce fait, les possibilités de réglages soient moindres. La formation a pu s'avérer un moment charnière pour commander du nouvel équipement. Pour ces deux classes, les résultats vont dans le même sens que Coury (1998), où les sujets qui changent leur équipement, leur poste de travail ou les réglages ont tendance à réduire l'inconfort. Ces résultats suggèrent que la réduction de contraintes posturales qui s'appuient sur l'action volontaire de personnes formées est possible pour tous les groupes d'âge, mais nécessite une variété de moyens mis à leur disposition et non pas seulement de miser sur un réglage optimal des éléments du poste de travail (Green et Kreuter, 1991 ; Robertson et coll. 2002). Ces deux classes regroupent près des deux tiers des participantes ayant reçu la formation, ce qui renforce ces résultats.

Les classes 1 et 4 sont celles où les opératrices semblent les moins contraintes à demeurer de longues périodes devant l'écran : elles peuvent en grande majorité décider d'entrecouper leur travail et elles sont souvent obligées de laisser l'écran pour accomplir d'autres tâches. Ce n'est pas le cas pour les classes II et III, où elles sont très minoritaires à pouvoir décider d'entrecouper leur travail et moins nombreuses à devoir laisser l'écran souvent, mais dans lesquelles on dénombre une moins forte proportion de personnes subissant des contraintes posturales que dans les classes 1 et 4. Dans la classe 2, 48,5 % des employées ne subissent pas de contraintes posturales et ce n'est sans doute pas un hasard si c'est dans cette classe qu'on retrouve la plus forte proportion de postes pourvus d'ajustement de la hauteur du clavier et d'appui-poignet. Cette classe 2 atteste la proportion la plus faible d'achats de nouvel équipement à la suite de la formation (total de 36,4 %).

Les classes 3 et 4 regroupent le plus grand nombre de participantes qui ne disposent pas de mécanismes d'ajustement de la hauteur du clavier, ni d'appui-poignet. Elles attestent quand même (près d'une fois sur deux) d'une réduction des contraintes posturales en procédant, en de plus fortes proportions, à de l'achat d'équipement.

Pris globalement, ces résultats suggèrent que les personnes formées réussissent à entreprendre des actions pertinentes et efficaces pour réduire les contraintes posturales. La formation donnée était fondée sur la capacité des participants à accomplir l'autodiagnostic de leur poste, sur leur capacité à entreprendre des actions telles que celles d'effectuer des réglages ou de demander de l'équipement ou du mobilier pour améliorer leur poste. Mais il fallait aussi s'assurer du soutien organisationnel pour que les demandes des participants soient bien reçues. Les gestionnaires de toutes les unités ont été rencontrés un à un, et les superviseurs étaient fortement invités à se joindre aux travailleuses au sein d'un groupe de formation. L'auto-observation, menant, dans ce cas-ci, à l'autodiagnostic, est déjà considérée comme une étape nécessaire au processus d'apprentissage en ergonomie (Luopajarvi 1987; Urlings et coll.1992). Ces résultats indiquent que l'autodiagnostic, accompagné d'une formation donnée en deux temps permettant l'essai-erreur et le partage des expériences au sein du groupe, peut conduire à des actions pertinentes et efficaces de la part des personnes formées, et ce, malgré certaines difficultés associées au transfert des connaissances (Trudel et Montreuil 1999). Cependant, comme ces actions ne se limitent pas qu'aux réglages (décision individuelle), mais à de l'achat d'équipement et de mobilier, le soutien organisationnel est ici indispensable à la réduction des contraintes posturales; c'est là un des critères de succès de la formation.

Bien que la variable « âge » constitue une variable illustrative, il faut quand même mentionner qu'environ les personnes des classes 3 et 4 ont 40 ans et plus et utilisent de l'équipement moins bien fourni que les autres classes quant aux possibilités d'ajustement en hauteur et d'appui-poignet. Ce fait peut être mis en relation avec d'autres études dans des milieux de travail où les « vieux équipements » étaient alloués aux « vieux travailleurs » (Teiger et Villatte 1983).

La formation en ergonomie à des employés s'avère un des moyens efficaces pouvant conduire à l'amélioration des situations de travail. À l'origine, 84,5 % de ces personnes témoignent des contraintes posturales et à la suite de la formation, on en retrouve 46,4 %. Ces changements positifs sont compatibles avec d'autres programmes de formation en ergonomie pour des travailleurs utilisant un ordinateur (Lewis et coll. 2001). Cette activité de prévention, même si elle ne résout pas tous les problèmes, s'avère une solution plus qu'intéressante par l'effet multiplicateur qu'elle offre. Mais une telle formation en ergonomie à des employées qui travaillent avec un ordinateur doit offrir des sphères d'action diversifiées pouvant conduire à des changements pertinents sur les situations de travail. Comme d'autres actions que les réglages amènent une réduction des contraintes posturales, de telles formations doivent être fortement appuyées par l'organisation et plusieurs niveaux de la hiérarchie doivent mettre la main à la pâte pour faire en sorte que les personnes formées disposent de bonnes conditions d'apprentissage tant dans la phase théorique que dans la mise en pratique du contenu de la formation.

6. REMERCIEMENTS

Nous remercions les travailleuses qui ont participé à cette recherche, leurs employeurs ainsi que les représentants syndicaux. Un merci tout spécial à Claire Bélanger, qui a assuré la gestion du programme de formation. Nous remercions également Louis Trudel et Marc Arial pour leur assistance et leur contribution à la collecte des données et à son analyse. Enfin, Caty Blanchette a été d'un soutien précieux pour l'étape de l'analyse statistique des données. Cette recherche a été financée par l'Institut de recherche Robert-Sauvé en santé et en sécurité du sravail (IRSST), le Conseil de recherche en sciences humaines du Canada (CRSH) et le Fonds pour la formation de chercheurs et l'aide à la recherche (FCAR).

BIBLIOGRAPHIE

Benzécri, J.P. (1985), « Introduction à la classification ascendante hiérarchique d'après un exemple de données économiques », *Cahiers de l'Analyse des Données*, 3, p. 279-302.

Brisson, C., Montreuil, S., Punnett, L. (1999), « Effects of an ergonomic training program on workers with video display units », *Scandinavian Journal of Work, Environment and Health*, vol. 25, n° 3, p. 255-263.

Coury, H.J.C.G. (1998), « Self-administered preventive programme for sedentary workers : reducing musculoskeletal symptome or increasing awareness ? », Applied Ergonomics, vol. 29, n° 6, p. 415-421.

Demers, S., Brisson, C., Montreuil, S., Punnett, L. (1995), « Reproductibilité d'une grille d'observation des contraintes posturales utilisée auprès d'usagers de terminaux à écran de visualisation », *Deuxième conférence scientifique internationale sur la prévention des lésions musculo-squelettiques liées au travail (Premus'95)*, Montréal, Institut de recherche en santé et sécurité du travail, p. 557-559.

Fénelon, J.P. (1981), *Qu'est-ce que l'analyse des données ?* Paris, éd. Lefonen.

Fisher, T.F., Konel, R.S., Harvey, C. (2004), « Musculoskeletal injuries associated with selected university staff and faculty in an office environment », *Work: Prevention, Assessment and Rehabilitation*, vol. 22, p. 195-205.

Green, L.H., Kreuter, M.W. (1991), *Health promotion planning – an educational and environmental approach*, 2nd edition, Mountain View, Mayfield.

Green, R.A., Briggs, C.A. (1989), « Effect of overuse injury and the importance of training on the use of adjustable workstations by keyboard operators », *Journal of Occupational Medicine*, vol. 31, n° 6, p. 557-562.

Greenacre, M.J. (1984), *Theory and Application of Correspondence Analysis*, London, Academic Press inc.

Ketola, R., Toivonen, R., Käkkänen, M., Luukkonen, R., Takala, E.-P., Viikari-Juntara, E. (2002), « The Expert Group in Ergonomics. Effects of ergonomic intervention in work with video display units », *Scandinavian Journal of Work, Environment and Health*, vol. 28, n° 1, p. 18-24.

Laflamme L., Backström T, Döös M. (1993), « Typical accidents encountered by assembly workers: Six scenarios for safety planning identified using multivariate methods », *Accident Analysis and Prevention*, p. 399-410.

Laflamme L, Döös M, Backström T. (1991), « Identifying accident patterns using the FAC and HAC: Their application to accidents at the engine workshops of an automobile and truck factory », *Safety Science*, vol. 1, n° 14, p. 13-33.

Luopojarvi, T. (1987), « Worker's Education », *Ergonomics*, vol. 30, n° 2, p. 305-311.

Montreuil, S., Bélanger, C. (1998), « Contenu d'une formation en ergonomie dispensée auprès de centaines d'employés de bureau utilisant un ordinateur », *Travail et Santé*, vol. 14, n° 1, p. 10-14.

Montreuil, S., Bélanger, C. (1995), « Ergonomie et travail de bureau avec écran de visualisation. Guide du participant », Sainte-Foy, Université Laval, 48 p.

Montreuil, S., Brisson, C., Arial, M., Trudel, L. (1997), *Évaluation des effets d'un programme de formation chez les utilisateurs de terminaux à écran de visualisation*, Montréal, Institut de recherche en santé et en sécurité du travail du Québec, R-167, 121 p.

Montreuil, S., Brisson, C., Trudel, L. (1998), « Évaluation des effets d'une formation par l'amélioration des postures adoptées lors du travail de bureau effectué avec un ordinateur », *Performances humaines et techniques*, numéro hors série (décembre), Analyse ergonomique du travail, formation et changements dans les situations de travail, 27-32.

Montreuil, S., Laflamme, L., Tellier, C. (1996), « Profile of the musculoskeletal pain suffered by textile workers handling thread cones according to work, age and employment duration », *Ergonomics*, vol. 39, n° 1, p. 76-91.

Moon, S.D., Sauter, S.L. (dir.) (1996), *Beyond biomechanics: psychosocial aspects of musculoskeletal disorders in office work*, London, Taylor & Francis.

Robertson, M.M., Amick, B.C., Hupert, N., Pellerin-Dionne, D., Cha, Dl, Katz, J.N. (2002), « Effects of a participatory ergonomics intervention computer workshop for university students : a pilot intervention to prevent disability in tomorrow's workers », *Work : Prevention, Assessment and Rehabilitation*, vol. 18, p. 305-314.

Teiger, C., Montreuil, S. (1996), « The Foundations and Contributions of Ergonomics Work Analysis in Training Programmes », *Safety Science*, Special Issue, The ergonomist, the Trainer and Occupational Health and Safety, vol. 23, n° 3, p. 81-95.

Teiger, C., Villatte, R. (1983), « Conditions de travail et vieillissement différentiel », *Travail et Emploi*, vol. 16, p. 27-36.

Trudel, L., Montreuil, S. (1999), « Understanding the Transfer of Knowledge and Skills from Training to Preventive Action Using Ergonomic Work Analysis with 11 Female VDT Users », *Work : Prevention, Assessment and Rehabilitation*, vol. 13, p. 171-183.

Urlings, I.J.M., Lourijsen, W.C.M. Wortel, E., Vink, P. (1992), « Prevention of musculoskeletal disorders at the workplace : a guide for planning and developing a health communication programme », *Proceedings of the International Scientific Conference on Prevention of Work Related Musculoskeletal Disorders, Premus*, Sweden, pp 296-298.

Weestgard R.H., Winkel, J. (1997), « Ergonomic intervention research for improved musculoskeletal health : a critical review », *International Journal of Industrial Ergonomics*, vol. 20, n° 6, p. 463-500.

Interventions externes en santé et en sécurité du travail: Influence du contexte de l'établissement sur l'implantation de mesures préventives[1]

GENEVIÈVE BARIL-GINGRAS
Département des relations industrielles,
Faculté des sciences sociales, Université Laval, Québec, Canada

MARIE BELLEMARE
Département des relations industrielles,
Faculté des sciences sociales, Université Laval, Québec, Canada

JEAN-PIERRE BRUN
Chaire en gestion de la santé et de la sécurité du travail
Département de management, Faculté des sciences de l'administration, Université Laval, Québec, Canada

1. INTRODUCTION

Divers travaux ont mis en évidence que la santé et la sécurité des travailleurs sont fonction, entre autres, des caractéristiques des entreprises qui les emploient et des rapports sociaux qui s'y jouent, révélant ce qu'Eakin et MacEachen (1998) appellent la production sociale de la maladie et des blessures au travail. Par exemple, Quinlan (1999) dresse un portrait de l'influence de la restructuration du marché du travail sur la santé et la sécurité du travail (SST) dans les pays industrialisés. Ces observations contribuent à

1. Cet article a été initialement publié dans *Relations industrielles / Industrial Relations*, vol. 61, nº 1, 2006, p. 9-43. Reproduit avec l'autorisation de l'éditeur.

définir le risque comme un phénomène non strictement « technique » mais social.

Des études qui s'intéressent à l'efficacité des interventions préventives (celles de l'État via les agences d'inspection et la législation, celles des organismes-conseils, celles d'acteurs des milieux de travail eux-mêmes, etc.) mettent en évidence l'influence du contexte de chaque établissement sur le processus des interventions (par exemple, Allard et coll. 2000) et sur leurs effets (par exemple, Lemire, 1996), C'est un enjeu important de l'efficacité des politiques publiques en matière de SST : par exemple, Saari et coll. (1993), analysant l'implantation du système d'information sur les matières dangereuses utilisées au travail (SIMDUT), constatent que le recours à des ressources de conseil externe contribue à la mise en œuvre adéquate de ces dispositions légales, mais que, parmi les établissements qui auraient les plus grands besoins, certains implantent le SIMDUT de la manière la moins susceptible de générer les effets attendus.

La question qui nous intéresse ici est donc comprendre quelle est l'influence du contexte sur les possibilités que des changements favorables à la prévention soient produits, à l'occasion d'interventions externes en SST. Elle a été traitée dans le cadre d'une étude[2] portant également sur l'influence des caractéristiques de l'intervention elle-même. Nous avons analysé des interventions réalisées par des conseillers de quatre associations sectorielles paritaires en SST. Douze organisations de ce type, dirigées par un conseil d'administration constitué à parts égales de représentants des associations patronales et syndicales d'un ou de plusieurs secteurs d'activité économique, offrent des services de formation, d'information, de conseil et d'assistance techniques, et amorcent des recherches ou encore collaborent à des recherches et à des activités de perfectionnement. Leur financement est assuré par une cotisation obligatoire des employeurs.

L'examen du rôle joué par le contexte propre à chaque milieu de travail nous amènera à souligner l'apport des ressources externes en SST, à discuter

2. L'étude a été menée grâce à une subvention de recherche de l'Institut de recherche Robert-Sauvé en santé et en sécurité du travail. Elle a été l'objet de la thèse de doctorat du premier auteur, soutenue par une bourse du Conseil de recherches en sciences humaines du Canada et une bourse de stage du Fonds pour la formation de chercheurs et l'aide à la recherche du Québec. Les auteurs remercient les directions et le personnel des ASP participantes, les conseillers accompagnés, les organisations visitées, leurs syndicats, les personnes interviewées, les évaluateurs anonymes ainsi que Caroline Biron pour leurs commentaires judicieux et Susy Boyer pour la recherche sur les législations. Le contenu de cet article n'engage cependant que ses auteurs. D'autres résultats sont présentés dans Baril-Gingras (2003) et Baril-Gingras, Bellemare et Brun (2004).

de la portée et des limites du principe d'autorégulation tel que mis en œuvre actuellement dans le régime québécois de prévention, de manière à éclairer la réflexion sur les mesures pouvant favoriser une meilleure protection de la santé et de la sécurité des travailleurs et travailleuses.

2. CADRE THÉORIQUE ET MODÈLE

Le cadre théorique de l'étude s'appuie sur trois sources complémentaires: les travaux de Dawson et coll. (1988), qui fournissent les concepts de « capacités » et de « dispositions » (willingness, examiné sous l'angle des enjeux) en prévention; des éléments de la théorie de la segmentation du marché du travail (voir Peck, 1996 pour une synthèse de différentes formulations de cette théorie), permettant de définir de manière synthétique les caractéristiques structurelles des entreprises dans lesquelles s'inscrivent ces capacités et dispositions, des emplois qu'elles offrent et des travailleurs qu'elles emploient, et les travaux de Reynaud (1997), qui éclairent les relations entre les acteurs en milieu de travail. Sur la base d'études de cas dans trois secteurs, Dawson et coll. (1988: 249) concluent que l'efficacité de l'approche d'auto-régulation qui fonde le régime de SST mis en place au Royaume-Uni dans les années 1970 est directement liée aux dispositions (*willingness*) et à la capacité (*capacity*) des entreprises à agir en prévention. On peut regrouper les facteurs ciblés par ces auteurs comme modulant ces capacités et ces dispositions en deux catégories, soit ceux d'ordre structurel (taille, situation économique, importance de la sous-traitance, etc.) et ceux liés aux régulations de la SST dans les rapports entre les acteurs (niveau d'organisation syndicale, relations de travail, contexte légal et politique).

Différents travaux font état d'une association entre le taux de lésions, d'une part, et, d'autre part, des caractéristiques « structurelles » des entreprises et de la main-d'œuvre, par exemple la taille (Champoux et Brun, 1999), le taux de roulement (Rinefort et Van Fleet, 1998) et le statut d'emploi (Quinlan, 1999). La théorie de la segmentation du marché du travail cherche à expliquer comment ce dernier se structure. On y oppose deux segments du marché du travail (certaines formulations distinguent des segments intermédiaires) : le segment primaire serait typiquement représenté par les grandes entreprises syndiquées, au personnel masculin, blanc, qualifié, d'âge moyen (ni « trop jeune » ni « trop vieux »), alors que le segment secondaire regrouperait des milieux de travail, des emplois et des travailleurs aux caractéristiques inverses. La formulation élémentaire retenue ici ne permet pas de rendre compte adéquatement de la situation de différentes catégories de travailleurs au sein d'une même entreprise (peu et très qualifiés, par exemple), du rôle du statut d'emploi, et seulement partiellement du rôle du genre. Elle fournit cependant des indications pertinentes quant à la construction sociale de la SST. Ainsi, Graham et Sakow (1990) montrent que les travailleurs du segment secondaire du marché du travail expérimentent, dans l'ensemble, des niveaux de risque plus élevés que ceux du segment primaire. Dorman (2000) rapporte une série de travaux qui associent les caractéristiques de l'emploi dans le segment secondaire à des risques plus importants, bien que ces études n'examinent ces caractéristiques qu'une à une: travail à contrat, roulement élevé, petite taille de l'entreprise, autonomie réduite, faible sécurité d'emploi, salaires peu élevés, main-d'œuvre issue de minorités ethniques ou raciales et peu qualifiée, etc. Ces caractéristiques structurelles sont, entre autres, le produit de choix stratégiques, par exemple quant à la gestion des ressources humaines. Elles ne suffisent pas à rendre compte des rapports sociaux qui se jouent dans le milieu de travail, bien qu'elles en définissent le cadre. Simard et Marchand (1997) observent par exemple que le degré d'appartenance d'une entreprise au segment secondaire affecte négativement la cohésion des groupes de travailleurs, le degré de gestion participative du superviseur et l'organisation de la SST; or ils constatent que ces deux premières variables influencent le degré de prudence et d'initiative sécuritaire des travailleurs.

Pour rendre compte des rapports sociaux et de leur influence en SST, nous avons eu recours aux travaux de Reynaud (1997), qui utilisent le concept de « régulation » pour comprendre la dynamique des organisations, en ciblant deux types: les régulations de contrôle, imposées de l'extérieur par une autorité, quelle qu'elle soit, en s'appuyant sur la relation de subordination ou la relation fonctionnelle, et les régulations autonomes, qu'un groupe (p. ex. un collectif de travailleurs) définit par lui-même et essaie de faire respecter. La régulation effective est le produit de la rencontre entre ces sources de régulation. Reynaud distingue également la régulation conjointe: par exemple, les règles définies par un syndicat et un employeur (ou les deux parties d'un comité de SST). Pour marquer la différence entre les « codécisions » (qui ne présupposent pas une égalité de pouvoir) et les autres processus par lesquels un acteur en influence un autre, nous avons eu recours, comme Carballeda (1997), aux concepts définis sur la base des travaux de Reynaud par Lompré et de Terssac (1995). Ces derniers proposent:

> [...] de distinguer deux logiques dans la définition des règles qui renvoient à des modes de confrontation spécifiques [...]: la régulation froide qui renvoie à une certaine institutionnalisation des règles qui sont des accords généraux, un cadre pour l'action formé de métarègles et la régulation chaude, qui renvoie à une confrontation permanente à propos de la définition de règles d'organisation pertinentes pour la réalisation d'un travail donné. (p. 261).

Il s'agit donc d'examiner comment les rapports entre les acteurs ont structuré les règles plus ou moins formelles qui organisent les activités de travail et définissent les conditions de SST dans un milieu de travail donné. L'idée de régulation ne correspond donc pas ici à celle d'équilibre ; elle représente ce que font les différents acteurs avec la relation entre le travail et la santé ; ses conséquences négatives peuvent être plus ou moins externalisées par l'entreprise (c.-à-d. reportées sur les travailleurs, dans les activités de travail et dans la sphère privée, ou assumées par la société par l'entremise des services de santé et des protections sociales), ou internalisées (c.-à-d. au moins en partie assumées par l'entreprise), par l'intégration de la prévention et l'indemnisation.

Le modèle présenté à la figure 1 a été construit selon une approche à la fois inductive et déductive, inspirée des propositions d'Eisenhardt (1989), qui visent à élaborer une « théorie » à partir d'études de cas et qui représentent une synthèse de la théorisation ancrée (Glaser et Strauss, 1967), de l'étude de cas (Yin, 1984) et de méthodes qualitatives pour la comparaison entre les cas (Huberman et Miles, 1991). Le contexte de l'intervention est précisé par des facteurs internes et externes à l'établissement. Les facteurs externes correspondent aux caractéristiques du régime de SST et de sa mise en œuvre (entre autres par l'action d'inspecteurs). Quant aux facteurs internes, on y retrouve les caractéristiques structurelles de l'établissement, soit la taille de l'entreprise et de l'établissement, le niveau de salaire à l'entrée de la catégorie professionnelle la plus nombreuse, la stabilité ou l'instabilité d'emploi, la composition hommes-femmes et ethnique et le niveau de qualification de la main-d'œuvre. Les « capacités » et les « dispositions » s'expliqueraient à la fois par des facteurs structurels et par les relations entre les acteurs à l'échelle de l'entreprise, du secteur d'activité économique et de la société, dans une période économique et politique donnée. Chacun de ces éléments se modifie dans le temps, d'où le concept de trajectoire (voir Strauss, 1993).

Dans ce modèle, les changements dépendent de caractéristiques du contexte et de l'intervention elle-même, cette dernière se modulant en partie en fonction de ce contexte (d'où les flèches dans les deux sens). Les caractéristiques des interventions[3] ne sont pas traitées ici. Les changements étudiés ne sont pas les effets finaux attendus (le plus souvent la réduction des lésions professionnelles et des symptômes), mais plutôt des effets intermédiaires, soit

3. Un autre volet de l'étude examine l'organisation des rapports entre le conseiller et les acteurs et entre ces derniers, les caractéristiques des activités réalisées et la nature et la forme des propositions.

la réalisation des propositions quant à la modification des conditions d'exercice du travail ou l'implantation d'activités de prévention.

FIGURE 1

MODÈLE D'ANALYSE

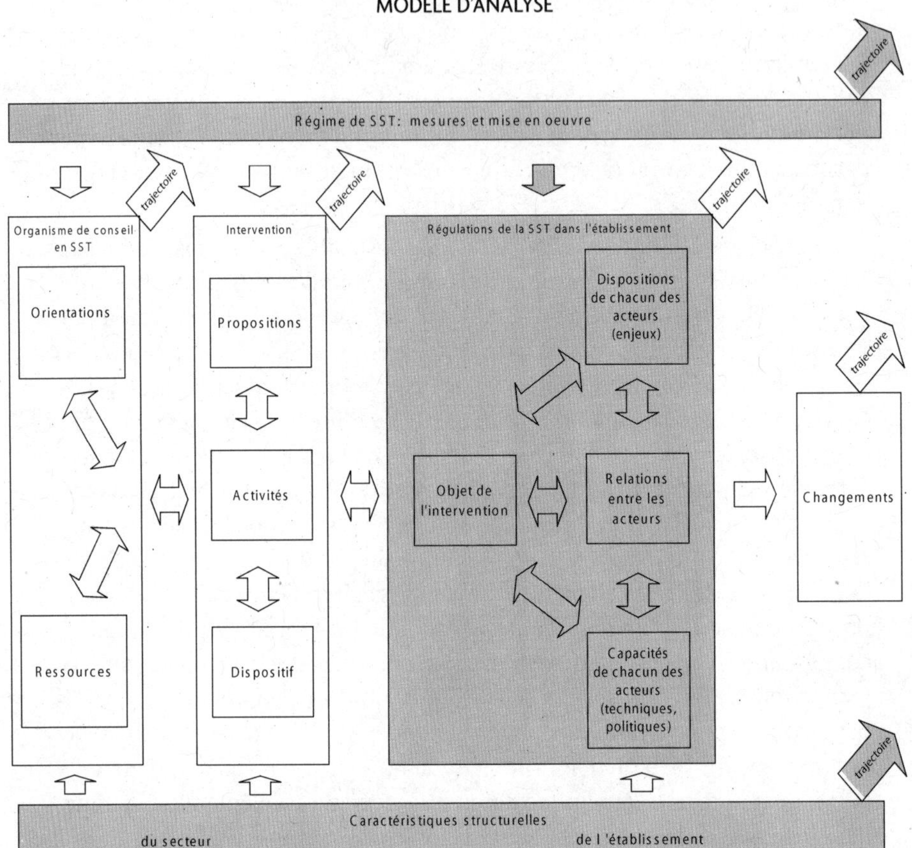

3. MÉTHODOLOGIE

Afin de maximiser la diversité des établissements, quatre associations sectorielles paritaires (ASP) ont été sollicitées, soit : Préventex, qui couvre les secteurs du textile primaire et de la bonneterie ; l'Association sectorielle Fabrication d'équipements de transport et de machines (ASFETM) ; l'Association pour la santé et la sécurité du travail, secteur affaires sociales (ASSTSAS), desservant les hôpitaux, les centres d'hébergement et de soins de longue durée, etc., et l'Association paritaire du secteur affaires municipales (APSAM). La sélection des cas procède par échantillonnage raisonné, retenant ceux qui éclairent le mieux les différentes dimensions sous-tendant la question de recherche : chaque conseiller était libre de proposer des cas, au fur et à mesure que des possibilités se présenteraient ; les interventions devaient se répartir en fonction de variables du modèle théorique initial. Comme le montrent les tableaux 1 et 2, nous avons cessé d'accepter des cas lorsqu'une diversité suffisante a été atteinte, ou après avoir constaté que cela serait difficile pour certaines variables, comme la taille. Un seul établissement a refusé de participer ; deux n'ont pas retourné les appels. Une étude de cas a été interrompue en raison de problèmes dans l'entreprise. Malgré nos demandes, nous n'avons accompagné un conseiller que dans une seule entreprise non syndiquée, qui a par ailleurs connu une demande d'accréditation en cours d'intervention. L'échantillon ne comprend pas d'organisation de cinquante travailleurs et moins, mais une de moins de cent employés.

Comme le montre le tableau 2, chaque cas peut être situé dans une ou plusieurs catégories selon la nature de l'intervention, définie par le moyen retenu initialement pour faire face au problème de SST à son origine. D'autres moyens ont pu s'ajouter par la suite. Des comparaisons sont donc possibles chaque fois entre plusieurs interventions utilisant le même « moyen ».

La première étude de cas a débuté en septembre 1999 et les dernières au printemps 2000. Les observations et les entrevues se sont étendues sur une période de dix à vingt-deux mois selon l'établissement ; trois interventions étaient toujours en cours au moment de terminer l'étude (B, C et E), leur objet supposant un accompagnement à long terme. Dans tous les cas, des propositions de changement ont été formulées, acceptées ou refusées, certaines réalisées, d'autres pas, les matériaux recueillis apparaissant suffisants pour faire ressortir des tendances quant à l'influence du contexte.

TABLEAU 1

CARACTÉRISTIQUES DES SIX ÉTABLISSEMENTS OÙ ONT EU LIEU LES SEPT ÉTUDES DE CAS AU DÉBUT DE L'INTERVENTION

Caractéristiques	A	B	C	D	E	F et G
Taille de l'organisation[1]	grande	moyenne	moyenne	moyenne	moyenne	grande
Taille de l'établissement	grande	moyenne	moyenne	moyenne	moyenne	moyenne
Présence d'un CPSST	oui	oui fonction-nement interrompu	non	oui	oui	oui fonction-nement inter-rompu
Présence d'un syndicat dans l'établissement	oui	oui	non	oui	oui	oui
Obligation d'élaborer un programme de prévention et de mettre en œuvre un programme de santé	non	oui	non	non	non	oui

1. Critère utilisé par Champoux et Brun (1999) soit petite entreprise : 50 travailleurs et moins, moyenne entreprise : de 51 à 250 travailleurs, grande entreprise : plus de 251 travailleurs.

TABLEAU 2

NATURE DES INTERVENTIONS ÉTUDIÉES ET DES MOYENS D'ACTION DÉFINIS AU DÉBUT DE L'INTERVENTION, DURÉE DES INTERVENTIONS ET DE LEUR ÉTUDE

	Interventions étudiées						
	A	**B**	**C**	**D**	**E**	**F**	**G**
Description générale de l'intervention	Assistance à la conception lors d'un changement architectural, technologique et organisationnel	Assistance au fonctionnement du CPSST Mise à jour du programme de prévention	Mise en place d'un comité paritaire de SST	Correction à l'aménagement et l'équipement	Développement d'un programme d'intervention sur la violence	Mise en place du SIMDUT[2]	Formation à la conduite sécuritaire de chariots élévateurs
Moyens d'action définis au début de l'intervention[3]							
Plan d'action utilisant un ensemble de moyens		■			■		
Système, processus, procédure						■	
Aménagements ou équipements	■			■			
Formation						Formation au SIMDUT	Formation conduite sécuritaire des chariots élévateurs
Équipements de protection individuelle							
Assistance ou mise en place d'un comité SST		■	■				
Durée de l'intervention	14 mois	au-delà de l'étude	au-delà de l'étude	5 mois	au-delà de l'étude	7 mois	2 mois
Durée de l'étude	15 mois	16 mois	observations : 12 mois dernier entretien : 22 mois	observations : 5 mois dernier entretien : 21 mois	10 mois	10 mois	3 mois

2. Système d'information sur les matières dangereuses utilisées au travail
3. Par la suite, d'autres moyens peuvent avoir été convenus et éventuellement mis en place, comme dans le cas B, la formation sur l'entrée en espace clos. Pour un portrait de l'ensemble des propositions soumises/implantées, voir la figure 3 et http://www.irsst.qc.ca/fr/_publicationirsst_100042.html, p. 126, tableau 10.

Nous avons réalisé des observations (non participantes, la chercheuse n'intervenant pas elle-même) à l'occasion des visites des conseillers dans les établissements (43 événements tels des réunions, des visites de postes, desinspections, etc.) pour lesquelles nous disposons de notes manuscrites rapportant les activités et échanges. Tout au long des interventions observées, nous avons réalisé 50 entrevues semi-dirigées avec des acteurs des établissements et huit entretiens téléphoniques dont les principaux éléments étaient transcrits en direct. Les acteurs interviewés sont autant des interlocuteurs, des conseillers que des personnes qu'ils rencontrent peu ou pas, mais pouvant influencer l'intervention et l'issue des propositions de changement. Nous avons procédé à 26 entrevues et 41 entretiens téléphoniques avec les conseillers tout au long de leurs interventions. Enfin, dix autres entrevues et huit entretiens téléphoniques avaient pour objectif la validation de l'analyse par les conseillers. Au total, 186 sources ont ainsi été dépouillées. Nous avons aussi recueilli les documents échangés entre l'ASP et le milieu de travail, des rapports d'intervention, comptes rendus de réunions, plans, photos, procès-verbaux des réunions de comités paritaires de santé et de sécurité du travail (CPSST), rapports annuels, journaux et données recueillies sur les sites Internet des établissements, etc. Chaque proposition de changement énoncée par un acteur de l'établissement ou par le conseiller (« on devrait faire ça... ») était notée et son issue (acceptation par les différents acteurs et réalisation ou non) suivie jusqu'à la fin de l'intervention du conseiller ou de notre étude, selon le cas. Les établissements et les interventions sont décrits plus en détail dans un rapport de recherche disponible dans Internet (Baril-Gingras, Bellemare et Brun, 2004).

Nous avons utilisé une matrice d'analyse intra et intercas de forme « prédicteurs-résultats » (Huberman et Miles, 1991 : 302) ou « process-outcome » (Patton, 1990 : 415). Nous avons eu recours au procédé d'induction analytique proposé par Becker (1998) (voir également Mucchielli, 2004) pour générer des propositions puis les valider de façon itérative sur chaque cas ; ces propositions sont émises sous la forme « si telle caractéristique est présente, alors... des changements sont (ou ne sont pas) produits ». Un deuxième procédé de comparaison est inspiré de l'évaluation faite par Allard (1996) quant à la réalisation des programmes de santé spécifiques aux établissements (PSSE) prévus par la législation québécoise ; l'auteur positionne chaque cas sur deux axes, le premier exprimant le degré de réalisation du PSSE, le second celui de la prise en charge par l'établissement, ici le degré d'avancement des activités en prévention.

4. RÉSULTATS

4.1 Caractéristiques structurelles et organisation des activités de prévention

Le tableau 3 décrit les caractéristiques structurelles des établissements qui permettent de les positionner en rang[4] les uns par rapport aux autres, quant à chacun des critères retenus pour constituer un axe théorique opposant certaines des caractéristiques des segments primaires et secondaire du marché du travail. La syndicalisation n'a pas été retenue ici étant donné que le seul établissement non syndiqué a connu une demande d'accréditation au cours de l'étude. Les établissements se répartissent d'un pôle à l'autre de cet axe théorique, de la manière suivante : quant à la taille de l'organisation, de plusieurs dizaines de milliers de travailleurs à moins d'une centaine ; quant à la taille de l'établissement, de quelques milliers à moins de cent ; quant au niveau de qualification des travailleurs, d'une exigence minimale d'un diplôme d'études collégiales pour le corps d'emploi le plus nombreux, à une majorité d'employés n'ayant pas complété onze ans d'études ; quant à la composition en termes d'hommes et de femmes, d'une main-d'œuvre entièrement masculine à un personnel majoritairement (75 %) féminin dans l'établissement, ou entièrement dans le service concerné ; quant à la composition ethnique, d'un personnel entièrement « blanc » et francophone à un personnel à plus de 90 % noir, asiatique ou d'Amérique centrale ; quant au niveau de salaire, soit pour le salaire à l'entrée (1er échelon) de la catégorie d'emploi la plus nombreuse, de très légèrement au-dessus du salaire minimum à près de deux fois et demi ce montant horaire ; quant au roulement du personnel, de 1 % à 2 % par an à 175 % à 200 %. À la figure 2, chaque établissement est situé sur deux axes. Cette représentation graphique a pour objectif de synthétiser les données recueillies. Elle ne vise pas à tirer des conclusions statistiques, ce que les données ne permettent pas. L'axe horizontal classe les établissements par rang quant à leurs caractéristiques structurelles, à partir des données du tableau 3. Les pôles de cet axe horizontal sont les caractéristiques des segments secondaire et primaire du marché du travail. L'axe vertical situe les établissements quant à l'avancement de leurs activités en prévention, celles-ci étant ordonnées en rang en fonction des capacités requises par l'activité la plus exigeante en place avant l'intervention. Ce sont ici les exigences en termes

4. L'entente interjuges (2) pour chacune des variables a été évaluée à l'aide d'un coefficient de Spearman pour rangs, soit, pour les 42 entrées, un coefficient « r » de 0,964. Cet indice est rapporté à des fins descriptives, le test inférentiel n'étant pas valide avec un échantillon de cette taille. Le rang global pour chacun des établissements est identique pour les deux juges.

de temps, de compétences et d'efforts de coordination, plutôt que les coûts, plus variables dans une même catégorie de mesures et d'une importance relative aux caractéristiques de l'établissement. Les pôles de l'axe vertical sont l'externalisation (de l'entreprise ou l'organisation vers les salariés, l'État et la société en général) et l'internalisation (par l'entreprise) des coûts de la santé et de la sécurité et des conséquences éventuellement négatives du travail sur la santé[5].

TABLEAU 3

CLASSEMENT PAR RANG DES CARACTÉRISTIQUES STRUCTURELLES DES ÉTABLISSEMENTS

Critères	Rang					
	cas A	cas B	cas C	cas D	cas E	cas F et G
Taille de l'organisation (ou de l'entreprise) (plus grande = 6)	5	4	2	3	1	6
Taille de l'établissement (plus grande = 6)	6	5	3	4	1	2
Niveau de qualification des travailleurs dans l'établissement (plus grand = 6)	6	5	2	2	4	2
Composition de genre de la main-d'œuvre (plus masculine= 6)	1	6	2,5	2,5	4,5	4,5
Composition ethnique de la main-d'œuvre (plus « blanche » = 6)	4	4	1,5	4	6	1,5
Niveau de salaire à l'entrée de la catégorie la plus nombreuse (plus élevé = 6)	5	6	2	3	4	1
Stabilité d'emploi (roulement le moins élevé = 6)	4	5,5	1	4	5,5	4
Total	31	35,5	14	22,5	26	19
Rang global	5	6	1	3	4	2
Caractéristiques correspondent fortement au segment	primaire	primaire	secondaire	position intermédiaire	position intermédiaire	Secondaire

5. L'opposition internalisation/externalisation est utilisée entre autres par Quinlan (1999). Par exemple, le recours à des sous-traitants et à des travailleurs autonomes permet aux entreprises de ne plus assumer une partie des coûts des conséquences négatives du travail sur la santé.

FIGURE 2

DEGRÉ D'AVANCEMENT DES ACTIVITÉS EN PRÉVENTION
POUR CHACUN DES ÉTABLISSEMENTS SELON LEURS CARACTÉRISTIQUES
STRUCTURELLES AVANT L'INTERVENTION

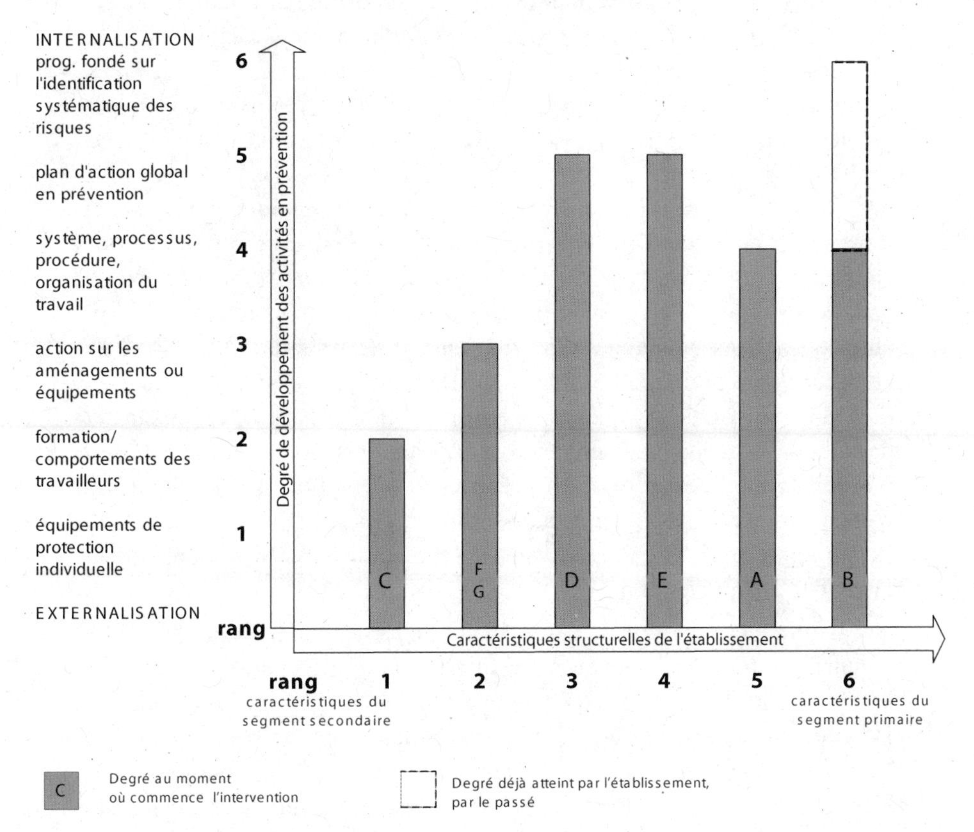

La figure 2 suggère donc la présence de deux phénomènes complémentaires. Premièrement, l'opposition marquée entre les cas C, F et G (salaires peu élevés, travailleurs peu qualifiés, etc.), d'une part, et les cas A et B, d'autre part (salaires plus élevés, travailleurs plus qualifiés, etc.) supporte l'hypothèse d'une influence des caractéristiques structurelles des établissements sur le degré d'avancement de leurs activités en prévention au moment où commence l'intervention, celui-ci augmentant quand les caractéristiques structurelles de l'établissement s'apparentent aux caractéristiques du segment primaire du marché du travail. Cependant, la tendance vers les caractéristiques du segment primaire ne garantit ni un degré élevé d'organisation en prévention ni son efficacité. On considérera plus loin le rôle des rapports sociaux dans chaque lieu de travail, qui apparaissent influencés, mais non déterminés par ces caractéristiques structurelles. Deuxièmement, on note que, dans les cas D et E, la collaboration soutenue entre les établissements et l'ASP a contribué à un accroissement plus important des activités en prévention ; dans les autres établissements, soit il n'y avait pas eu d'intervention auparavant (B, F et G), soit elles n'avaient pas été de cette ampleur au cours des dernières années. Quant à ce second phénomène, l'étude des cas met cependant en évidence que les choix stratégiques qui participent à définir les caractéristiques structurelles d'une entreprise (un contexte ne favorisant pas la stabilité d'emploi, par exemple) peuvent être en contradiction avec le besoin, reconnu par la direction elle-même, d'améliorer la situation en SST, compris comme une condition d'améliorer la productivité. Ainsi, dans le cas C, l'intervention est issue de la volonté de l'entreprise de transformer ses relations avec les employés afin de stabiliser le personnel et d'atteindre les niveaux de productivité attendue ; par contre, les conditions salariales qu'elle offre aux travailleurs, dans un contexte de compétition très forte avec des entreprises implantées dans les pays du Sud, contribuent au roulement très élevé. Celui-ci explique à la fois la motivation à agir en prévention et les difficultés à obtenir des résultats. On verra que cette intervention n'efface pas les contradictions structurelles qui l'ont générée, bien qu'elle contribue à des changements favorables à la prévention.

L'influence des caractéristiques structurelles des établissements doit être comprise en tenant compte de la trajectoire (voir figure 1) des établissements et des secteurs d'activités auxquels ils appartiennent, qui participe à expliquer la genèse des interventions. Ces trajectoires sont entre autres le produit de stratégies de gestion, c'est-à-dire de choix technologiques, d'organisation de la production ou du service et de gestion des ressources humaines, s'inscrivant dans les rapports sociaux propres au milieu de travail, et d'une période économique, sociale et politique particulière. Le cas E illustre la situation où ces trajectoires structurelles ont un effet positif pour la prévention : les caractéristiques des organismes de service de ce sous-secteur tendent globalement à se déplacer du segment secondaire vers le segment primaire ; la taille des organisations et les qualifications exigées de sa main-d'œuvre augmentent. Ces transformations découlent en grande partie de règles définies par l'État quant à la qualité des services. La syndicalisation s'y est fortement accrue et l'amélioration de la SST est directement liée à l'importance accordée à ces questions par des syndicats très revendicateurs. L'action de l'ASP s'inscrit dans cette trajectoire, en participant à la conception d'équipements et d'aménagements sécuritaires et à la formation. L'intervention étudiée pourrait contribuer à la structuration de l'organisation du travail en cours, en définissant des principes qui devraient la guider, afin de prévenir les agressions. Elle s'inscrit ainsi dans une perspective d'amélioration de la qualité des services. La genèse du cas G peut aussi être liée à la trajectoire de cet établissement, qui aurait pu avoir une influence positive en prévention, n'eût été sa fermeture par le siège social. Ici, c'est une préoccupation pour la fluidité de la production qui amène à qualifier un plus grand nombre de travailleurs, par la formation à la conduite sécuritaire des chariots élévateurs.

Ces deux exemples illustrent une situation où les « évolutions structurelles » ont une influence positive en prévention. Cependant, d'autres changements structurels observés peuvent introduire de nouveaux risques et affecter les capacités d'agir en prévention : ainsi, dans le secteur où se trouvent les établissements C et D, la tendance est à la diminution de la taille des entreprises, limitant les ressources professionnelles consacrées à la prévention. La fragilisation des emplois, par la concurrence plus directe avec les entreprises implantées dans les pays du Sud en particulier, apparaît comme un obstacle important à l'amélioration des conditions de SST. Le cas D illustre les effets paradoxaux et potentiellement négatifs de la trajectoire structurelle des établissements sur la SST. Au fil des ans, certaines opérations y ont été mécanisées, de manière à augmenter la productivité et à réduire les coûts de production. Cela a eu pour effet secondaire de réduire la pénibilité du travail associée aux manutentions des produits. Cependant, les cadences ont augmenté, ce qui est évoqué comme problématique par les travailleurs et les représentants syndicaux. Par ailleurs, si la production a augmenté, le nombre d'employés a diminué et les mises à pied temporaires sont plus longues. De fait, plusieurs des transformations actuelles du marché du travail sont interprétées comme introduisant de nouveaux risques, rendant plus difficiles l'action en prévention à l'échelle des entreprises comme des politiques publiques (Quinlan, 1999).

4.2 Le degré de développement des activités de prévention et l'issue des interventions

La figure 3 situe les activités de prévention proposées (flèches blanches) au cours de l'intervention dans chacun des établissements. Les activités dont l'implantation est complétée ou en cours à la fin de l'étude sont représentées respectivement par les flèches grisées et en pointillé. De manière générale, les activités les plus facilement réalisées (parmi celles complétées au moment où se terminent nos observations) correspondent aux capacités requises par des activités déjà en place, ou sont moins exigeantes. Elles utilisent des capacités déjà présentes, sans supposer l'acquisition de nouvelles compétences, structures ou autres. Or certaines interventions nécessitent l'acquisiton de nouvelles capacités : par exemple, dans le cas B, l'élaboration et la mise en œuvre de procédures de sécurité passent par des compétences nouvelles, l'ajout de nouvelles tâches et des changements dans l'organisation des relations entre les acteurs, entre autres pour une procédure de cadenassage, nécessitant la collaboration entre les travailleurs qui entretiennent des systèmes et ceux qui les opèrent. Sur la base des interventions étudiées et de l'histoire de l'organisation de la prévention dans l'ensemble des établissements, on peut ainsi préciser quelles sont les capacités nécessaires pour chaque type d'activité (pour des détails sur ce sujet, voir Baril-Gingras et coll. 2004). Elles sont présentées en ordre croissant quant aux capacités requises.

FIGURE 3

DEGRÉ D'AVANCEMENT DES ACTIVITÉS PROPOSÉES ET RÉALISÉES AU COURS DE L'INTERVENTION POUR CHACUN DES ÉTABLISSEMENTS

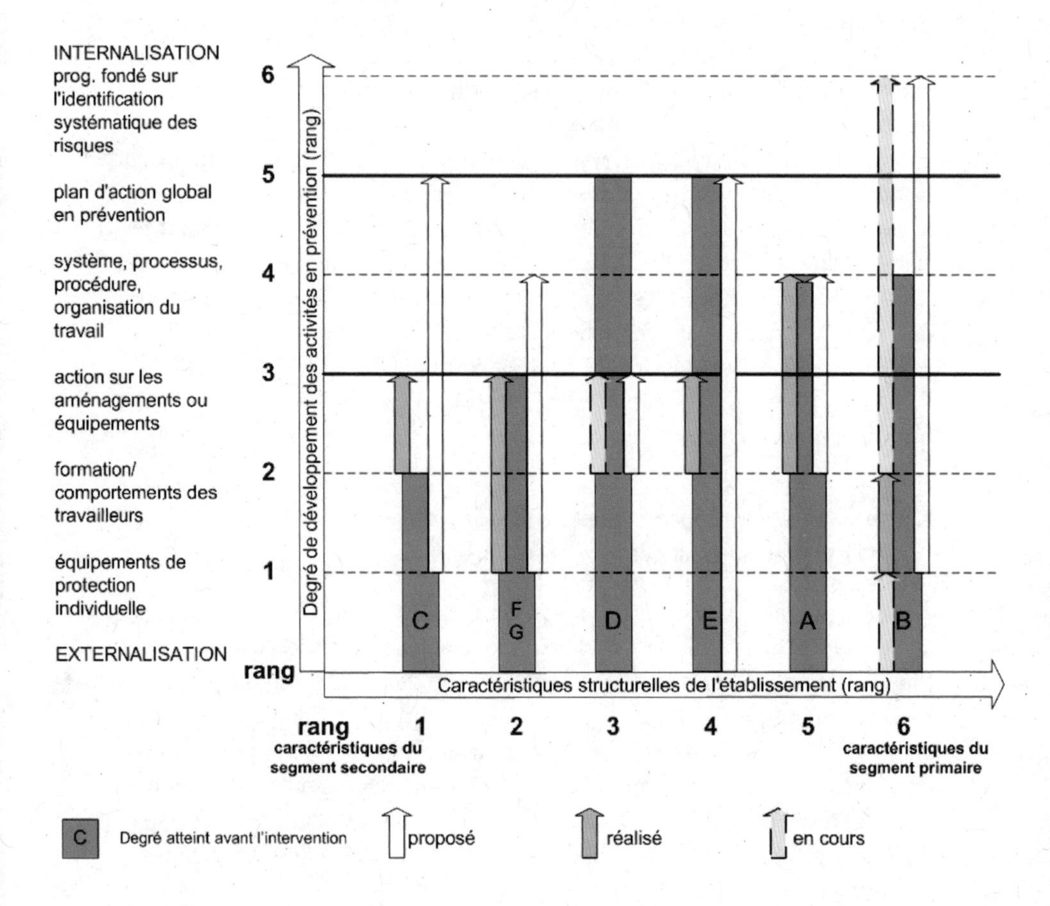

Les résultats exposés à la figure 3 suggèrent ainsi que les activités de prévention peuvent être regroupées en trois grands stades de structuration de la prévention. L'axe vertical ordonne déjà les activités de prévention selon les capacités ou ressources requises. Les trois stades, regroupant d'une à trois activités, sont délimités par les lignes horizontales pleines. Le passage de l'un à l'autre représenterait un saut qualitatif pour la prévention. Le stade I correspondrait à la fourniture d'équipements de protection individuelle (1) ; la formation des travailleurs (2) ; des actions d'élimination à la source, de contrôle ou de protection collective (3). Le stade II comprendrait la mise en place d'activités de prévention récurrentes, soit des procédures, des systèmes (comme le SIMDUT) et des actions sur l'organisation du travail (avec la réserve émise précédemment sur ce dernier élément) (4) et la mise en œuvre d'un plan d'action en prévention (5), comprenant un ensemble de mesures parmi les précédentes. Le stade III concernerait la reconnaissance systématique des risques, fondant un programme de prévention intégré, incluant l'ensemble des activités correspondant aux stades précédents (6). L'issue des propositions de changement découlerait entre autres de l'ampleur de l'écart entre les activités déjà en place (et les capacités rendues disponibles pour ce faire) et les capacités que nécessitent les activités à mettre en œuvre. Les programmes fondés sur une approche de santé publique et l'enseignement aux professionnels en SST, comme les dispositions légales, définissent une démarche commençant avec la reconnaissance et l'évaluation des risques, et se poursuivant avec des mesures d'élimination à la source, sinon de contrôle par des moyens passifs (intégrées à la technologie) puis actifs (des procédures, des méthodes, nécessitant la formation des travailleurs) et, en dernier recours, la fourniture d'équipements de protection individuelle. Le processus « spontané » de structuration de la prévention observé ici suit plutôt une logique orientée par le niveau de ressources nécessaires à chaque type d'activité préventive. À moins que des activités n'aient été imposées par l'inspectorat, induites par la réglementation et soutenue par une dynamique interne, ou mises en place du fait d'un accompagnement soutenu par le conseil externe, la structuration de la prévention ne suit pas cette logique rationnelle, fondée sur l'efficacité préventive de chaque mesure, mais plutôt celle des capacités requises. Cela renforcerait la nécessité que la législation prescrive des mesures quant à l'organisation de la prévention tel qu'un programme de prévention, et celle de dispositions visant à assurer la présence de ressources formées en prévention dans les établissements et la représentation des travailleurs dans ce domaine ; de même, cela appuierait la pertinence du conseil externe comme celui des ASP pour soutenir ces activités.

4.3 Les régulations des risques dans les rapports entre acteurs collectifs

Pour comprendre le contexte des interventions, il nous reste à examiner comment, dans le cadre défini par les caractéristiques structurelles des établissements, les acteurs sociaux régulent les risques du travail, par leur action propre et dans leurs relations entre eux. Les modes de régulation de la SST observés peuvent être situés les uns par rapport aux autres sur un axe[6] dont l'un des pôles est l'« inorganisation », qui est entre autres une cause et une conséquence de la « sortie » que représente le roulement de la main-d'œuvre, pouvant générer le « *healthy worker effect* », phénomène par lequel les conditions de travail difficiles produisent une sélection de ceux ou celles qui sont capables d'y résister, souvent au prix d'effets à plus long terme. Bien sûr, la possibilité de « sortir » dépend de la situation sur le marché du travail. L'autre pôle, soit l'« organisation »[7], est associé à la constitution des travailleurs en acteur collectif, permettant l'expression des travailleurs autour des questions de SST, soit informellement (entre superviseurs et travailleurs), soit formellement (par l'entremise d'un CPSST, de négociations entre un syndicat et un employeur, etc.). Le produit de ces rencontres, contribuant à définir la régulation effective de la SST, dépend de la convergence ou de la divergence des enjeux des différents acteurs, autour d'une question en particulier et exprime leurs capacités politiques relatives. La « rencontre » (la discussion formelle ou informelle, la négociation) n'assure pas l'intégration de la prévention ; cependant, la capacité d'action collective des travailleurs et l'existence de structures de représentation apparaissent comme une condition nécessaire à l'accroissement effectif des activités en prévention.

---

6. La diagonale à la figure 4 ne représente pas une droite de régression, ce que ne permettent pas les données, mais un repère théorique afin d'organiser les régulations de la SST observées.
7. On retrouve ici l'opposition entre *exit* et *voice* à laquelle réfère Hirshman (1972) et qui est reprise par Fairris (1997).

FIGURE 4

RÉGULATIONS DE LA SANTÉ ET DE LA SÉCURITÉ DU TRAVAIL EN FONCTION DES CARACTÉRISTIQUES STRUCTURELLES ET EN RELATION AVEC LE DEGRÉ D'ACCROISSEMENT DES ACTIVITÉS EN PRÉVENTION (NB : LA DIAGONALE NE CORRESPOND PAS À UNE DROITE DE RÉGRESSION)

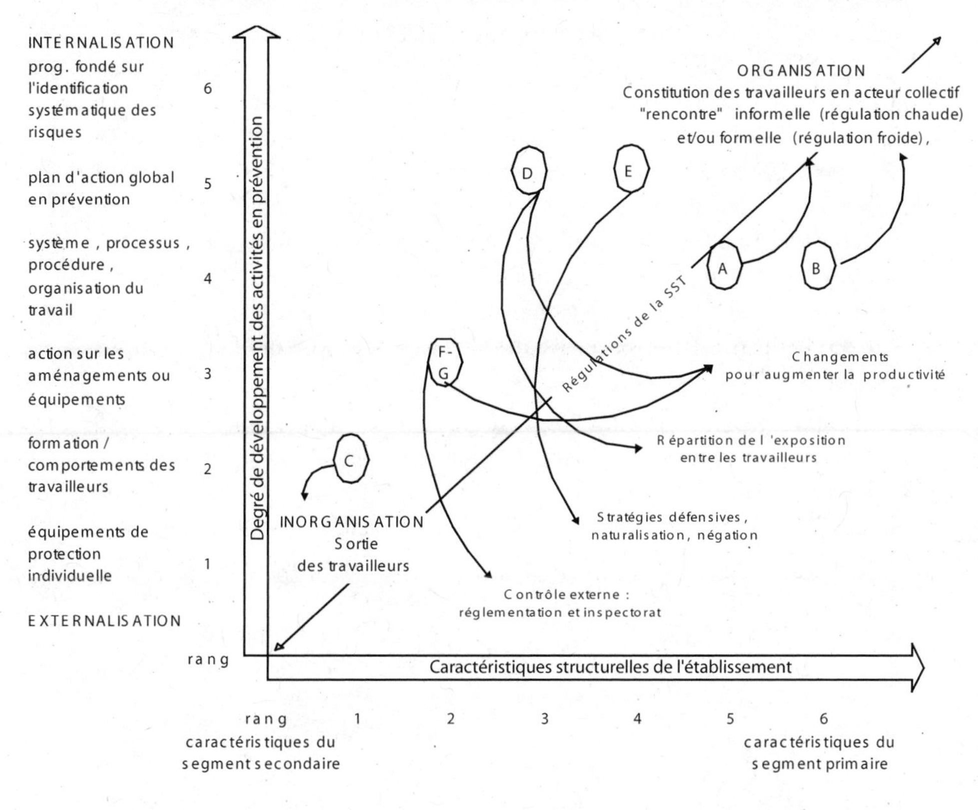

La figure 4 illustre le mode de régulation de la SST dominant dans chaque établissement, avant l'intervention, autour de l'objet particulier auquel elle s'adresse. Cela n'exclut pas que des modes de régulation différents puissent se côtoyer, selon les objets qu'ils concernent, les enjeux que ceux-ci représentent dans les relations entre les acteurs et les capacités d'actions spécifiques à ces objets : même dans les établissements les plus structurés en prévention, on peut observer la « naturalisation » (voir Allard, 1996) des problèmes de santé psychologique ou des troubles musculo-squelettiques (« ça fait partie du travail »), en l'absence de perspective de changement de l'organisation du travail. Par exemple, dans l'établissement E, relativement structuré en prévention, les agressions étaient jusqu'alors perçues comme en quelque sorte inévitables.

Les cas étudiés suggèrent donc que la régulation par la « sortie » est associée aux caractéristiques du segment secondaire du marché du travail et à un faible degré d'amélioration des activités préventives (on pourrait certainement observer des situations où cette réaction n'est pas possible, le chômage étant trop élevé). À l'inverse, les établissements dont les caractéristiques correspondent plutôt au segment primaire sont ceux où les conditions sont les plus favorables à ce que les travailleurs expriment les difficultés liées au travail, et qu'elles soient régulées non seulement par des stratégies individuelles et collectives des travailleurs pour changer ce qui est à leur portée immédiate mais aussi par des actions qu'ils mènent pour la modification des conditions d'exercice des activités de travail par l'employeur. Les régulations de la SST, définies dans les rapports sociaux qui se jouent dans l'entreprise, se construiraient ainsi chaque fois dans le cadre particulier posé par ses caractéristiques structurelles et par les « capacités » qui y sont associées, sans qu'il s'agisse d'un effet de détermination.

Le cas C (voir les tableaux 1 et 2) représente le premier pôle, caractérisé par ce que nous avons appelé la « sortie » des travailleurs : le roulement très important, qui découlerait entre autres d'un salaire peu élevé et de conditions de travail difficiles (des quarts de douze heures en rotation longue sur plusieurs semaines, de jour et de nuit), fait qu'il y a peu de possibilités de mettre au point des stratégies individuelles et encore moins collectives pour faire face aux difficultés du travail et aux risques ; l'absence de structures de représentation collective avant l'intervention limite les possibilités d'expression des problèmes par les travailleurs. Des travailleurs membres du nouveau comité de SST expliquent qu'ils n'étaient pas écoutés par leurs superviseurs, auparavant, lorsqu'ils rapportaient des problèmes et faisaient des suggestions quant à la SST (alors qu'ils constatent que les discussions au comité mènent maintenant à certaines actions). Les horaires de travail sont leur principale préoccupation en ce domaine. En contribuant au roulement, cela participe aussi de l'inorganisation à laquelle l'employeur tente de remédier en mettant en place le comité. C'est une préoccupation importante pour la direction de l'usine, qui a l'expérience d'établissements plus fortement structurés et comprend l'importance d'agir en prévention pour réduire le roulement, et pour cela d'obtenir la participation des travailleurs.

Le cas A illustre le pôle opposé (organisation et établissement de très grande taille, tendant vers les caractéristiques du segment primaire), soit une régulation des conditions du travail ayant une influence sur la SST qui passe par la rencontre informelle entre les travailleurs et leur superviseur et par l'action du collectif. L'intervention y accompagne un changement technologique, architectural et organisationnel, à l'occasion du regroupement de plusieurs services semblables. Le superviseur est préoccupé des effets de ces changements pour les travailleuses. L'activité de travail concernée consiste à répondre à des requêtes d'information des clients et du personnel à l'aide d'outils papier et informatiques. La stabilité du personnel et des collectifs dans chacun des services qui vont fusionner a rendu possible la mise au point de stratégies individuelles et collectives, et cela, bien qu'il s'agisse d'une tâche sous forte contrainte de temps; les travailleuses s'entraident, partagent des outils de travail qu'elles ont élaborés, formulent des demandes au superviseur et règlent au quotidien, à travers ces échanges, divers problèmes éprouvés. L'importance de ces échanges est soulignée par les difficultés entraînées par le fait qu'il n'y a plus qu'un superviseur pour plusieurs équipes encore dispersées. Ces échanges informels montreront certaines limites: les travailleuses s'en remettront à leur syndicat pour régler des questions qui dépassent l'autonomie décisionnelle du superviseur, tels les horaires de travail. Ce cas illustre l'importance du collectif dans la régulation des risques pour la santé, entre autres pour la santé psychologique. Si les propositions du conseiller quant aux aménagements sont largement reprises dans la conception, les changements favorables à la prévention, quant à l'organisation de leur travail, sont en grande partie le fait du groupe de travailleuses. Ainsi, ce collectif va poser des gestes parmi les plus significatifs pour assurer le fonctionnement du service après la fusion, réduire les effets négatifs du changement pour les personnes et améliorer les conditions dans lesquelles se fait le travail: l'une des travailleuses prépare, en dehors des heures de travail, en s'appuyant sur la collaboration des membres des autres équipes, un outil papier uniforme qui organise et formalise les connaissances de chacune de ces équipes et permet leur circulation. Comme le suggère Reynaud (1997), on peut parler d'une régulation autonome, à la fois porteuse des intérêts propres au collectif, et de préoccupations d'efficacité.

À ce pôle, dans le cas A comme dans le cas B, la régulation de la SST se fait donc – entre autres – par l'action collective, la « négociation » sur les moyens accessibles aux travailleurs et sur les règles qui définissent les activités de travail. Cela passe aussi, dans le cas B, par plusieurs cadres permanents, plus formels que les rapports quotidiens avec les superviseurs, soit les réunions de sécurité, les rencontres du CPSST et du comité de relations de travail. L'origine de l'intervention est liée à la dégradation de ces mécanismes, à la suite de la réduction du nombre de superviseurs, puis au blocage d'une forme de régulation (chaude, soit un conflit travailleur-superviseur, le premier réclamant les conditions pour mettre en œuvre une procédure de sécurité) comme de l'autre (froide, soit l'absence de réunions du CPSST durant une longue période). La réalisation des propositions de changement suppose, entre autres, le déblocage des deux mécanismes, qui s'amorce avec l'intervention. L'offre d'intervention rejoint les préoccupations du syndicat, qui voit les problèmes non réglés s'accumuler, et de la direction, pour qui c'est un moyen de relancer l'action en prévention et de réaffirmer son engagement, malgré les difficultés éprouvées pour allouer des ressources.

La régulation du rapport aux risques, à sa santé et sa sécurité, repose donc essentiellement, à une extrémité de l'axe, sur les stratégies individuelles des travailleurs, dont ce que nous avons appelé la sortie, avec une efficacité limitée et un coût pour leur santé ; à l'autre extrémité, elle passe par des actions afin d'éliminer ou de contrôler les risques directement, ou amener l'employeur à le faire. Entre ces deux pôles, les cas étudiés révèlent divers autres modes de régulation, comme le montre la figure 4. Les deux premiers répondent toujours à une forme d'externalisation des risques par l'entreprise, au sens où celle-ci ne met pas en place l'ensemble des moyens requis pour les éliminer ou les contrôler. L'un des modes de régulation consiste en une régulation par des stratégies défensives fondées sur la négation, la banalisation ou la naturalisation des risques (voir Allard, 1996). Ces stratégies, qui n'éliminent pas les risques, mais cherchent à contrôler la peur et l'angoisse, sont présentes dans plusieurs des cas étudiés, entre autres face aux risques d'agression des travailleurs par leurs clients, dans le cas E, et cela, malgré que la direction et le syndicat soient très actifs en prévention, sur un ensemble d'autres problématiques. Dans les premiers échanges avec le conseiller, les risques d'agression sont minimisés, présentés comme « faisant partie de la *job* » et sont l'objet de plaisanteries tant par le représentant des travailleurs que de l'employeur. En fait, les participants à l'intervention expriment des difficultés à concilier les règles concernant l'organisation du travail et du service et leurs critères de qualité, leur éthique du travail, dans des situations qui présentent des risques pour les travailleurs ; se protéger d'abord peut ainsi être en contradiction avec ce qui fonde l'identité des travailleurs (aider, agir vite) et avec certaines sources de valorisation (être là où il se passe quelque chose, pour compenser d'autres dimensions plus routinières du travail). La révision de ces règles, et la démonstration, par le conseiller, qu'il est possible d'agir à la source (par l'information préalable sur les clients et le contexte, la formation pour détecter les situations à risques et pacifier les crises, l'organisation du travail en équipe, etc.), sont des conditions qui permettent le passage à d'autres façons de faire face aux risques, cette fois en les contrôlant.

On observe également des régulations de l'exposition aux risques sur la base de l'ancienneté, gérant la compétition pour les postes les moins pénibles, sans que les risques ne soient éliminés. Cela pourrait se faire, ailleurs, en fonction de l'appartenance à un groupe professionnel ou un autre. Ainsi, dans le cas D, les plus anciens peuvent choisir des postes moins difficiles physiquement, le poste qui fait l'objet de l'intervention étant considéré comme difficile. Ces régulations apparaissent de moins en moins efficaces puisque la population de l'établissement vieillit, qu'il y a peu de mobilité et que d'autres critères que les efforts sont en jeu (quart de jour plutôt que de soir, salaire, difficultés associées à des réglages sur les machines, etc.). Ainsi, l'un des opérateurs concernés a déjà une quinzaine d'années d'ancienneté, bien qu'il soit parmi les plus « jeunes ». Le syndicat, le superviseur du service et la direction sont préoccupés par les risques associés à la manutention à ce poste et à d'autres, ce qui amènera cette dernière à contacter l'ASP. La réduction des efforts et des postures contraignantes permettrait de sortir d'une situation qui risque de ne pas permettre à chacun de vieillir en santé au travail.

Les autres modes de régulation mis en évidence s'adressent non plus à la représentation des risques (en les banalisant) ou à leur répartition entre les travailleurs, mais à leur élimination ou leur contrôle. Ils se distinguent les uns des autres par les acteurs qui en sont à l'origine : les travailleurs, individuellement et collectivement, à travers les activités de travail ; l'employeur, du fait des modifications associées à des enjeux de productivité ; l'État, ou le contrôle externe par l'inspectorat. Il s'agit entre autres d'une régulation par des stratégies individuelles ou collectives, mises en œuvre par les travailleurs, dans les activités de travail. Dans chacun des cas étudiés, des « trucs » individuels ou collectifs pour rendre le travail plus facile, moins pénible ou moins risqué ont été évoqués par les travailleurs rencontrés. Dans le cas E, la suite de l'intervention fait ressortir des « savoir-faire de prudence » (Cru, 1988 ; Brun, 1992) individuels ou à l'échelle des petites équipes de travail, qui contribuent à réguler les risques d'agression : des manières d'interagir avec le client, de se placer pour éviter d'être atteint par des coups, etc. Dans le cas A, nous avons évoqué les outils mis au point par des travailleurs et partagés entre eux. Dans d'autres cas, ce sont les observations faites par le conseiller qui mettent en évidence de telles stratégies comme, dans le cas D, des manières différentes de déplacer une charge entre deux opérateurs, celles utilisées par le plus expérimenté limitant les soulèvements. Cependant, la mise au point de telles stratégies individuelles apparaît plus facile lorsqu'il y a une certaine stabilité et une certaine autonomie des travailleurs, et que la direction et les superviseurs créent un contexte favorable. Ainsi, dans le cas C, l'une des motivations à la participation au CPSST de certains travailleurs présents, à l'ancienneté plus importante, est de partager leurs « trucs » avec les nouveaux. Dans le cas G, l'utilisation du klaxon du chariot élévateur pour signaler le passage aux intersections était auparavant réprimandée par l'un des superviseurs : le changement relèvera d'une décision rapportée en utilisant le « nous » par les travailleurs. Les stratégies individuelles et collectives, mises en œuvre dans les activités de travail, semblent plus facilement répandues dans des conditions qui s'éloignent des caractéristiques associées au segment secondaire du marché du travail, comme l'ont suggéré Simard et Marchand (1997).

Dans l'établissement où se déroule le cas D, de même que le cas G, l'histoire de la prévention, autour des problématiques traitées par les interventions étudiées, illustre une régulation par des enjeux liés à la productivité et à la nécessité de qualification du personnel: cela repose, à l'inverse des modes précédents, d'abord sur l'action de l'employeur. Il s'agit, comme on l'a vu, d'une intégration par effet secondaire des stratégies de croissance de l'entreprise et des mesures visant à augmenter la productivité. L'association entre des dysfonctionnements dans les opérations et des problèmes de SST est un moteur important des demandes d'intervention: elle est présente dans chacune des trois interventions étudiées qui découlent de demandes (cas A, D et G) plutôt que d'offres ou d'obligations. C'est un enjeu que les conseillers utilisent pour motiver l'action en prévention et offrir des services (cas C). Cependant, ce mode de régulation de la SST a des limites importantes: comme on l'a vu, les changements motivés par une augmentation de la productivité peuvent avoir des effets paradoxaux, introduisant d'autres risques et se traduisant, par exemple, par une augmentation des cadences de travail; par ailleurs, tous les problèmes de SST ne sont pas associés à des dysfonctionnements dans les opérations: par exemple, dans le cas des risques à la santé, le délai entre l'exposition et l'apparition de la maladie peut être long. Aucun enjeu de productivité ne fournissait de motivation à une intégration adéquate du SIMDUT, dans le cas F, alors que les travailleurs rencontrés rapportaient des irritations cutanées et des difficultés à l'utilisation des ÉPI, les amenant à ne pas les porter. Enfin, une autre limite de la régulation par les changements visant à augmenter la productivité est qu'elle peut être associée à une réduction de l'emploi. Le dernier mode observé est une régulation par le contrôle externe ou l'action de l'État. Contrairement au mode précédent, celui-ci concerne, dans les cas étudiés, des risques qui ne sont pas d'emblée associés à des dysfonctionnements dans les opérations perçues comme un problème par l'employeur. Dans l'établissement où se déroulent les cas F et G, les actions en prévention avant la syndicalisation récente, la mise en place d'un CPSST (encore peu fonctionnel) et les pressions par la multinationale qui vient d'acheter l'entreprise ont été le résultat des obligations faites par des inspecteurs à l'occasion de visites répétées, et de l'action de l'équipe de santé au travail du Centre local de services communautaires (CLSC) dans le cadre de l'élaboration du programme de santé, qui constitue une obligation légale pour cet établissement. De fait, la réglementation et l'action de l'inspectorat ont contribué directement ou indirectement à la structuration de la prévention dans chacun des établissements étudiés, y compris les plus grands (cas A et B). L'issue de l'intervention dans le cas F montre le rôle clé de la dynamique interne à l'établissement, pour dépasser l'alignement formel (et partiel) plutôt que réel à la réglementation (selon l'expression d'Allard, 1996). L'étude menée par Saari et coll. (1993) sur l'implantation du SIMDUT, montre que certains établissements ne mettent pas en place les conditions nécessaires afin que leurs actions, pour se conformer à l'obligation légale, génèrent les résultats attendus ; or ces établissements sont ceux où les risques demeurent les plus importants, étant moins structurés en prévention *a priori*. Cela suggère des réflexions sur les stratégies à déployer par l'inspectorat pour assurer la mise en œuvre effective des obligations en prévention, de même que sur la conception de la réglementation. Cela soulève aussi, comme on l'a souligné auparavant, la nécessité de structures de représentation. La dynamique engagée par l'accompagnement soutenu de l'intervenant externe est ici interrompue (cas F et G) par la fermeture de l'établissement, alors que le représentant des travailleurs continuait à proposer des mesures pour contrer les risques rencontrés par ses collègues et que la direction locale s'engageait dans diverses actions préventives, au-delà de celles engendrées par l'intervention externe.

5. DISCUSSION

Bien que nos observations soient limitées quant au nombre d'établissements, la relation suggérée entre les caractéristiques structurelles des établissements et l'organisation des activités en prévention est cohérente avec divers travaux qui mettent en évidence l'association entre les risques auxquels sont exposés les travailleurs et les caractéristiques structurelles des entreprises qui les emploient (Graham et Sakow, 1990 ; Dorman, 2000). Les établissements qui sont les moins structurés en prévention seraient aussi ceux qui sont dans les moins bonnes conditions pour faire appel au conseil de manière spontanée : il est moins probable d'y trouver des personnes en mesure de reconnaître les problèmes de SST et de connaître les ressources externes, et que les travailleurs y soient organisés, d'où l'importance de l'offre par les organismes comme les ASP et celle du contrôle externe. À l'échelle des politiques publiques, cela dénote les limites et même les effets potentiellement négatifs des évolutions « naturelles » et de la seule action du « marché », et suggère la nécessité de mesures contrant ces effets adverses, mesures qui relèvent tant des exigences légales en matière de SST, de l'accès à des ressources de conseil, que des politiques quant à l'emploi, aux conditions de travail et à l'accès à la syndicalisation.

Les résultats présentés à la figure 3 font ressortir l'apport du conseil externe à la structuration de la prévention. Les histoires de cas montrent également la nécessité de l'action de ressources internes aux établissements. Si les directions de chacun des établissements étudiés sont sensibles à la prévention, elle demeure néanmoins en concurrence avec de multiples enjeux. Or, à la différence du Québec, la plupart des autres provinces ont, au cours des dernières années, augmenté les obligations quant à des activités en prévention (p. ex. obligation de politique ou programme de prévention pour tous les employeurs à partir d'une certaine taille d'établissement, etc.) (voir Simard, 2000 et les modifications adoptées depuis), alors que l'obligation d'élaborer un programme de prévention ne s'applique qu'à quinze secteurs sur trente-deux (ou trente, selon qu'on regroupe ou non certains d'entre eux) au Québec, et maintenant aux entreprises faisant partie d'une mutuelle de prévention[8]. Bien sûr, au Québec comme ailleurs, l'obligation ne garantit pas en soi la conformité, la qualité du programme ni sa mise en œuvre. De nos jours, l'obligation de comité de SST est également largement établie dans différentes provinces canadiennes (et dans le Code canadien du travail, Partie II), alors que, au Québec, la Loi sur la santé et la sécurité du travail (LSST) n'en fait pas une obligation systématique[9]. Bien que des ressources externes soient prévues par la LSST (équipes de santé au travail, associations sectorielles paritaires, financement d'activités de formation par des organisations patronales et syndicales), nous signalerons en particulier l'absence d'obligation au Québec quant à la formation des personnes assumant la responsabilité de la SST pour l'employeur (autrement que pour des questions spécifiques, prévues dans la réglementation) ; or, la législation ontarienne, par exemple, prévoit que l'employeur doit veiller à ce qu'au moins un membre du comité de SST le représentant et un membre représentant les travailleurs soient formés, cette formation étant soumise à une accréditation (L.R.O. 1990,

---

8. Block, Roberts et Clarke (2003: 1970-1972, 1988-1989), comparant toutes les lois en prévention en SST au Canada et aux États-Unis, situent celle du Québec parmi les moins exigeantes quant aux sanctions pouvant être imposées aux entreprises et aux procédures qui y sont liées.
9. Voir les articles suivants de la Loi sur la santé et la sécurité du travail (L.R.Q., c. S-2.1) : « 68. Un comité de santé et de sécurité peut être formé au sein d'un établissement groupant plus de vingt travailleurs et appartenant à une catégorie identifiée à cette fin par règlement. » « 69. Un comité de santé et de sécurité est formé sur avis écrit transmis à l'employeur par une association accréditée ou, s'il n'y en a pas, par au moins dix pour cent des travailleurs ou, dans le cas d'un établissement groupant moins de quarante travailleurs, par au moins quatre d'entre eux, ou sur semblable avis transmis par l'employeur à une association accréditée ou, s'il n'y en a pas, à l'ensemble des travailleurs. […] Lorsqu'elle le juge opportun, la Commission peut exiger la formation d'un comité de santé et de sécurité, quel que soit le nombre de travailleurs dans l'établissement. »

chap. O.1, par. 9 (12)). La Directive européenne de 1989 (Conseil des communautés européennes, 1989), à laquelle chacune des législations nationales doit s'harmoniser, va encore plus loin en prévoyant, à l'article 7, que l'employeur doit désigner un ou plusieurs travailleurs pour s'occuper des activités de protection et de prévention des risques professionnels; si les compétences internes sont insuffisantes, il doit faire appel à des personnes ou services extérieurs; ces ressources doivent disposer des capacités ou aptitudes nécessaires et des moyens requis, dont le temps approprié, et être en nombre suffisant, ce qui peut être précisé par les législations nationales. Dressant un bilan de la formation des professionnels en SST en Europe, Hale (2002) constate que ces exigences ont amené l'embauche d'un plus grand nombre de personnes qualifiées, signalant que la régulation par le marché (par l'offre et la demande de telles ressources) n'aurait pas suffi à assurer la présence de ressources compétentes. L'examen de l'influence du contexte des interventions, sous l'angle des régulations construites dans les rapports entre les acteurs, met nettement en évidence le caractère social des questions de SST (largement traité dans les travaux de Simard, voir par exemple, 1994) et, de ce fait, celui des interventions en ce domaine. Nous rejoignons ici Garrety et Badham (1999), qui constatent, comme de Terssac (1990), que l'action sur le travail et les technologies soulève nécessairement des enjeux politiques. Or, comme le suggèrent les travaux de Lévesque (1993) sur les rapports entre les acteurs au sein des comités de SST, l'intégration de la prévention peut passer tant par des rapports de coopération que de confrontation, en fonction des enjeux propres à chaque objet. Nous rejoignons ici les conclusions tirées par Dawson et coll. (1988: 154-155).

> Even if the pursuit of safety is seen to be a shared "objective" interest, issues of resources allocation and the inability to insulate health and safety issues from others such as bonus payments, manning levels, production continuity of work allocation are likely to generate disagreement. However, few issues in industrial life lack potential for conflict, particularly where they make demands on scarce resources.

Nos observations suggèrent qu'une plus grande intégration de la prévention passerait à la fois par les deux formes évoquées de la rencontre entre acteurs collectifs, ce qui suppose la capacité des travailleurs à se constituer comme acteur collectif: informelle, dans le cours des activités de travail, pour faire face à leur variabilité, et formelle, pour traiter des questions qui dépassent l'autonomie décisionnelle des superviseurs et les capacités d'action autonome des travailleurs. C'est ce que suggère le travail de Carballeda (1997) à propos de l'intervention ergonomique sur l'organisation du travail, concluant à la nécessité que les régulations «froides» soient cohérentes avec la réalité du travail et ses régulations « chaudes ». Cela rejoint aussi les conclusions tirées par Fairris (1997), à une échelle historique, quant à l'influence du mode d'organisation des relations de travail dans l'industrie manufacturière américaine sur l'incidence des accidents. Les pôles opposés de l'axe théorique que nous avons tracé pour décrire les régulations de la SST (voir la figure 4) reproduisent le processus historique décrit par ce dernier : l'auteur rend compte de l'effet à la baisse sur l'incidence des accidents, du passage de la « sortie » à l'« expression » (*from exit to voice*) : la première période (autour de 1910) est caractérisée par des taux de roulement extrêmement élevés, exprimant la pénibilité des conditions de travail et la volonté des ouvriers d'améliorer leur sort. Ce roulement devient un problème important pour les entreprises. La seconde période (autour de 1920) assiste à la naissance des *company unions*: le contenu des échanges entre employeur et représentants des travailleurs est alors centré sur les conditions immédiates de travail, y compris d'hygiène et de sécurité ; cette période est marquée par une baisse très nette de l'incidence des accidents et une augmentation de la productivité. La naissance de syndicats autonomes amène des actions portant aussi sur des enjeux *a priori* non convergents, comme la vitesse des chaînes de montage. Les premières années après la Seconde Guerre mondiale sont ainsi marquées par une diminution continue de la fréquence des accidents. Le mode de relations de travail combine alors la résolution de problèmes dans l'atelier, au quotidien, entre les représentants des travailleurs et les contremaîtres (ce que nous appelons des « régulations chaudes »), et l'inclusion de clauses sur la SST dans les conventions collectives (des « régulations froides »). L'augmentation de l'incidence des accidents du travail, à partir du milieu des années 50, est attribuée par Fairris à la disparition du processus au plus près du terrain, alors que la procédure de grief est rapidement engorgée.

6. CONCLUSION

Nous avons cherché à comprendre l'influence du contexte des milieux de travail sur l'issue des interventions en prévention. Cela nous a amenés à examiner ce contexte sous trois angles : celui des caractéristiques structurelles des établissements, inscrites dans une trajectoire, celui des régulations de la SST dans les rapports entre les acteurs et, enfin, celui du degré d'accroissement des activités en prévention, avant l'intervention. Les limites de cette étude sont entre autres celles du petit nombre de cas étudiés et, de ce fait, celles des possibilités de généralisation. La validité des interprétations nous semble cependant renforcée par le fait qu'elles rejoignent les conclusions d'autres études sur l'influence des caractéristiques des milieux de travail sur la SST.

Nos travaux à venir auront pour objectif de vérifier les possibilités d'étendre les conclusions tirées ici. Cela pourra donner lieu à des nuances, sur le plan théorique, visant à dépasser les limites de notre utilisation de certains éléments tirés de la théorie de la segmentation du marché du travail. Nous souhaitons à l'avenir faire appel à une représentation de la structuration du marché du travail et de l'emploi permettant de tenir compte, entre autres, de la diversité des statuts d'emploi et des situations dans un même milieu de travail et de mieux intégrer le rôle du genre.

Ce travail ouvre entre autres sur des réflexions quant aux politiques publiques en matière de SST. Outre la nécessité d'obligations quant à des activités en prévention et quant à des ressources formées, dans les établissements, pour les mettre en œuvre, cela concerne aussi l'accès au conseil. On a vu que les établissements étudiés ayant une longue histoire de collaboration avec l'ASP sont plus fortement structurés en prévention. Dans le contexte actuel du régime québécois, un grand nombre d'établissements n'ont pas accès à des ressources-conseils comme les ASP, ni à celles des équipes de santé au travail des CLSC, où l'intervention peut être définie autrement que par la capacité de payer du client ou la rentabilité économique pour l'un comme pour l'autre. Or le marché ne nous apparaît pas comme un moteur efficace de la prévention ; il semble plutôt qu'il génère des tentatives de réduire les coûts par des moyens autres que la prévention.

BIBLIOGRAPHIE

Allard, D. (1996), « De l'évaluation de programme au diagnostic sociosystémique : trajet épistémologique », Thèse de doctorat en sociologie, Université du Québec à Montréal, Montréal.

Allard, D., Bellemare, M., Montreuil, S., Marier, M., Prévost, J. (2000), « From Diagnosis to Transformation : How Projects are Implemented in a Participatory Framework ». Proceedings of the IEA 2000/HFES 2000 Congress. San Diego, 30 juillet au 4 août, vol. 2, 2-688–2-691.

Baril-Gingras, G. (2003), « La production de transformations visant la prévention lors d'interventions de conseil externe en santé et sécurité du travail : un modèle fondé sur l'analyse d'interventions de conseillers d'associations sectorielles paritaires, dans le contexte du régime québécois ». Thèse de doctorat (Ph. D.) en sciences de l'administration, Université Laval, Québec.

Baril-Gingras, G., Bellemare, M., Brun, J.P. (2004), « Intervention externe en santé et en sécurité du travail : un modèle pour comprendre la production de transformations à partir de l'analyse d'interventions d'associations sectorielles paritaires », Montréal, IRSST, Rapport R–367, http://www.irsst.qc.ca/fr/_publicationirsst_100042.html.

Becker, H.S., (1998), *Tricks of the Trade: How to Think about Your Research While You're Doing It,* Chicago, University of Chicago Press.

Block, R.N., Roberts, K., Clarke, R.O. (2003), *Labor Standard in the United States and Canada,* Kalamazoo, Mich., W.E. Upjohn Institute for Employment Research.

Brun, J.P. (1992), « Les hommes de lignes: analyse des phénomènes sociaux et subjectifs dans l'activité de travail des monteurs de lignes électriques ». Thèse de doctorat en ergonomie, École pratique des Hautes Études, Paris.

Carballeda, G. (1997), « La contribution possible des ergonomes à l'analyse et à la transformation de l'organisation du travail ». Actes du XXXIIe congrès de la Société d'ergonomie de langue française (SELF), Lyon, 85-97.

Champoux, D. et Brun, J.P. (1999), *Prise en charge de la sécurité dans les petites entreprises des secteurs de l'habillement et de la fabrication de produits en métal,* Rapport R–226, Montréal: IRSST.

Conseil des Communautés européennes (1989), Directive 89/391/CEE du 12 juin 1989, concernant la mise en œuvre de mesures visant à promouvoir l'amélioration de la sécurité et de la santé des travailleurs au travail, Journal officiel n° L–183 du 29/06/1989, 0001-0008.

Cru, D. (1988), « Savoir-faire de prudence dans le BTP et règles de travail ». Plaisir et souffrance dans le travail. Paris: AOCIP, CNRS.

Dawson, S., Willman, P., Banford, M. et Clinton, A. (1988), *Safety at Work: The Limits of Self-regulation,* Cambridge, Cambridge University Press.

Dorman, P. (2000), « If Safety Pays, Why Don't Employers Invest in It? ». Systematic Occupational Health and Safety Management: Perspectives on an International Development, dans K. Frick, P.L. Jensen, M. Quinlan et T. Wilthagen (dir.), Amsterdam, Pergamon, p. 351-365.

Eakin, J.M. et MacEachen, E. (1998), « Health and the Social Relations of Work: A Study of the Health-related Experiences of Employees in Small Workplaces », *Sociology of Health and Illness,* vol. 20, n° 6, p. 896-914.

Eisenhardt, K.M. (1989), « Building Theories from Case Study Research ». *Academy of Management Review,* vol. 14, n° 4, p. 532-550.

Fairris, D. (1997), *Shopfloor Matters: Labor-management Relations in Twentieth century American Manufacturing,* London, Routledge.

Garrety, K. et Badham, R. (1999), « Trajectories, Social Words, and Boundary Objects: A Framework for Analyzing the Politics of Technology ». *Human Factors and Ergonomics in Manufacturing,* vol. 9, n° 3, p. 277-290.

Glaser, B. et Strauss, A.L. (1967), *The Discovery of Grounded Theory: Strategies of Qualitative Research,* Londres, Wiedenfeld and Nicholson.

Graham, J., et Sakow, D.M. (1990), « Labor Market Segmentation and Job-related Risk : Differences in Risk and Compensation between Primary and Secondary Labor Markets ». *American Journal of Economics and Sociology*, vol. 49, nº 3, p. 305-323.

Hale, A. (2002), « New Qualification Profile for Health and Safety at Work Specialists », XVIth World Congress on Safety and Health at Work, Vienne, 26-31 mai.

Hirschman, A.O. (1972), « Face au déclin des entreprises et des institutions », Traduction par Claude Besseyrias de Exit, Voice and Loyalty, dans *Responses to Decline in Firms, Organizations and States*, 1970, Paris, Les Éditions ouvrières.

Huberman, M.A. et Miles, M.B. (1991), *Analyse des données qualitatives, Recueil de nouvelles méthodes*, Bruxelles et Montréal, ERPI et DeBoeck-Wesmael.

Lemire, L. (1996), « Évaluation de l'implantation du plan de prévention de l'Association paritaire pour la santé et la sécurité du travail secteur fabrication de produits en métal et produits électriques sur l'évolution des taux d'accidents du travail », Mémoire de maîtrise, Département de relations industrielles, Université de Montréal, Montréal.

Lévesque, C. (1993), « Pouvoir et coopération au sein des comités paritaires de santé et de sécurité du travail : une enquête dans le secteur manufacturier québécois », Thèse de doctorat, Département des relations industrielles, Université Laval, Québec.

Lompré, N. et De Terssac, G. (1995), « Pratiques organisationnelles dans les ensembles productifs : essai d'interprétation », Ergonomie et production industrielle : l'homme dans les nouvelles organisations, XXXe congrès de la Société d'ergonomie de langue française, Biarritz, 27-29 septembre, 253-262.

Mucchieli, A. (dir.) (2004), *Dictionnaire des méthodes qualitatives en sciences humaines*, 2e éd. Paris, Armand Colin.

Patton, M.Q. (1990), *Qualitative Evaluation and Research Methods. 2e éd.* Newbury Park, Sage Publications.

Peck, J. (1996), *Work-Place: The Social Regulation of Labor Market*, New York : The Guilford Press.

Quinlan, M. (1999), « The Implication of Labour Market Restructuring in Industrialized Societies for Occupational Health and Safety », *Economic and Industrial Democracy*, vol. 20, nº 3, p. 426-460.

Reynaud, J.D. (1997), *Les règles du jeu, l'action collective et la régulation sociale*, Paris, Armand Colin.

Rinefort, F. et Van Fleet D.D. (1998), « Work Injuries and Employee Turnover », *American Business* Review, juin, 9-13.

Saari, J., Bédard, S., Dufort, V., Hryniewiecki, J., et Thériault, G. (1993), « How Companies Respond to New Safety Regulations : A Canadian Investigation », *International Labour Review*, vol. 132, n° 1, p. 65-75.

Simard, M. (1994), « Les accidents du travail et les maladies professionnelles », dans F. Dumont, S. Langlois et Y. Martin (dir.), *Traité des problèmes sociaux*, Québec, Institut québécois de recherche sur la culture.

Simard, M. (2000), *Étude des mécanismes de prévention et de participation en santé-sécurité du travail au Canada*, Rapport final déposé à la CSST, Montréal.

Simard, M. et Marchand, A. (1997), *La participation des travailleurs à la prévention des accidents du travail : formes, efficacité et déterminants*, Rapport R–154, Montréal : IRSST.

Strauss, A.L. (1993), *Continual Permutation of Action*, New York, Aldine de Gruyter.

Terssac de, G. (1990), « Impact de l'analyse du travail sur les relations de travail », dans M. Dadoy et coll. (dir.), *Les analyses du travail : enjeux et formes*, Paris, CEREQ, 54, 27-41.

Yin, R.K. (1984), *Case Study Research, Design and Method*, Beverly Hills, Sage Publication.

Le transfert des connaissances : un catalyseur à l'amélioration des pratiques de prévention et de gestion des lésions professionnelles

ELENA LAROCHE
Département de management,
Faculté des sciences de l'administration, Université Laval, Québec, Canada

1. INTRODUCTION

La santé et la sécurité du travail (SST) constituent un domaine de pratique, d'expertise et de recherche plutôt récent. La montée de l'intérêt que l'on accorde à cette problématique s'inscrit non seulement dans le souci de performance organisationnelle mais aussi dans l'augmentation des préoccupations politiques et publiques au regard de la santé de la population canadienne. Aujourd'hui, les mesures visant à protéger la santé de la population sont de plus en plus nombreuses et les priorités gouvernementales valorisent les interventions en prévention de la santé. Au nombre des ces initiatives et intérêts, notons les nouvelles législations concernant le tabac et le harcèlement psychologique, l'augmentation des budgets gouvernementaux pour la santé, la préoccupation grandissante de la population pour sa santé et la création, en 2000, des Instituts de recherche en santé du Canada, le principal organisme fédéral responsable du financement de la recherche en santé au Canada[1].

Selon l'Association des commissions des accidents du travail du Canada (ACATC), la notion d'indemnisation des accidents du travail a trouvé son

1. Page consultée le 18 novembre 2006.

origine en Allemagne, en Grande-Bretagne et aux États-Unis entre la fin du XIXe siècle et le début du XXe siècle[2]. « Au Canada, l'indemnisation des accidents du travail a connu ses débuts en Ontario. En 1910, le juge William Meredith a été nommé pour présider une Commission royale d'enquête pour étudier l'indemnisation des travailleurs. Son rapport final, connu sous le nom de Rapport Meredith, a été publié en 1913.[3] »

En 2006, au Canada, plus de 329 000 nouvelles réclamations pour lésions professionnelles avec perte de temps ont été dénombrées ; de ce nombre 976 ont généré le décès de travailleurs. Tous ces accidents génèrent des conséquences, non seulement en perte de vies humaines et en invalidité, mais également en termes de coûts sociaux et de coûts économiques directs et indirects pour les employeurs et la société. Plusieurs auteurs soutiennent que ces données ne seraient que la pointe de l'iceberg, étant donné que ces statistiques ne considèrent pas les événements sans perte de temps et non déclarés, ni les travailleurs non assurés. D'une part, selon la pyramide des risques de Bird et Germain, pour chaque blessure sérieuse avec pertes de temps, il y aurait dix blessures mineures, 30 accidents ou dommages à la propriété et 600 incidents sans blessure ou dommage visible. D'autre part, seulement 79,69 % de la main-d'œuvre canadienne était assurée en 2004. Ces données démontrent que les statistiques mises en évidence ne représentent qu'une parcelle de la réalité, des pertes de productivité et des coûts liés aux lésions professionnelles.

Le travail occupe une part importante de la vie active ; c'est pourquoi le travail et les conditions dans lesquelles il s'effectue sont parmi les déterminants principaux de la santé de la population canadienne pouvant, à la fois, contribuer au maintien de la santé mais aussi être à l'origine d'accidents et de maladies professionnelles. Or la nature du travail a changé de façon importante au cours des dernières décennies. Les produits, services et organisations ont évolué et de nouveaux types d'agents stresseurs émotionnels et physiques ont allongé la liste de ceux déjà présents dans les milieux de travail, mettant ainsi à l'épreuve la pérennité des actions de prévention. L'émergence des marchés mondiaux a mené à plusieurs efforts pour harmoniser les pratiques et les règlements sur la sécurité, la santé et l'environnement. Les programmes de dissémination et de prévention doivent couvrir l'ensemble de ces activités ainsi que les besoins particuliers d'informations. La survie de certaines organisations peut parfois être en lien avec l'expérience malheureuse d'un accident du travail, tout comme la productivité des organisations est trop souvent

2. Page consultée le 18 novembre 2006.

affectée par de tristes événements. Non seulement la diminution des lésions professionnelles peut avoir un impact sur la santé de la population canadienne mais également sur la productivité, la viabilité et la performance des organisations au Canada.

De nombreuses connaissances sont issues de la recherche en santé et en sécurité du travail au Québec et au Canada. La connaissance issue de la recherche universitaire est de plus en plus reconnue comme une source majeure pour l'amélioration de la performance des organisations. Cependant, le retour sur les investissements en recherche est souvent questionné. En effet, malgré le grand nombre de recherches en sciences du social et en sciences de la santé, on constate qu'une part considérable de ces recherches n'est pas transférée aux utilisateurs potentiels. Les décideurs publics, notamment, déplorent le peu d'impacts des résultats de recherche sur les politiques publiques et sur les pratiques professionnelles. Dans un contexte de mondialisation de l'économie où la compétitivité est une dimension cruciale, il est nécessaire de valoriser les connaissances issues de la recherche pour notamment améliorer leur impact sur la prévention des lésions professionnelles et l'amélioration des conditions de travail et de retour en emploi. Mais qu'est-ce qui caractérise la recherche en santé et en sécurité du travail ? Et qu'entend-on exactement par transfert des connaissances ?

La situation en santé et en sécurité du travail (SST) a ses propres particularités et caractéristiques en matière de pratique et de recherche (multiplicité des disciplines de recherche, diversité des problèmes et des secteurs économiques, etc.). Ces éléments peuvent influencer le transfert des connaissances. Ainsi, avant de décrire le transfert des connaissances et son application dans le domaine de la santé et de la sécurité du travail, cet article abordera les principales caractéristiques de la recherche dans ce domaine.

2. LES CARACTÉRISTIQUES DE LA RECHERCHE EN SST

De façon générale, la santé et la sécurité du travail (SST) est un domaine d'étude relativement jeune qui regroupe des chercheurs issus de plusieurs disciplines. Ils proviennent notamment des sciences du social, des sciences de l'humain, des sciences de la santé et de celles du génie. Au cours des vingt dernières années, de nombreux efforts ont été consacrés à la recherche en santé et en sécurité du travail. Toutefois, les différents champs d'expertise existants (santé, génie et social) ont longtemps utilisé des modes de production de la connaissance plutôt cloisonnés, alors que les problèmes de santé et de sécurité du travail (SST) font de plus en plus appel à des situations complexes et des solutions qui exigent la mise en œuvre de connaissances et de compétences multidisciplinaires. Les chercheurs se sentent souvent démunis en ce qui concerne les retombées concrètes de leur recherche dans les milieux de travail.

La recherche en SST se fait régulièrement sur le terrain, là où sont les risques. Par exemple, des chercheurs ont publié, dans le périodique *Work & Stress,* les résultats d'une étude sur les facteurs psychosociaux et les comportements sécuritaires qui interviennent comme prédicteurs des accidents de travail dans les milieux agricoles. Ce type de recherche nécessite l'implication des chercheurs dans les milieux de travail. Cependant, on croit que les connaissances produites en SST demeurent largement inutilisées et, assez souvent, inutilisables dans leur forme proposée. Pourtant, pour la majorité de ces travaux, l'objectif ultime est d'appliquer la connaissance issue de la recherche dans les milieux de travail en vue de réduire les lésions professionnelles.

L'Association des commissions des accidents du travail du Canada décrit ainsi la recherche en SST :

> Les études sur la santé et le bien-être en milieu de travail sont menées tant à l'échelle micro que macro, variant de recherches biomédicales fondamentales sur les effets toxiques d'agents chimiques, biologiques et physiques jusqu'à des aspects de l'organisation et de la gestion du travail et de leurs répercussions sur la santé. De plus, des recherches en prévention et en réadaptation sont entreprises dans des domaines comme l'ingénierie, la gestion, l'ergonomie, le droit, la psychologie et les sciences sociales, ainsi que les disciplines de santé plus traditionnelles. En résumé, les études sur la santé, la sécurité et le bien-être en milieu de travail s'appliquent à la gamme complète des environnements physiques et sociaux où nous exerçons nos activités professionnelles, ainsi qu'à l'évaluation des mesures prises en vue de prévenir ou de réduire les effets potentiellement nuisibles du travail sur la santé. Pourtant, la recherche et les chercheurs du domaine de la santé ne font pas beaucoup de vagues au Canada et, jusqu'à tout récemment, ils n'étaient pas encore représentés à l'échelle internationale[3].

Un intérêt semble naître actuellement pour la recherche sur le transfert des connaissances en SST. Cet intérêt accru se manifeste par une implication croissante des chercheurs dans la production de documents qui visent à transférer des connaissances et des outils vers les milieux de travail. Malgré leur implication dans ce type de production de connaissances, les chercheurs doivent maintenir leur crédibilité et poursuivre la publication de documents scientifiques avec des mécanismes de révision par les pairs. En effet, les

3. Actes constitutifs de l'Association canadienne de recherche en santé au travail, consultée le 20 novembre 2006 : p. 1

universités sont maintenant des institutions sociales, en plus d'être des institutions scientifiques. Les chercheurs qui y travaillent doivent se conformer à cette nouvelle socialisation de la science. En SST, non seulement les chercheurs doivent-ils publier dans des périodiques académiques liés à la SST mais ils doivent également maintenir une certaine reconnaissance dans leur discipline en publiant dans des périodiques scientifiques reconnus dans leur discipline. Ce triple rôle (vulgarisation, publication dans la discipline et publication en SST) maintient le chercheur en SST dans une dynamique concurrentielle où l'objectif primordial de ses recherches (la mise en pratique des connaissances pour la diminution des lésions professionnelles) doit souvent être mis de côté au profit d'une visée plus académique.

La recherche en santé et en sécurité du travail s'inscrit évidemment dans un contexte plus global de la société moderne et de l'économie. Autrefois plus institutionnalisée, la recherche en SST est maintenant très contextualisée et fait souvent intervenir plusieurs parties prenantes (chercheurs, syndicats, gestionnaires de la SST, spécialistes des Associations sectorielles paritaires (ASP), institutions étatiques de gestion de l'indemnisation des lésions professionnelles). Ces caractéristiques rejoignent particulièrement la description que Gibbons, Nowotny et leurs collaborateurs font du mode 2 de production de connaissances. Pour ces auteurs, le mode 1 désigne la forme d'institutionnalisation de la production des connaissances scientifiques qui assure la plus grande autonomie relative aux scientifiques, et dans laquelle les scientifiques ont la maîtrise exclusive de l'accès à leur domaine de recherche et des conditions d'exercice dans ce domaine, donc des conditions de production et de validation des connaissances scientifiques qui y prévalent. Quant au mode 2, il désigne une forme émergente d'organisation de la production des connaissances scientifiques qui se met en place à mesure que se multiplient les parties prenantes et que se densifient et se mondialisent leurs interactions avec les scientifiques. De multiples parties prenantes participent alors au cycle complet de la connaissance, depuis la détermination des objets à étudier jusqu'à l'utilisation concrète des résultats obtenus, en passant par la mise au point du protocole de recherche, la collecte et l'exploitation des matériaux, la préparation des rapports scientifiques et leur diffusion. Les auteurs croient en la coexistence de ces deux modes dans la société moderne. Il en est probablement de même pour la recherche en SST.

Par ailleurs, la recherche en SST, bien qu'à ses débuts probablement davantage institutionnalisés, fait plus rarement intervenir aujourd'hui qu'une seule discipline. Cette caractéristique est présente également dans le mode 2 du modèle de Gibbons, Nowotny et leurs collègues. En effet, le domaine de la recherche en SST regroupe régulièrement plusieurs disciplines. Les connaissances sont souvent acquises à partir de projets menés le plus souvent sur le terrain, dans un contexte transdisciplinaire et en relation étroite et directe avec les différents acteurs concernés. Le contexte d'étude et d'application des connaissances scientifiques en SST étant les organisations et milieux de travail, les chercheurs doivent tenir compte du contexte des organisations dans la production de leurs connaissances. Le domaine de la recherche en santé et en sécurité du travail fait souvent appel à de nombreuses expertises dans différents champs disciplinaires. Également, l'applicabilité des résultats de la recherche dans les milieux de travail pour améliorer la santé et la sécurité des travailleurs est souvent considérée comme un gage de qualité de la connaissance scientifique.

L'orientation de la recherche vers les utilisateurs modifie donc tant les façons de produire de la connaissance que les façons de la transférer dans les milieux de travail et dans la société. C'est pourquoi il est nécessaire de s'y intéresser. Les modes de production de connaissance n'ont été abordés que sommairement. Ils interagissent dans un ensemble bien plus complexe d'enjeux et de facteurs.

Devant ces changements manifestes des modes de production de connaissances dans lesquels s'inscrit la recherche en SST, il apparaît d'autant plus pertinent d'approfondir les recherches pour mettre en lumière les caractéristiques précises de la recherche dans ce domaine ainsi que les façons optimales d'améliorer le transfert des connaissances pour rendre les organisations plus performantes. Dans la partie suivante seront présentés les résultats sommaires d'une revue de littérature sur le transfert des connaissances.

3. LE TRANSFERT DES CONNAISSANCES

En transfert des connaissances, en raison de l'inconsistance dans l'utilisation des différents termes, il peut paraître bien complexe d'adopter des définitions. À la base, les auteurs ne semblent pas s'entendre sur l'utilisation du mot « connaissance ». Pour notre part, nous appuierons notre réflexion sur De Long et Fahey, lesquels définissent la connaissance comme le produit de la réflexion et de l'expérience des individus. Dépendante du contexte, la connaissance est pour eux une ressource qui est toujours localisée dans un individu ou un collectif ou incorporée dans une routine ou un processus. Incarnés dans le langage, les histoires, les concepts, les règles et les outils, les auteurs pensent que la connaissance résulte en une augmentation de la capacité pour la prise de décision et l'action visant à atteindre un objectif. Cette dernière définition permet à notre sens de bien saisir les différents concepts entourant la connaissance.

Qu'elle soit issue de la recherche ou non, plusieurs auteurs qualifient la connaissance en tant que connaissance codifiée, tacite ou explicite. La connaissance codifiée, d'une part, est souvent définie comme une information transmise au moyen de signes et de symboles. Dans un article qui traite des remous existant autour des connaissances tacites et codifiées, des auteurs proposent que tous les corps de connaissances puissent être codifiés à un certain niveau, mais qu'il soit très rare qu'un corps de connaissances puisse être transformé (codifié) complètement, sans perdre certaines de ses caractéristiques originales. Dans leur article, Johnson et ses collègues expliquent que, pour eux, le processus de codification des connaissances ne représente pas toujours un progrès. Ils reconnaissent que la codification est une source potentielle d'apprentissage, mais que « [l]*earning remains an interactive and social process and it is something rather different from a transfer of codified knowledge* ».

Par ailleurs, on distingue aussi fréquemment les connaissances tacites des connaissances explicites. Alors que les connaissances explicites seraient davantage exprimées dans un langage « naturel » ou formel, de façon systématique et entreposées sur un support tangible (p. ex. : logiciels, articles, livres), les connaissances tacites (p. ex. : intuitions, expériences) seraient acquises par la pratique, seraient plus personnelles, plus difficiles à exprimer et à transmettre et seraient liées aux compétences et aux savoir-faire. Charles Dhanaraj et ses collaborateurs proposent que la connaissance explicite soit fréquemment codifiée et qu'elle soit transférable par des langages formel et systématique. Ces mêmes auteurs avancent que la connaissance tacite est abstraite et qu'elle peut être communiquée par l'action. Même si la connaissance explicite peut être déterminante d'un succès, Dhanaraj et coll. suggèrent que son transfert ne requiert pas une socialisation aussi intense que celle requise pour le transfert des connaissances tacites. La majorité de ces auteurs incluent dans leur compréhension des connaissances tacites et explicites le fait que l'une puisse être transformée en l'autre. Cependant, pour Cook et Brown, les connaissances tacites et explicites seraient deux formes distinctes de connaissances ; elles auraient un rôle respectif que l'autre n'a pas et l'une ne pourrait être constituée de l'autre, pas plus qu'elle ne pourrait être changée dans l'autre. Ces auteurs reconnaissent deux autres types de connaissances : celles individuelles et celles de groupe, qu'ils considèrent également comme complètement différentes. Pour eux, la connaissance de groupe n'est pas constituée d'un cumul de connaissances individuelles, mais plutôt d'un apprentissage collectif.

Pour ce qui est du transfert des connaissances, plusieurs thèmes sont associés à ce concept. Ainsi, on discute souvent de la gestion, de l'utilisation, du partage, de l'échange, de la mise en pratique, de l'appropriation, de la production, de la diffusion, de la dissémination ou de la valorisation des connaissances. Ces termes sont également utilisés souvent de façon différente selon la formation des auteurs et leur discipline de recherche.

Dans cet article, jusqu'à maintenant, l'utilisation du terme « transfert des connaissances » a été privilégiée. On l'a préféré aux termes « utilisation » et « dissémination » des connaissances. S'il en a été ainsi, c'est que le terme « transfert des connaissances » est plus général que les deux autres. L'utilisation qui en a été faite avait pour objectif de faire référence à l'ensemble du processus de transfert des connaissances, incluant les étapes de dissémination et d'utilisation. La distinction et le choix des termes seront ici précisés.

De façon générale, on distingue deux grandes catégories de courants de pensée relativement au transfert des connaissances : ceux qui appréhendent le transfert des connaissances en tant que processus et ceux qui appréhendent le transfert des connaissances en tant que produit.

Selon Lomas, l'amélioration de la dissémination des résultats de la recherche doit passer par une meilleure compréhension réciproque des chercheurs et des décideurs. Pour lui, les chercheurs doivent comprendre que la prise de décision n'est pas un événement, lequel survient à un moment et dans un lieu précis, mais est plutôt un processus diffus avec des participants et un lieu peu identifiés, avec un bon souci des valeurs, des préférences et des biais qui pimentent les évidences. Pour lui, les décideurs doivent comprendre que la recherche n'est pas un produit qu'on peut se procurer dans un marché local, mais plutôt un processus dans lequel les méthodes et les objets d'études peuvent prendre des années à être raffinés et complétés. Ainsi, l'auteur pense que les chercheurs et les décideurs ont besoin d'opportunités pour s'engager dans des échanges à travers leurs processus, et pour ne pas se considérer respectivement comme des propriétaires et des clients de magasins en contact seulement pour le temps de l'échange entre l'argent et le produit.

L'autre façon de considérer le transfert serait de l'étudier selon un événement ou un résultat en particulier (*discrete event design* ou *product design*), une approche selon laquelle les prises de décision sont basées sur une donnée unique (un résultat) d'une recherche.

En se référant à Lomas, Amara et ses collègues ont soulevé les difficultés liées à l'approche « produit » et ont adopté une conception de type « processus ». Pour différents auteurs, l'approche « processus » est une approche dans laquelle les chercheurs identifient comment un ensemble de connaissances produites, à travers les différentes étapes du processus de recherche, sont déplacées dans les diverses activités de prise de décision des utilisateurs. Le processus de recherche est caractérisé par différentes étapes (génération des hypothèses, perfectionnement de méthodes d'analyse, etc.) et il en est de même pour le processus de décision des utilisateurs (observation de l'environnement des décideurs, reconnaissance des priorités, ciblage du problème, évaluation du modèle, etc.). Pour Landry et coll., il serait plutôt simpliste d'assumer qu'une décision particulière peut être attribuée à l'utilisation d'une seule recherche puisque les résultats de recherche ne génèrent pas un seul effet, mais plusieurs, et que les décisions ne dépendent généralement pas d'une seule étude, mais plutôt de plusieurs résultats de recherche.

Toutefois, certaines réalités sont encore associées au concept de transfert de connaissances. Ainsi, ce terme est parfois utilisé pour désigner le transfert de connaissances issues de la recherche vers des milieux de travail et, à d'autres moments, il fait référence au transfert de connaissances entre des organisations (interorganisationnel) ou au transfert de connaissances entre différents acteurs d'un milieu de travail (intra-organisationnel ou générationnel). Le transfert de connaissances peut donc se faire entre diverses personnes, entre différentes organisations, entre des sociétés distinctes, etc.

Lorsqu'il désigne le transfert de connaissances issues de la recherche vers des milieux de travail, on s'intéresse souvent à l'efficacité du transfert de connaissances. C'est le cas des travaux de Roy, Guindon et Fortier et de Frédéric Nlemvo Ndonzuau et coll.. Pour Roy et coll., « le processus de transfert peut être découpé en six phases distinctes allant de la génération initiale d'un savoir, d'une innovation ou d'une technologie jusqu'à son utilisation sur une base régulière par un usager final. Ces phases sont la création, la transformation, la communication, la réception, l'adoption et l'utilisation ». Mais les auteurs n'utilisent pas tous cette même catégorisation pour expliciter le transfert des connaissances. Certains utilisent quatre catégories (acquisition, sélection, internationalisation, utilisation), alors que d'autres n'en utilisent que trois (génération, codification, transfert). Considérant le transfert des connaissances (de la recherche à la pratique) bien au-delà de l'étude simple de la création ou du transfert de brevets, de licences, d'avantages concurrentiels ou de technologies, Landry et ses collaborateurs utilisent, pour leur part, la théorie des ressources (*resource-based theory of firms*) pour étudier le transfert des connaissances. Selon cette théorie, les chercheurs possèdent et contrôlent plusieurs ressources (financières, organisationnelles, relationnelles et personnelles) qu'ils peuvent déployer et mobiliser pour effectuer le transfert des connaissances issues de la recherche vers les entreprises ou les agences gouvernementales. Selon ces auteurs, lesquels se sont inspirés d'autres études, le transfert des connaissances est un processus qui comprend sept principales activités : la transmission et la présentation des résultats de la recherche, la participation à des groupes de travail impliquant des utilisateurs, l'octroi de services de consultation, la contribution à la mise au point de produits ou services, l'implication dans des activités d'entreprises et la commercialisation des résultats de recherche.

Ensuite, le transfert des connaissances est aussi souvent qualifié d'interorganisationnel, alors qu'il s'effectue entre deux (ou plusieurs) organisations distinctes. On fait alors parfois référence au transfert dans les réseaux. Pour Inkpen et Tsang, le transfert des connaissances est le processus par lequel un membre d'un réseau est affecté par l'expérience d'un autre membre du même réseau. Le transfert des connaissances se manifestant alors principalement par des changements dans les connaissances ou les performances de l'unité de réception.

Enfin, le transfert de connaissances peut également avoir lieu entre des individus d'une même organisation. On qualifie souvent ce type de transfert d'intra-organisationnel. Dans un article où il tente d'évaluer les barrières au transfert des bonnes pratiques dans une organisation, Szulanski définit le transfert de bonnes pratiques « *as dyadic exchanges of organizational knowledge between a source and a recipient unit in which the identity of the recipient matters* ». Pour cet auteur, le transfert de bonnes pratiques est un processus comprenant quatre étapes : l'initiation, l'exécution, le *ramp-up* et l'intégration. D'autres auteurs, en se référant à Ipe, utilisent des termes similaires pour définir un autre concept, soit le partage des connaissances. Ces auteurs différencient le partage des connaissances du transfert des connaissances, qui serait pour eux davantage un échange de connaissances entre des organisations, des départements ou des divisions dans une organisation (appelé ci-dessus transfert interorganisationnel), contrairement au partage qui s'effectue entre des individus (ou transfert intra-organisationnel).

Chacune de ces catégories de transfert a ses adeptes, ses définitions et ses concepts. Pour notre part, lorsque nous traitons du transfert de connaissances, nous faisons principalement référence au premier type, soit au processus de transfert des connaissances issues de la recherche vers les entreprises et les agences gouvernementales. Pour Landry et ses collaborateurs, ce type de transfert fait référence à une série de diverses activités qui nourrissent les processus décisionnels.

3.1 La dissémination des connaissances

La dissémination des connaissances est un terme moins présent dans la littérature en tant qu'objet d'étude. De manière générale, les auteurs utilisent ce concept en tant qu'« effort de dissémination », une variable indépendante déterminante du transfert ou de l'utilisation des connaissances. Notamment, Huberman et Thurler traitent, entre autres, du modèle de l'effort de dissémination dans l'étude du transfert de la recherche à la pratique. Ce modèle relègue aux chercheurs la responsabilité de la dissémination. Il est principalement basé sur l'investissement de temps pour la dissémination, sur le temps consacré aux diverses activités et phases de la dissémination, sur la disponibilité des ressources, sur la présence d'une stratégie de dissémination et sur l'efficacité et le réalisme des stratégies de dissémination. King et ses collaborateurs font partie de cette minorité qui a utilisé la dissémination des connaissances comme objet d'étude. Ils l'ont appliqué à l'évaluation du transfert dans des programmes de promotion de la santé. Dans un article, après avoir évoqué que la dissémination réfère généralement au transfert de connaissances, ils précisent que, pour eux, ce terme est spécifiquement utilisé en référence au transfert de nouveaux programmes et de nouvelles pratiques en promotion de la santé.

De façon similaire, Elliott et ses collaborateurs tentent de conceptualiser la dissémination de la recherche dans le but d'appliquer ces connaissances pour la promotion de la santé du cœur au Canada. Pour définir le processus de dissémination, les auteurs se réfèrent à Steckler et coll., qui définissent le processus de dissémination comme des efforts calculés et actifs pour influencer le processus de diffusion, des actions prises pour faciliter la diffusion de programmes innovateurs de promotion de la santé. Pour d'autres auteurs, les termes « dissémination » et « utilisation des connaissances » peuvent être utilisés de façon interchangeable ou très similaire. Selon eux, les deux termes ne signifient pas uniquement la distribution de produits ou d'information mais aussi l'incorporation des approches désignées pour faire la promotion d'une utilisation conceptuelle ou instrumentale.

En règle générale, les auteurs ciblent différentes dimensions au processus de dissémination. D'une part, Mesters et Meertens utilisent le modèle de Steckler et coll., qui considèrent la dissémination en quatre étapes (*awareness, adoption, implementation, continuation*). D'autre part, dans une étude de cas réalisée aux États-Unis, un auteur fait ressortir les éléments importants au succès de la dissémination des connaissances dans le secteur des politiques en éducation. Il constate que les décideurs et les chercheurs vivent dans différents mondes avec différents langages, valeurs et récompenses professionnelles et qu'il y a cinq dimensions qui influencent les résultats et l'efficacité des efforts de dissémination (la source, le canal, le format, le message et le récipient). L'auteur pense que ces cinq dimensions peuvent être augmentées par des «*policy brokers*» qui font le pont entre la recherche et les décideurs. Enfin, Scullion voit la dissémination comme un processus qui comprend une source, un message, un médium et un public cible. Ce dernier définit la dissémination comme «*a process that aims to ensure that key messages are conveyed to specified groups via a wide range of methods such that it results in some reaction, some impact or implementation*».

3.2 L'utilisation des connaissances

En comparaison avec la dissémination des connaissances, les auteurs sont plus nombreux à étudier l'utilisation des connaissances comme objet de recherche. Cependant, nombre d'entre eux ne définissent pas l'utilisation des connaissances, malgré que ce terme fasse bien souvent partie de leur question de recherche. Dans un article traitant des différentes significations de l'utilisation de la recherche, Carol H. Weiss suggère que l'ambiguïté entourant les discussions à propos de l'utilisation de la recherche tient son origine d'une confusion conceptuelle. Elle ne donne également pas de définition précise de l'utilisation de la recherche, mais suggère plutôt différents modèles pour étudier l'utilisation de la recherche en sciences du social pour les politiques publiques.

Pour Beyer et Trice (1982), l'utilisation de la recherche est un processus qui nécessite que des personnes «fassent quelque chose avec des résultats de recherche», que ce soit à court ou à long terme. Pour ces auteurs, l'utilisation de la recherche est un processus comportemental complexe qui comprend quatre composantes principales: le cognitif, les sentiments, les choix et les actions. Les auteurs soutiennent que ces quatre composantes correspondent aux quatre processus organisationnels de la théorie des organisations (*information processing, affective bonding, strategy formulation and control, action generation*). Selon ces mêmes auteurs, ce processus d'utilisation des connaissances comporte deux phases conceptuelles, les phases d'adoption et d'implantation, pour lesquelles correspondent des comportements spécifiques liés aux quatre composantes du comportement (ou quatre processus organisationnels). Pour leur part, Landry et coll. décrivent l'utilisation des connaissances comme un processus comprenant plusieurs étapes: la réception, la cognition, la discussion, la référence, l'effort (adoption) et l'influence. D'autres auteurs conçoivent l'utilisation des connaissances comme un processus d'apprentissage. Ils soutiennent la perspective constructiviste de l'apprentissage (non linéaire de l'acquisition d'un produit), selon laquelle les nouvelles connaissances sont filtrées et organisées avec l'expérience et la compréhension préexistantes de l'apprenant.

Enfin, plusieurs auteurs distinguent différents types d'utilisation de la recherche : l'utilisation instrumentale, l'utilisation conceptuelle et l'utilisation symbolique de la recherche. Dans l'utilisation instrumentale de la recherche, on utilise les résultats de la recherche dans les processus de décision et pour régler un problème. Ce type d'utilisation est similaire au *problem-solving model* décrit par Weiss (1979). L'utilisation conceptuelle de la recherche, quant à elle, réfère à une utilisation plus générale et moins dirigée des résultats de la recherche. Amara et ses collaborateurs (2004) voient ce type d'utilisation de la recherche comme un apport général de connaissances intervenant dans le processus de décision. Enfin, plusieurs auteurs soutiennent que la recherche peut être utilisée de façon symbolique, pour soutenir une décision ou un programme déjà adoptés. De façon générale, dans les agences gouvernementales, les trois types d'utilisation de la recherche jouent simultanément un rôle significatif. Cependant, l'utilisation conceptuelle y serait plus fréquente que celle instrumentale.

En plus du transfert, de la dissémination et de l'utilisation de la recherche, certains auteurs abordent également la question de « l'application » ou de la « mise en pratique » de la recherche. Les IRSC définissent l'application des connaissances « comme l'échange, la synthèse et l'application éthique des résultats obtenus par les chercheurs dans un système complexe d'interactions entre les chercheurs et les utilisateurs des connaissances ». Ils distinguent l'application des connaissances du transfert des connaissances lequel, pour eux [...], correspond à la circulation unidirectionnelle de connaissances entre les chercheurs et les utilisateurs. Il n'est pas surprenant que, selon ce modèle traditionnel, la faible utilisation des connaissances soit imputable au problème des « deux communautés », où chercheurs et décideurs, qui habitent des mondes différents, possèdent leurs propres langage et culture [...] En outre, l'AC (application des connaissances) dépendrait essentiellement d'approches axées sur la diffusion, qui, selon des études récentes, n'ont pas encouragé de façon efficace l'adoption et la mise en œuvre des nouveaux résultats de la recherche. La simple réception des connaissances par l'utilisateur éventuel ne suppose pas son « utilisation » [...].

Sous un angle plus global, Landry et ses collaborateurs utilisent l'appellation de « mise en pratique des connaissances » (*knowledge translation*) pour désigner l'ensemble de ce processus d'échange de connaissances. Les auteurs se réfèrent à un rapport de l'OMS pour définir la mise en pratique des connaissances comme « *the synthesis, exchange and application of knowledge by relevant stakeholders to accelerate the benefits of global and local innovation in strengthening health systems and improving people's health*». Ils ajoutent que la mise en pratique des connaissances concerne la création, le transfert et la transformation des connaissances d'une unité sociale ou organisationnelle à une autre, dans une chaîne de création de valeur ; et que c'est un processus complexe interactif qui dépend des humains et de leur contexte. Cette chaîne de valeur des connaissances tente d'expliquer le processus de mise en pratique des connaissances internes, autant qu'externes (p. ex. des connaissances issues de la recherche).

De façon générale, au cours de l'étude de l'échange de connaissance entre les chercheurs et les milieux de travail, le terme « transfert des connaissances » est davantage utilisé en référence aux facteurs entourant les chercheurs, alors que le terme « utilisation des connaissances » réfère plus souvent au processus d'utilisation des connaissances dans les milieux de travail.

Dans un article, Carol Weiss propose différents modèles pour l'étude de l'utilisation de la recherche en sciences sociales pour les politiques publiques. Plusieurs autres auteurs ont également utilisé ces modèles soit pour tenter de définir le transfert ou l'utilisation des connaissances, soit pour tenter de circonscrire les différentes variables intervenant dans ces processus. Entre autres, notons le *Knowledge-Driven Model* (modèle « technologique » ou *science push model*), le *problem-Solving Model* (*engineering model, policy-driven model, economic model* ou *demand pull model*), l'*interactive model* (*social interaction model*), le *political model*, le *tactical model*, l'*enlightenment model* et le *Research as Part of the Intellectual Enterprise of the Society*. Carol Weiss évoque que probablement chacun des modèles présentés est utilisable dans une situation particulière, mais que possiblement aucun d'entre eux n'offre une réponse complètement satisfaisante à la définition de la meilleure façon de mobiliser l'utilisation de la recherche dans les politiques publiques. Aussi, mentionnons l'approche de Nonaka, lequel conçoit le transfert par quatre différents types de conversion de la connaissance, et Huberman, qui traite entre autres du modèle de l'effort de dissémination. Enfin, signalons l'apport de la théorie sociale de l'apprentissage, qui soutient l'acquisition de connaissances par l'apprentissage.

4. APPLICATION DU TRANSFERT DES CONNAISSANCES AU DOMAINE DE LA SST

Malgré que l'on constate, dans la littérature, la présence d'études sur le transfert des connaissances qui datent déjà de quelques décennies, on ne peut pas en dire autant de l'étude du transfert dans le domaine de la santé et de la sécurité du travail. En effet, jusqu'à maintenant, peu de tentatives ont été faites pour étudier la circulation de l'information dans le domaine de la SST (de la recherche à la pratique), et les études qui existent sont relativement récentes.

Depuis quelques années, on a tout de même assisté à une augmentation de l'intérêt face à des initiatives de projet en transfert des connaissances dans le domaine de la santé et de la sécurité des travailleurs. D'ailleurs, les Instituts de recherche en santé du Canada ont souligné des initiatives d'application des connaissances dans un recueil répertoriant divers cas. Une partie du recueil est consacrée à la présentation d'initiatives d'application des connaissances en santé au travail, ce qui démontre les préoccupations actuelles pour la mise en pratique des résultats de la recherche en SST. Les stratégies présentées peuvent notamment inclure des initiatives d'éducation, de changement de politiques, d'échange ou d'amélioration d'intervention. Parmi les initiatives en santé au travail soulignée par les IRSC, notons la création du *Consortium de l'Est du Canada en santé et sécurité au travail, qui a pour objectif de soutenir « la recherche sur la santé et la sécurité au travail et son application à des contextes réels ». Selon la littérature consultée, de telles initiatives auraient un impact positif sur le transfert des connaissances. Notamment, Hanney a fait ressortir l'importance de l'*existence d'agences internationales qui peuvent agir d'intermédiaire dans la liaison des connaissances et de l'action comme facteur d'efficacité du transfert.

Le National Institute for Occupational Safety and Health (NIOSH) a également mis de l'avant certains projets pour assurer la mise en pratique des connaissances liées à des risques spécifiques ou à des secteurs d'activités[4]. *Au Québec, l'Institut de recherche Robert-Sauvé en santé et sécurité du travail (IRSST) priorise aussi le transfert des connaissances issues de la recherche vers les milieux de travail. La stratégie utilisée consiste à « s'associer les* relayeurs potentiels dès le processus de création d'un projet, favoriser la participation des relayeurs lors du déroulement des travaux [et à] solliciter l'engagement des relayeurs pour la transformation et la diffusion des connaissances »[5]. À première vue, ces éléments peuvent avoir un impact positif sur le transfert des connaissances. En effet, la présence de relayeurs d'information (courtier ou organismes) a été reconnue comme une variable déterminante dans l'accessibilité des connaissances et les moyens de diffusion.

Par ailleurs, l'Association des commissions des accidents du travail du Canada (ACATC) a organisé, en 2001, un forum public qui regroupait des chercheurs et des praticiens intéressés par le transfert des connaissances en

---

4. http://www.cdc.gov/niosh/r2p/ , page consultée le 14 novembre 2006.
5. http://www.irsst.qc.ca/fr/transfert-de-connaissances.html , page consultée le 14 novembre 2006.

SST. Au cours de cette rencontre, on a discuté d'initiatives en transfert des connaissances en SST et on a tenté de trouver des moyens efficaces pour optimiser le transfert dans ce domaine. Un rapport reprend l'essentiel des discussions du forum et dans lequel on retrouve également une récapitulation de monsieur Jean-Yves Savoie, alors président-directeur général de l'IRSST. Dans cette récapitulation, M. Savoie traite des changements dans le monde du travail et souligne notamment l'importance de l'engagement continu des chercheurs dans les activités de transfert, de l'utilisation de multiples mécanismes de transfert qui ciblent adéquatement les utilisateurs, de l'engagement et de la passion de la direction, de l'implication des syndicats, de la présence d'une infrastructure pour le transfert de connaissances ainsi que l'importance d'évaluer les interventions pour accroître l'efficacité du transfert.

Le transfert des connaissances en SST est ainsi de plus en plus présent dans les tribunes populaires (notamment par des campagnes de marketing social), les colloques professionnels, les programmes de formation et les congrès scientifiques. Les projets de recherche qui ont comme objectif le transfert des connaissances sont de plus en plus nombreux. Mais peu de chercheurs se sont consacrés à l'étude du transfert des connaissances comme objet de recherche dans le domaine de la santé et de la sécurité du travail. Quelques études ont tout de même tenté de cerner la problématique du transfert en SST. Parmi celles-là, notons une étude récente de Donna Baines, qui a étudié la transmission des connaissances en SST par une étude de cas dans le secteur des services sociaux. L'auteure suggère que la transmission des connaissances en SST est limitée par le discours de neutralité scientifique, par l'économie politique des universités ainsi que par les fonds subventionnaires, lesquels tendent à récompenser les chercheurs qui produisent des articles scientifiques (avec révision par les pairs). Elle ajoute que le transfert des connaissances pourrait bénéficier d'une approche qui intégrerait la transmission des connaissances dans les méthodes de recherche, comme mesure de validité de la recherche, qu'elle a nommée « validité catalytique ».

Également, dans une étude, Kramer et Cole ont évalué les facteurs d'efficacité du transfert et de l'utilisation de la recherche en SST par une étude de cas dans trois entreprises. À partir d'une revue de la littérature, les auteurs ont fait ressortir des déterminants du transfert. Dans les résultats de leurs études de cas, les auteurs ont notamment souligné l'importance de la crédibilité de la source et du relayeur d'information, la présence de diverses données issues de plusieurs recherches, l'influence du contexte du milieu de travail (importance, entre autres, de l'engagement des gestionnaires et des syndicats), l'importance des interrelations, l'importance d'ajuster les interventions avec les besoins des utilisateurs, l'influence de l'ouverture des groupes à partager leurs expériences dans des réunions et la présence d'un relayeur d'information qui détient des compétences de facilitation.

Par ailleurs, Paul A. Schulte, du NIOSH, semble s'être particulièrement intéressé à l'étude du transfert des connaissances en SST. En 2003 et 2004, il a notamment publié deux études sur le transfert des connaissances en SST. Dans la première, les auteurs signalent ce que les travailleurs désirent et que ceux-ci sont de plus en plus impliqués et qualifiés pour trouver de l'information directement, sans l'aide d'intermédiaire. À ce propos, les auteurs suggèrent qu'Internet est devenu la première source d'information en SST. Pour conceptualiser la gestion des connaissances, en se basant sur d'autres auteurs, Schulte et ses collaborateurs construisent un modèle du cycle de la connaissance (création, transfert, utilisation), qui comprend des boucles de rétroactions et d'interactions. Ils ciblent certains facteurs d'efficacité, dont l'accessibilité, le synchronisme, la pertinence des données pour des auditoires spécifiques et l'utilisation de diverses méthodes. Pour évaluer les efforts de dissémination, les auteurs de la deuxième étude suggèrent l'utilisation d'un modèle adapté de Geisler (1995, 1999), dans lequel ils précisent différentes catégories de dissémination: 1- immédiate, 2- intermédiaire, 3- pénultième et 4- ultime. Mais les auteurs constatent la difficulté liée à la mesure de cette séquence. Ils discutent donc surtout des moyens de transfert et voient le transfert des connaissances selon trois canaux: les communautés de pratique (par le truchement de journaux, de la littérature, des normes professionnelles, des examens, de l'accréditation, de la certification, du réseau, des conférences, des prix) ; la formation (degré universitaire, formation des travailleurs, normes OSHA, centre de ressources d'éducation, engagement des gestionnaires et des travailleurs) et Internet (journaux, lettres de nouveautés, littérature, site Web, liste de distribution).

Dans un colloque scientifique portant sur la SST, Robert Parent a présenté sa vision générale du transfert des connaissances. Ce chercheur utilise la définition des IRSC pour définir le transfert et conçoit le transfert dans un modèle sur la dynamique de transfert des connaissances, lequel est fondé sur les capacités. Pour lui, le transfert est une question de capacités: capacité de génération (des connaissances), capacité de dissémination, capacité d'absorption et capacité d'adaptation et de remise en question (qu'il définit comme «l'habileté à apprendre et à renouveler continuellement le système de transfert de connaissances utilisé»). Il pense que les principaux défis du transfert des connaissances en SST résident dans la création d'un climat de confiance, la définition du transfert comme objectif organisationnel ou départemental, l'entretien d'une culture de transfert par l'amélioration des capacités, l'incitation au réseautage, le soutien de communautés de pratique ainsi que la mesure et la reconnaissance des efforts de transfert. Cette vision renferme différents éléments que l'on retrouve également dans certains modèles d'études du transfert (*dissemination model, interactive model*).

L'approche utilisée par Kramer et Cole pourrait être désignée comme une approche de type « produit », puisque l'auteur évalue l'utilisation de messages thématiques spécifiques dans trois études de cas. Il en est de même pour les études effectuées par Schulte, qui se penchent particulièrement sur un ou des résultats particuliers. En SST, les problématiques sont très diversifiées et souvent très spécialisées. Cela pourrait expliquer en partie l'utilisation de l'approche « produit » dans l'étude du transfert liée à ce domaine de recherche.

Enfin, des études ont traité du transfert des connaissances entre les chercheurs ou entre des praticiens dans des mécanismes d'inter ou de multidisciplinarité. D'un côté, Lortie et ses collaborateurs proposent une réflexion sur les échanges entre des chercheurs issus de diverses disciplines, et ce, par l'analyse du point de vue de vingt chercheurs. De l'autre côté, l'auteur traite des relations entre les spécialistes (praticiens) de la santé au travail et fait ressortir la présence de relations de pouvoir entre les divers spécialistes qui interviennent en santé au travail (ergonome, médecin, hygiéniste, etc.), la difficulté qu'elles génèrent ainsi que la nécessité d'un minimum de connaissances communes pour permettre les échanges.

Enfin, d'ordre général, il est reconnu que le transfert des connaissances peut et doit se faire notamment par la formation. En SST, il existe différents types de formations : celle sur la tâche, celle sur les pratiques et les comportements sécuritaires, celle sur la SST en général, celle sur les procédures de travail, celle des superviseurs de production, celle des professionnels et gestionnaires de SST. Cette dernière catégorie exerce une influence considérable dans les organisations. Souvent porteurs de dossiers, défendeurs du bien-être des travailleurs et gestionnaires des coûts liés aux lésions, ces professionnels de la SST sont malheureusement fréquemment peu formés. Bien que de façon moins importante depuis quelques années, ils sont encore très souvent recrutés parmi les travailleurs ou les superviseurs, lesquels n'ont pas nécessairement de formation collégiale ou universitaire en gestion de la SST. Cette lacune se répercute nécessairement sur le transfert des données probantes issues de la recherche dans les milieux de travail.

5. CONCLUSION

Pour mieux comprendre la production des connaissances en santé et en sécurité du travail, cet article a fait état des principales caractéristiques de la recherche dans ce domaine. Il a été possible de percevoir la multidisciplinarité associée à ce domaine, l'orientation nécessaire de la recherche vers les utilisateurs, le caractère contextualisé de la recherche ainsi que les nombreuses parties prenantes (chercheurs, syndicats, etc.) qui interviennent dans le processus. Une revue de la littérature a permis de comprendre les concepts liés au transfert des connaissances et de cerner certaines études réalisées en transfert des connaissances au sein d'un domaine particulier, en l'occurrence celui de la santé et de la sécurité du travail.

Il a également été possible de constater la pauvreté de la littérature scientifique sur le transfert des connaissances dans le domaine de la santé et de la sécurité du travail. Bien que différentes initiatives d'application des connaissances semblent naître du côté des chercheurs, des institutions ou des groupes de recherche, les évidences scientifiques empiriques sur le transfert en SST sont, à première vue, peu nombreuses.

Pourtant, dans un article portant sur les thématiques émergentes dans le domaine de la santé et de la sécurité du travail, un auteur témoigne de l'importance de la recherche sur le transfert des connaissances dans le domaine de la SST. Il souligne les particularités de ce domaine de recherche et la pauvreté des investigations pour suivre le processus de la recherche et ses impacts dans les pratiques, la réglementation et les politiques. Pour Schulte et ses collaborateurs, la recherche en SST se concentre davantage sur la définition des risques en lien avec l'exposition que sur la description de méthodes efficaces pour étudier et appliquer les connaissances. Ces auteurs constatent les particularités liées à ce domaine de recherche au chapitre de la diversité des besoins et de la multiplicité de moyens nécessaires pour les combler. Entre autres, les auteurs suggèrent que l'utilisation des connaissances en SST diffère selon les utilisateurs et que, par conséquent, les données en SST doivent être façonnées pour rejoindre les différents besoins des utilisateurs, allant de la résolution des problèmes en milieu de travail aux efforts gouvernementaux pour fournir les ressources nécessaires. Ils ajoutent que l'objectif ultime de la recherche doit être d'améliorer et de promouvoir constamment la santé, la sécurité et le bien-être des travailleurs. L'auteur signale aussi le besoin d'investissements dans des recherches en SST qui étudient la façon dont l'information est transférée et utilisée dans la pratique. Dans un article moins récent, le même auteur a d'ailleurs suggéré que la production d'informations utilisables par les décideurs soit considérée en SST comme un des enjeux majeurs ayant émergé durant cette dernière décennie. Cet intérêt accru se manifeste aussi par une implication croissante des chercheurs dans la production de documents qui visent à transférer des connaissances et des outils dans les milieux de travail. Plusieurs chercheurs en SST ont réalisé des projets en transfert des connaissances, lesquels ont donné lieu à la production de documents/outils/méthodes s'adressant à des utilisateurs ou des relayeurs.

De façon similaire, d'autres auteurs ont également souligné le besoin primordial de communiquer les connaissances issues de la recherche en SST, l'importance d'évaluer l'efficacité en transfert des connaissances en SST, la pauvreté de la documentation sur les interventions visant à promouvoir l'utilisation de la recherche en SST, le besoin de préciser l'intensité et la longueur des interrelations qui devraient avoir lieu entre les chercheurs et les praticiens, de même que l'importance de travailler avec de nouveaux outils qualitatifs et quantitatifs pour évaluer le transfert en SST. Il est désormais primordial de mettre davantage l'accent dans l'identification des types de renseignements requis et dans la détermination de la façon dont les données sont utilisées par les organisations et les individus. Schulte et ses collaborateurs ont notamment déterminé le besoin de revoir la littérature et les approches systématiques pour mesurer la dissémination de l'information et son impact en santé et en sécurité du travail.

La prévention doit dorénavant faire l'objet d'une véritable stratégie de l'entreprise et devenir une dimension de tous ses projets. Il est donc primordial de réfléchir à de nouvelles approches et initiatives pour le maintien et la promotion du bien-être des travailleurs. Tout cela doit être considéré dans la définition des objectifs stratégiques de recherche nationale, dans la gestion des organisations, ainsi que dans la législation et la réglementation. Le transfert et la mise en pratique des connaissances issues de la recherche dans le domaine de la santé et de la sécurité du travail constituent un passage décisif pour susciter l'innovation et la prise en charge du bien-être des employés en milieu de travail.

BIBLIOGRAPHIE

Amara, N., Landry, R., et Lamari, M. (2003), *L'utilisation de la recherche sociale au Québec*, Chaire FCRSS/IRSC sur le transfert de connaissances et l'innovation.

Amara, N., Ouimet, M., et Landry, R. (2004), « New Evidence on Instrumental, Conceptual and Symbolic Utilization of University Research in Government Agencies », *Science Communication*, vol. 26, nº 1, p. 75-106.

Association des commissions des accidents du travail du Canada, ACATC. (2001), *Transfert de connaissances en santé et sécurité au travail* – Rapport du forum public préparé sur place. Toronto, Ontario, Association des commissions des accidents du travail du Canada.

Association des commissions des accidents du travail du Canada, ACATC. (2005), *Tableau des mesures statistiques clés pour 2004,* http://awcbc.org/french/f_board_pdf/2004FrKSMs.pdf.

Association des commissions des accidents du travail du Canada, ACATC (2008), *Mesures statistiques clés pour 2006,* http://www.awcbc.org/common/assets/ksms_french/f_2006ksms.pdf.

Baines, D. (2007), « The case for catalytic validity: building health and safety through knowledge transfer », *Policy and Pratice in Health and Safety,* vol. 5, n° 1, p. 75-89.

Blackler, F. (1995), « Knowledge, knowledge work and organizations : An overview and interpretation », *Organization Studies,* vol. 16, n° 6, p. 1021-1046.

Booth, T. (1990), « Researching policy research », *Knowledge : Creation, Diffusion, Utilization,* vol. 12, n° 1, p. 80-100.

Brun, J.P., Fournier, P.S., et Laroche, E. (2002), *Rapport des rencontres de travail des 24 septembre et 14 novembre 2002 pour la création du Réseau de recherche en santé et en sécurité du travail du Québec,* Réseau de recherche en santé et en sécurité du travail du Québec (RRSSTQ), from http://www.rrsstq.qc.ca/stock/fra/doc6-11.pdf

Cook, S. D. N., et Brown, J. S. (1999), « Bridging Epistemologies : The Generative Dance Between Organizational Knowledge and Organizational Knowing », *Organization Science,* vol. 10, n° 4, p. 381-400.

Craik, J., et Rappolt, S. (2006), « Enhancing Research Utilization Capacity Through Multifaceted Professional Development », *The American Journal of Occupational Therapy,* vol. 60, p. 155-164.

De Long, D. W., et Fahey, L. (2000), « Diagnosing cultural barriers to knowledge management », *Academy of Management Executive,* vol. 14, n° 4, p. 113-127.

Denis, D., Lapointe, C., Lortie, M., Mayer, F., Bilodeau, H., et Vezeau, S. (2004, 11 mai 2004), *Les relations interdisciplinaires : le point de vue des acteurs,* Paper presented at the colloque *La santé et la sécurité du travail : une collaboration multidisciplinaire,* organisé dans le cadre de l'ACFAS, Montréal.

Dhanaraj, C., Lyles, M. A., Steensma, H. K., et Tihanyi, L. (2004), « Managing tacit and explicit knowledge transfer in IJVs : the role of relational embeddedness and the impact on performance », *Journal of International Business Studies,* vol. 35, p. 428-442.

Elliott, S. J., O'Loughlin, J., Robinson, K., Eyles, J., Cameron, R., Harvey, D., Raine, K., et Gelskey, D. (2003), « Conceptualizing Dissemination Research and Activity : The Case of the Canadian Heart Health Initiative », *Health Education & Behavior,* vol. 30, n° 3, p. 267-282.

Gibbons, M., Limoges, C., Nowotny, H., Schwartzman, S., Scott, P., et Trow, M. (1994), *The New Production of Knowledge,* Londres, Sage.

Glasscock, D. J., Rasmussen, K., Carstensen, O., et Hansen, O. N. (2006), « Psychosocial factors and safety behaviour as predictors of accidental work injuries in farming », *Work & Stress*, vol. 20, n° 2, p. 173-189.

Hanney, S. R., Gonzalez-Block, M., Buxton, M. J., et Kogan, M. (2003), « The utilisation of health research in policy-making : concepts, examples and methods of assessment », *Health Research Policy and Systems*, vol. 1, n° 2.

Huberman, M., et Thurler, M. G. (1991), *De la recherche à la pratique : éléments de base*, Berne, Peter Lang ed.

Inkpen, A. C., et Tsang, E. W. K. (2005), « Social capital, networks, and knowledge transfer », *Academy of Management Review*, vol. 30, n° 1, p. 146-165.

Institut de la santé publique et des populations des IRSC, et Initiative sur la santé de la population canadienne (2006), *Recueil de cas d'application des connaissances – Mise en application des connaissances sur la santé publique et des populations : santé au travail*, Retrieved 10 nov. 2006

Instituts de recherche en santé du Canada (2004), *Stratégie liée à l'application des connaissances : Créneau et cible 2005-2009*, Retrieved 4 octobre 2006, from http://www.cihr-irsc.gc.ca/f/24471.html

Instituts de recherche en santé du Canada (2006), *L'application des connaissances – un aperçu*, Retrieved 5 octobre 2006, from http://www.cihr-irsc.gc.ca/f/7518.html

Ipe, M. (2003), « Knowledge Sharing in Organizations : A Conceptual Framework », Human Resource Development Review, vol. 2, n° 4, p. 337-359.

Johnson, B., Lorenz, E., et Lundvall, B.-A. (2002), « Why all this fuss about codified and tacit knowledge ? », *Industrial and Corporate Change*, vol. 11, n° 2, p. 245-262.

King, L., Hawe, P., et Wise, M. (1998), « Making dissemination a two-way process », *Health Promotion International*, vol. 13, n° 3, p. 237-244.

Kirst, M. W. (2000), « Bridging Education Research and Education Policymaking », *Oxford Review of Education*, vol. 26, n° 3/4, p. 379-391.

Knott, J., et Wildavsky, A. (1980), « If dissémination is the solution, what is the problem ? », *Knowledge : Creation, Diffustion, Utilization*, vol. 1, n° 4, p. 240-259.

Kramer, D. M., et Cole, D., C. (2003), « Sustained, Intensive Engagement to Promote Health and Safety Knowledge Transfer and Utilization by Workplaces », *Science Communication*, vol. 25, n° 1, p. 56-82.

Landry, R. (2005), *Le cycle de vie de la connaissance*, Notes de cours MNG-66737, Hiver 2005, programme de doctorat. Faculté des sciences de l'administration, Université Laval.

Landry, R., Amara, N., et Lamari, M. (2001a), « Climbing the Ladder of Research Utilization », *Science Communication*, vol. 22, n° 4, p. 396-422.

Landry, R., Amara, N., et Lamari, M. (2001b), « Utilization of social science research knowledge in Canada », *Research Policy*, vol. 30, p. 333-349.

Landry, R., Amara, N., et Ouimet, M. (2006), « Determinants of knowledge transfer : evidence from Canadian university researchers in natural sciences and engineering », *Journal of Technology Transfer*, vol. 32, n° 6, p. 561-592.

Landry, R., Amara, N., Pablos-Mendes, A., Shademani, R., et Gold, I. (2006), « The knowledge-value chain : a conceptual framework for knowledge translation in health », *Bulletin of the World Health Organization*, vol. 84, n° 8, p. 597-602.

Landry, R., Lamari, M., et Amara, N. (2003), « The Extent and Determinants of the Utilization of University Research in Government Agencies », *Public Administration Review*, vol. 63, n° 2, p. 192-205.

Larsen, J. K. (1980), « Knowledge Utilization : What is it? », *Knowledge : Creation, Diffusion, Utilization*, vol. 1, n° 3, p. 421-442.

Lavis, J. N., Robertson, D., Woodside, J. M., McLeod, C. B., et Abelson, J. (2003), « How can research organizations more effectively transfer research knowledge to decision makers? », *Milbank Quarterly*, vol. 81, n° 2, p. 221-248.

Lester, J.P. (1993), « The Utilization of Policy Analysis by State Agency Officials », *Knowledge*, vol. 14, n° 3, p. 267-290.

Lomas, J. (1997), « Research and Evidence-based Decision Making », *Australian and New Zealand Journal of Public Health*, vol. 21, n° 5, p. 439-441.

Lortie, M., Denis, D., Lapointe, C., Mayer, F., et Bilodeau, H. (2005), « Caractéristiques disciplinaire et échanges en santé au travail : perception et point de vue des chercheurs », *PISTES*, vol. 7, n° 2, p. 1-20.

Lortie, M., Lapointe, C., Denis, D., Mayer, F., Bilodeau, H., et Vezeau, S. (2004, 11 mai 2004), *Pluri ou interdisciplinarité : mariage de convenance ou affinités électives ?* Paper presented at the colloque *La santé et la sécurité du travail au Québec : une collaboration multidisciplinaire*, organisé dans le cadre du Congrès de l'ACFAS, Montréal.

Mandell, M. B., et Sauter, V. L. (1984), « Approaches to the study of information utilization in public agencies », *Journal of Knowledge : Creation, Diffusion, Utilization*, vol. 6, n° 2, p. 145-163.

Martin, B. R. (2003), « The changing social contract for science and the evolution of the university », dans A. Geuna, A. J. Salter et W. E. Steinmueller (dir.), *Science and innovation : Rethinking the rationales for funding and governance* (p. 7-29), Cheltenham, UK : Edward Elgar.

Mesters, I., et Meertens, R. M. (1999), « Monitoring the Dissemination of an Educational Protocol on Pediatric Asthma in Family Practice : A Test of Associations between Dissemination Variables », *Health Education & Behavior*, vol. 26, n° 1, p. 103-120.

National Center for the Dissemination of Disability Research (1996), *A Review of the Literature on Dissemination and Knowledge Utilization*, National Center for the Dissemination of Disability Research (NCDDR).

Ndonzuau, F. N., Pirnay, F., et Surlemont, B. (2002), « A stage model of academic spin-off creation », *Technovation*, n° 22, p. 281-289.

Nonaka, I., Toyama, R., et Nagata, A. (2000), « A Firm as a Knowledge-creating Entity : A New Perspective on the Thory of the Firm », *Industrial and Corporate Change*, vol. 9, n° 1, p. 1-20.

Nowotny, H., Scott, P., et Gibbons, M. (2001), *Re-Thinking Science : Knowledge and the Public in an Age of Uncertainty*, Cambridge, Polity Press.

Organisation mondiale de la Santé (2006), *Bridging the "know-do" gap : report on meeting on knowledge translation in global health*, from http://www.who.int/kms/WHO_EIP_KMS_2006_2.pdf

Parent, R. (2006), *Le transfert des connaissances en SST*, Paper presented at the colloque – *La recherche en SST : Anciens risques et enjeux actuels* – Symposium sur les enjeux actuels et futurs du transfert vers les milieux, organisé dans le cadre de l'ACFAS, Université McGill.

Rich, R. F. (1997), « Measuring knowledge utilization process and outcomes », *Knowledge and Policy : The International Journal of Knowledge Transfer and Utilization*, vol. 10, n° 3, p. 11-24.

Rich, R. F. (2002, 5-8 mai), *Health Care and Public Policy : Whose Job Is It ?* Paper presented at the Institute 2002, Champions, Opinion Leaders and Knowledge Brokers : Linkages between Researchers and Policy-Makers, Centre for Knowledge Transfer, Telus Centre, Edmonton Alberta.

Roy, M., Guindon, J.-C., et Fortier, L. (1995), *Transfert des connaissances – Revue de littérature et proposition d'un modèle*, Rapport de recherche A-099, Institut de recherche Robert-Sauvé en santé et en sécurité du travail du Québec.

Schulte, P. A. (2006), « Emerging issues in occupational safety and health », *International Journal of Occupational and Environmental Health*, vol. 12, n° 3, p. 273-277.

Schulte, P. A., Lentz, T. J., Anderson, V. P., et Lamborg, A. D. (2004), « Knowledge management in Occupational Hygiene : The United States Example », *Annals of Occupational Hygiene*, vol. 48, n° 7, p. 583-594.

Schulte, P. A., Okun, A., Stepenson, C. M., Colligan, M., Ahlers, H., Gjessing, C., Loos, G., Niemeier, R. W., et Sweeney, M. H. (2003), « Information Dissemination and Use : Critical Components in Occupational Safety and Health », *American Journal of Industrial Medicine*, vol. 44, p. 515-531.

Scullion, P. A. (2002), « Effective dissemination strategies », *Nurse Researcher*, vol. 10, n° 1, p. 65-77.

Steckler, A., Goodman, R. M., McLeroy, K. R., Davis, S., et Koch, G. (1992), « Measuring the diffusion of innovative health promotion programs », *American Journal of Health Promotion*, vol. 6, n° 3, p. 214-224.

Szulanski, G. (1996), « Exploring internal stickness : Impediments to the transfer of best practice within the firm », *Strategic Management Journal*, vol. 17 (Winter Special Issue), p. 27-43.

Terpstra, D. E., et Rozell, E. J. (1997), « Sources of Human Resource Information and the Link to Organizational Profitability », *Journal of Applied Behavioral Science,* vol. 33, n° 1, p. 66-83.

Thompson, G. N., Estabrooks, C. A., et Degner, L. F. (2006), « Clarifying the concepts in knowledge transfer : a literature review », *Journal of Advanced Nursing,* vol. 53, n° 6, p. 691-701.

Vinck, D. (2001), *Une analyse à chaud et personnelle des relations entre ergonomie et pluridisciplinarité,* Réflexion à la suite de la Journée de la SELF du 14 juin 2001 à propos de *La pluridisciplinarité en santé au travail.*

Weiss, C. H. (1979), « The Many Meanings of Research Utilization », *Public Administration Review,* vol. 39, n° 5, p. 426-431.

Conclusion

Cet ouvrage avait pour but d'éclairer le lecteur sur les impacts des transformations du monde du travail sur la santé et la sécurité de la main-d'œuvre. Afin d'aider les entreprises et leurs partenaires, nous avons également fait état des pratiques de gestion et exploré des pistes d'intervention qui permettent un renouvellement des approches préventives en SST. S'il est vrai qu'il faut poursuivre les efforts en matière d'acquisition de connaissances, ce document permet aussi de dégager des résultats probants qui permettent de mieux comprendre les enjeux de SST ainsi que les stratégies de prévention à déployer. À la lumière de ces points de convergence, examinons certains éléments qui méritent d'être rappelés.

Au plan de la prévention des risques psychosociaux, plusieurs recherches ont conclu que la prévention du stress représente un moyen par lequel une organisation peut non seulement améliorer la santé de ses employés et réduire ou limiter les coûts de son absentéisme, mais elle peut aussi maintenir positivement et améliorer la santé de l'organisation et sa productivité. Ces éléments bénéfiques pour le bien-être des employés et la performance de l'entreprise sont : la sécurité d'emploi, les équipes semi-autonomes et la décentralisation du processus de décision, la formation étendue, la réduction des distinctions de statut et des barrières ainsi que le partage étendu de l'information sur la vie de l'organisation.

Le phénomène du harcèlement psychologique est une autre manifestation aiguë des risques psychosociaux au travail. Avec la montée de l'individualisme, la perte de solidarité et l'augmentation des distances sociales au travail, le conflit qui se manifestait à l'extérieur (grève, pétition, piquetage ou sabotage) s'exprime maintenant dans les lieux de travail (bureau, atelier, cuisine, entrepôt, etc.) et de manière privée, c'est-à-dire entre deux individus. Cette situation de perte des solidarités conduit souvent la personne victime de harcèlement à se taire : elle n'ose pas parler de la situation et espère que le temps va arranger les choses. Par ailleurs, on constate qu'un grand nombre de cas de harcèlement psychologique au travail se rapporte à des situations d'incivilités, des propos vexatoires et blasphématoires. En fait, le respect de la personne est une valeur en perte de vitesse et l'individualisme justifie bien souvent n'importe quel propos. Dans une perspective de saine gestion des organisations, les problèmes de harcèlement psychologique doivent surtout être analysés à la lumière de l'éthique individuelle et collective et à la lumière des problèmes associés aux rapports de travail. L'employeur et les employés ont donc le devoir de s'assurer que de telles situations ne peuvent se produire. Il est aussi important d'établir des frontières à ne pas dépasser, de définir le mieux possible ce qui est acceptable et ce qui ne l'est pas, de faire comprendre que le respect de la dignité de la personne n'est pas un privilège, mais bien un droit et un devoir fondamental et qu'il ne faut pas attendre que la situation soit jugée inacceptable pour intervenir.

La conciliation travail-vie privée est un autre enjeu pour les partenaires du monde du travail. Nous avons pu découvrir que cet enjeu ne concerne pas uniquement l'entreprise et les employés mais aussi la communauté, les municipalités et les services à la collectivité. Il a aussi été mis en évidence que les contraintes temporelles sur la conciliation travail-vie privée provenant des acteurs du milieu de vie touchent d'abord et avant tout la garde des enfants et la surveillance des adolescents. Les travaux de recherche sur cette question doivent se poursuivre afin de mieux prendre en compte le point de vue d'un plus grand nombre de parents-travailleurs dont l'horaire de travail est considéré comme atypique, de résidants de grandes métropoles et d'acteurs de la collectivité. Il demeure tout de même que l'implication de nombreux acteurs du milieu de vie se révèle plus que jamais nécessaire, notamment par leurs influences temporelles positives, afin que les parents-travailleurs puissent relever le double défi de la natalité et de l'emploi.

La question des petites et moyennes entreprises (PME) devient également un enjeu de taille pour la prise en charge de la santé et la sécurité du travail. Alors que les PME occupent une place prépondérante dans le tissu industriel, ces organisations sont confrontées à des lacunes en termes de ressources humaines et matérielles pour faire face aux défis de gestion de la santé et de la sécurité de plus en plus complexes. Ainsi, on constate que les dirigeants de petites entreprises sont souvent isolés et surchargés de travail. De plus, ils n'ont souvent pas l'expertise nécessaire puisqu'ils sont mal informés des risques inhérents à la santé et à la sécurité du travail et font peu appel à des services-conseils en SST. Dans cette perspective, il est essentiel de mettre au point des outils appropriés à leur réalité afin de pouvoir améliorer le bilan. Ces outils doivent notamment favoriser l'intégration de la SST aux autres activités de l'entreprise. Finalement, il existe une grande diversité des pratiques dans les PME. Pour tenir compte de contextes et de besoins multiples, les interventions doivent offrir des services flexibles et adaptés à la réalité de chacun.

Au plan du droit et de la santé et de la sécurité du travail, la notion d'accommodement et de droit de retour au travail à la suite d'une lésion professionnelle soulève aussi des questionnements par rapport au droit à l'égalité. Dans un contexte d'évolution du monde du travail et de l'emploi, la Loi sur les accidents de travail et les maladies professionnelles (LATMP) comporte des incompatibilités au regard des obligations contenues dans la Charte québécoise et soulève des inégalités quant au droit de retour au travail. Face à ces problèmes, une intervention législative est souhaitable pour harmoniser la LATMP avec le cadre législatif québécois. De plus, une sensibilisation des employeurs par rapport à leur responsabilité en matière d'accommodement et de retour au travail est nécessaire.

Par ailleurs, la formation occupe sans contredit un rôle de premier plan en ce qui a trait à l'intervention en santé et en sécurité du travail. Cependant, elle soulève plusieurs enjeux relatifs à sa portée dans les milieux de travail et à l'amélioration des conditions d'exercice du travail. Dans cette perspective, certains principes semblent particulièrement prometteurs dans la réussite des interventions et dans la transformation des milieux de travail. Tout d'abord, il semble nécessaire de dépasser le problème de formation pour proposer une approche d'aide à l'apprentissage sur le cours de vie. En effet, derrière un problème de formation se cache un problème beaucoup plus large de conditions de travail et de conditions de formation qui rendent plus difficiles l'action et l'apprentissage. Cela suppose que les besoins de formation et d'apprentissage doivent reposer sur la prise en compte de la réalité quotidienne des principaux acteurs concernés. De plus, dans cette même logique, la formation à certains principes peut devenir un outil très fort de prise en charge, par les employés, de l'aménagement de leur poste de travail en respect des principes ergonomiques de santé et de sécurité du travail. Combinées à d'autres mesures de gestion de la SST, ces pratiques de formation s'avèrent très prometteuses.

Finalement, l'implication des acteurs externes à l'entreprise (les conseillers mais aussi les chercheurs en santé et en sécurité du travail) constitue des ressources utiles à la gestion de la santé et de la sécurité dans les organisations. Cependant, l'influence qu'ils ont dans leurs interventions demeure peu connue et peu structurée. Les résultats des recherches entreprises nous permettent d'éclairer la situation. D'une part, les conseillers externes semblent avoir une contribution importante à la structuration de la prévention. L'efficacité de ces interventions semble influencée par le contexte des milieux de travail, particulièrement lorsqu'il s'agit des caractéristiques des organisations, des rapports entre les acteurs et, enfin, du degré de progression des activités en prévention. D'autre part, les chercheurs transmettent un nombre important de connaissances sur les risques en santé et en sécurité du travail utiles à la prévention. Toutefois, la diffusion de ces connaissances vers les organisations demeure peu étendue malgré des initiatives individuelles novatrices. Dans cette perspective, il devient primordial de mettre en valeur ce champ de connaissances ainsi que des stratégies concrètes pour favoriser un transfert et une utilisation des connaissances par les organisations.

Qu'il s'agisse d'une petite, d'une moyenne ou d'une grande organisation, et peu importe que celle-ci soit privée ou publique, ces textes font tous état de la complexité grandissante des problématiques liées à la gestion de la santé et de la sécurité du travail. Pour les surmonter, il faut abattre les frontières traditionnelles de la prévention dans les organisations et prendre en compte des éléments parfois considérés comme extérieurs à cette culture traditionnelle. Par exemple, il peut s'avérer utile voire nécessaire de recourir au monde municipal, scolaire ou communautaire pour relever les défis de la conciliation travail-vie privée dans les organisations, ou encore de conclure des partenariats novateurs avec le monde de la recherche pour explorer des connaissances de pointe face aux changements dans le monde du travail. Le recours à ces ressources implique également l'implantation de bonnes pratiques de gestion destinées à réduire l'impact des anciens et des nouveaux risques. Par exemple, des pratiques de formation adaptées aux contraintes réelles de travail, ou encore l'instauration de pratiques de gestion qui favorisent la dignité et le bien-être de la personne. Globalement, le monde du travail se transforme constamment et le domaine de la prévention au travail doit pouvoir s'adapter de façon continue.

Ainsi, malgré les évidences scientifiques qui sont confirmées ou reconfirmées dans cet ouvrage, et malgré l'efficacité des stratégies d'intervention suggérées, il demeure qu'un enjeu important apparaît clairement à travers ce collectif de travail et qu'il faudra en tenir compte au cours des années à venir ; cet enjeu, c'est celui de la prévention durable. En effet, les chercheurs et les intervenants en SST parviennent au même constat : même si la solution est efficace et la stratégie bien adaptée au contexte de l'entreprise, cela n'est pas suffisant pour que les changements, permettant une amélioration des conditions d'exercice du travail, soient maintenus dans le moyen et le long terme. Le monde du travail se transforme de plus en plus vite et les interventions *ad hoc* ne suffisent plus, la prévention durable passe par une démarche proactive, intégrée et continue de la gestion des risques dans l'environnement interne et externe des organisations. De plus, ce n'est pas uniquement le changement qui rencontre un problème de pérennité, mais aussi la mobilisation des gestionnaires et des travailleurs envers la prévention. En fait, après la mise en place et l'intégration des solutions de prévention, on constate un essoufflement qui conduit souvent au déclin et même à la disparition des mesures de prévention prises quelques mois ou quelques années plus tôt. Sous un angle plus épistémologique, nous pourrions dire que l'évidence scientifique n'est pas garante du succès pragmatique.

En effet, après quelques années, les améliorations apportées à la SST ne sont pas durables dans le temps. Les facteurs associés à ce problème de la durabilité de la prévention sont : le manque d'intégration de la prévention à la gestion, le roulement de personnel qui entraîne le changement des acteurs, les changements organisationnels, la désorganisation généralisée, l'apparition de nouveaux enjeux et de nouveaux problèmes, etc.

Dans les recherches à venir, il faudra donc se préoccuper sérieusement de la question de la durabilité de la prévention. Les pistes à explorer seront probablement l'engagement de la direction, la prise en considération de la SST comme un enjeu stratégique et le ciblage des risques et des plaintes et non seulement des accidents du travail et des pathologies. Ce défi de la prévention durable se résume à travers un enjeu : faire de la santé au travail une fonction de gestion qui s'exerce au quotidien. En effet, le défi de la SST n'est pas de mettre en œuvre le meilleur projet de prévention, mais d'assurer la pérennité du principe de prévention.

Revues dans lesquelles les articles ont été initialement publiés.

Relations industrielles / Industrial Relations Pavillon J.-A.-DeSève 1025, av. des Sciences-Humaines Université Laval Québec (Québec), Canada G1V 0A6 Téléphone : 418-656-2468 Télécopieur : 418-656-3175 Courriel : info@riir.ulaval.ca Site Internet : www.riir.ulaval.ca	Loisir et société Presses de l'Université du Québec Edifice le Delta I 2875, boul. Laurier, bureau 450 Québec (Québec), Canada G1V 2M2 Téléphone : (418) 657-4399 Télécopieur : (418) 657-2096 Courriel : puq@puq.ca Site Internet : www.puq.ca
Perspectives interdisciplinaires sur le travail et la santé (PISTES) Revue électronique Site Internet : http://www.pistes.uqam.ca/	*Actes de la recherche en sciences sociales* 52, rue du Cardinal-Lemoine F-75005 Paris France
WORK Nieuwe Hemweg 6B Amsterdam 1013 BG Netherlands	*Les Cahiers de Droit* Faculté de droit Pavillon Charles-De Koninck – bureau 7133 Université Laval 1030, avenue des Sciences-Humaines Québec (Québec) G1V 0A6
Revue francophone du stress et du trauma Secrétariat général et contenus scientifiques PAV / ALFEST Carole DAMIANI contact@trauma-alfest.com 12, rue Charles-Fournier 75013 Paris France	

Liste des auteurs

Geneviève Baril-Gingras, professeure,
Département des relations industrielles, Université Laval

Marc Bégin, professeur,
Département des fondements et pratiques en éducation, Université Laval

Marie Bellemare, professeure,
Département des relations industrielles, Université Laval

Renée Bourbonnais, professeure,
Département de réadaptation, Université Laval

Chantal Brisson, professeure,
Département de médecine sociale et préventive, Université Laval

Jean-Pierre Brun, professeur,
Département de management, Université Laval

Danièle Champoux, professionnelle scientifique,
Institut de recherche Robert-Sauvé en santé et en sécurité du travail

Lise Chrétien, professeure,
Département de management, Université Laval

Johanne Dompierre, professeure,
Département des relations industrielles, Université Laval

Pierre-Sébastien Fournier, professeur,
Département de management, Université Laval

Serge André Girard, professionnel,
Direction des risques biologiques, environnementaux et occupationnels,
Institut national de santé publique du Québec

Evelyn Kedl, professionnelle de recherche,
Chaire en gestion de la santé et de la sécurité du travail, Université Laval

Anne-Marie Laflamme, professeure,
Faculté de droit, Université Laval

Lucie Laflamme, chercheure,
Department of Public Health Sciences, Social Medicine, Karolinska Institute, Stockholm, Suède

Denis Laliberté, professeur,
Département de médecine sociale et préventive, Université Laval

Éléna Laroche, candidate au doctorat,
Faculté des sciences de l'administration, Université Laval

Isabelle Létourneau, professionnelle de recherche,
Département de management, Université Laval

Sylvie Montreuil, professeure,
Département des relations industrielles, Université Laval

Catherine Teiger, chercheure,
CNRS – Laboratoire G. Friedman ;
CNAM – Laboratoire d'ergonomie, Paris, France

Louis Trudel, professeur,
Département de réadaptation, Université Laval

Michel Vézina, professeur,
Département de médecine sociale et préventive, Université Laval

Marquis imprimeur inc.

Québec, Canada
2008

Imprimé sur du papier Silva Enviro 100% postconsommation traité sans chlore, accrédité Éco-Logo et fait à partir de biogaz.

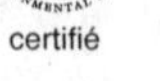
certifié

procédé sans chlore

100 % post-consommation

archives permanentes

énergie biogaz